コスメティック

JN285918

第一章　運命の身震い

夏の喧騒が消え、パリは静かで冷ややかな季節を迎えようとしていた。

街路樹は、ちょうどこの秋流行のマロンカラーに染まっている。女たちがまとっているのはほとんど黒だが、胸元にはっとするほど鮮やかな紫や黄をのぞかせているのが決まりだ。自分がこの街の風景のひとつで、パリの美しさに加担していることを、彼女たちは知り抜いているようである。

そんな女たちを眺めたいのと凛《りん》とした外気を好んで、北村沙美《きたむらさみ》はカフェの外のテーブルにいる。ひとりでいる女というのは、それだけで旅慣れて見えるものであるが、キャメルのコートをさりげなく着こなした沙美は、むしろ滞在者と、思われているかもしれない。

駐在員の夫人というのではなく、音楽や語学を勉強しに来ている留学生だ。

沙美は先ほどから頬づえをつき、考えごとをしている。端《はた》から見れば、何か深い思處にふけっている風かもしれぬが、中身はひどくありきたりのことだ。さっきエルメスの本店で見た茶色のバーキンを買おうか、どうしようかと悩んでいるのである。

日本円がかなり安くなり、エルメスのバッグの中でも人気の高いバーキンは、こちらでも四十万円ほどである。しかし茶色のバーキンは日本で買えば七十万円はするはずだ。しかも手に入れるのは不可能であろう。東京のデパートや専門店で茶色のバーキンは置いてなかったし、入荷しても即日売り切れになるはずであった。

「やっぱり買っていこうかな」

アメックスのカードは、このあいだゴールドに切り替えたばかりだから限度額は充分にある。それよりも何よりも、沙美は三十歳の女なのだ。二十代の小娘が、何もわからず親の金でエルメスを買うのとはわけが違う。一生懸命働いてきた三十代の女が、自分の金でバーキンを持つのに何のためらいがあるだろうか。

「だけど…」

沙美はここで本当に迷いのため息をもらす。

「バーキンを買って日本に帰った後、私の人生ってどうなっているんだろう…」

もしかすると会社を辞《や》めるかもしれないのだ。十年近く勤めてきたのだから、それなりに貯金はあるというものの、やはり辞めるとなったら話は別だ。四十万のバーキンを買う余裕などあるはずはない。エルメスのバッグというのは、これからも同じように働き続ける自分に与える褒賞《ほうしょう》であるべきで、決して自暴自棄《じぼうじき》の気分で手に入れるものではなかった。

沙美は東京の広告代理店でAEをしている。AE（アカウント・エグゼクティブ）というのは、クライアントと呼ばれるお得意先と、クリエイターたちとを結びつける役割をしている。クライアント側の意向をうまく制作者側に伝え、また制作者たちがつくった広告を、クライアントにアピールするのが沙美の仕事だ。

沙美が会社に入ったころは、ちょうどバブル前夜で、中堅どころの広告代理店も大層景気がよかった。おまけに世の中は、女性を重用《ちょうよう》するのが流行していて、沙美も最初の志望どおりAEという仕事に就《つ》けたのである。

あのころは毎日お祭りのようだったと、沙美はよく思い出すことがある。沙美のような新人でもタクシー伝票は好きなように切れたし、そのちょっと上の先輩は、それこそ交際費が使いたい放題だった。会社の仲間で、話題の店やクラブに毎日のように繰り出したものだ。当然のことながら恋の方も盛んになり、婚約寸前までいった男もいるし、不倫もあった。日本中誰でも知っている有名カメラマンと、二回ほど寝たこともある。

沙美は今ああした日々を懐かしく思い出すことがあるのだ。そう、それはまさに懐かしいという感情であった。三十歳の自分が懐かしがるという行為をするのは、何だか信じられない。

そういうことをするのは、老いた人たちだけだと思っていた。けれどもこのちょっと哀しくて甘酸っぱい感情は、やはり懐かしいと名づけるべきものであった。そしてまた沙美は考える。

「あのころのことをよく思い出すのは、今の私がついていないっていうことなんじゃないだろうか」

景気が悪くなってからというもの、沙美の会社は大きなクライアントを幾つか失ってしまった。それまで航空会社と洋酒メーカーを担当していた沙美だったが、新しく任されたところは業界四位の下着メーカーである。ここの宣伝課長は四十がらみの女性で、最初から沙美のことがことごとく気に入らないようであった。

「北村さんは、どうもうちの製品のことをよくわかってくれていないみたいね」

はっきりと皆の前で言われたことがある。

「このあいだのブラのポスターの件もそうだったわ。今ね、ブラジャーの世界はリフティングの競争なのよ。自然なつけ心地、なんていうのが売りになったのは昔の話よ。

今の若い人は、少々の痛さを我慢したって、胸がきゅっと上がって谷間が出来ればいいの。そういうこと、すごく説明したつもりなんだけど、ちっともわかってくれてないみたいね」

そのポスターで、どれほどクリエイターたちともめたことだろう。コピーライターの大橋順子《おおはしじゅんこ》は、最近大きな賞を貰《もら》ったばかりで鼻息が荒い。ポスターのコピーをつくり替えるにあたって、さんざん抗議されたものだ。

「北村さんって、いつでもクライアントの言うがままなのよね。それだったら制作する者の誇りなんて、いったいどうなるのかしら」

夏のキャンペーンの準備で必死だったある日、沙美は上司に呼ばれた。下着メーカーの宣伝課長が、沙美を担当からはずして欲しいと言っているというのだ。今度はしっかりした男の人をつけて欲しいという相手の言葉に、沙美は唇を嚙《か》んだ。

「女同士っていうのは、案外むずかしいものだから……」

と上司は言い、後は言葉を濁したが、それはどうも宣伝課長のことだけでなく、コピーライターの大橋順子とのことも指しているようなのである。

そして沙美は見事に〝切られた〟。新しく担当になったのは、四国のある街である。観光を誘致するために、いくつかキャンペーンを張りたいというのだ。といっても、市長の威勢のいいわりには、予算が非常に少ない。ちょっと凝ったパンフレットにビデオをつくるのがせいぜい、といったところだ。沙美は会社の中でも、一番地味な部署へと追いやられてしまったのである。

広告代理店というところは、稼いでいる人間とそうでない人間とがはっきりしているところである。有力なスポンサーを担当している人間は、やはり胸を張って社内を闊歩《かっぽ》しているし、そうでない人間は次第におとなしくなってくる。沙美は生まれて初めてみじめな場所というものを知ったのだ。

「私はもう一回、這《は》い上がることが出来るんだろうか」

沙美は考える。再びチャンスが訪れて、大きなスポンサーを担当することがあるのだろうか。が、あたりを見渡してみても、当分のところ沙美にそんなことは起こりそうもなかった。どうやら沙美は完全にはずされてしまったらしいのだ。

「はずれたって、ホサれてたっていいじゃないか」

と恋人の斉藤直樹《さいとうなおき》は言うときがある。

「君は女なんだからさ、そう大きな野心を持つことはないよ。そういうのって、君を苦しめるだけだよ。適当にやれ、なんて言うつもりはないよ。だけどさ、今のままだって結構いいって思わなきゃ。君だっていずれ結婚して子どもを産むだろう。そうしたら仕事と家庭を両立させなきゃならない。そんなときに、あんまり仕事で頑張り過ぎると後で困るぜ」

直樹は都市銀行に勤めている。友人の友人、という形で知り合ったのはおととしのことだ。ボストンの大学院を卒業している直樹は、文句なしにエリートの部類に入るであろう。東京育ちのおっとりとした風貌のよさもなかなか魅力的だ。ふたりの仲は、安定期といってよく、このまま倦怠《けんたい》期という嫌なものに突入することなく水平飛行を続けていけば、いずれ結婚圏内に入るはずであった。

その相手から、

「女はそう大きな野心を持つ必要はない」

と言われ、沙美は目を大きく見開いた。

アメリカで教育を受けた男の言葉とも思えなかった。

「それってどういうこと。すっごい女性差別だと思うけどな」

「違うよ。誤解しないで聞いてくれよ。すべてに欲張ろうとすると、息切れがしちゃうよっていう意味なんだ。いいかい、君はさ、広告代理店でAEっていう、とても恵まれた仕事をしている。うちにも女性は何人もいるけど、総合職以外はそんなにいい思いをしていないよ。カウンターでにっこりしたり、後はパソコンを叩いてる。そこへいくと君はとても面白い仕事をさせてもらってるはずだ。その何とか市のキャンペーンだって、やり甲斐《がい》のあるものだと思うよ。僕は思うんだけどさ、仕事で百パーセント幸福になろうと思うと、絶対に無理が来るよ。特に女性の場合はね。結婚して子ども産んで、それでトータルで百パーセントになればいいじゃないか。女だからこそそういう豊かな人生をおくることが出来るんだよ。僕なんかうらやましいと思うけどなあ……」

「でもね」

と沙美は恋人の顔を見つめる。君の気の強いところが好きだ、と言った男の顔だ。だから自分は安心してもう少し喋《しゃべ》ってもいいのだと思う。

「でもね、私はみじめな場所にいるのが、一日だって耐えられないの。いずれ家庭持ちになるんだから、ラクチンなところでいいじゃないかっていう考え方、私には出来ないわ。私ね、息切れするくらい働きたいの。やりかけたレースを途中で降ろされるのって嫌なの」

そのとき恋人の口元のあたりに、すっと白けた影が射すのを沙美は見逃さなかった。その後いつものように沙美の部屋でふたりはセックスしたけれど、彼はいくつかの大切な手順を省いたような気がする。あれは性急な欲望のためだったのだろうか。それとも彼の気持ちのこじれのためだったのだろうか…。

いや、もう深く考えるのはよそうと沙美は決心する。すべては日本へ帰ってから考えればよい。

なにも十月に入ってから、こんなに長い休暇をとらなくてもいいのにと、部長は露骨に嫌な顔をした。そこからもぎとるようにしてとった休暇なのだ。会社をどうするかなどということを今考えるのはよそう。そんな無駄なことをするために、自分はこのパリへやってきたのではないはずであった。やりたいことは山のようにある。少し車を飛ばして、郊外のブルゴーニュにも行くつもりだ。仕事が以前に比べてずっと暇になったのを機に、今さらという感じがしないでもないが、沙美はソムリエスクールに通おうかなとも考えている。

ごくぼんやりとしたものだが、予感が生まれつつある。自分は多分会社を辞めないのではないだろうか。そして手に入れたエルメスのバーキンと、ソムリエスクールとのふたつを自分への慰めとし、またいつもの生活に戻っていくのではないだろうか…。

自分を呼ぶ声に顔を上げる。上田加奈子《うえだかなこ》が立っていた。彼女はコートの代わりに、大きなストールをふんわりと体に巻きつけている。外国で暮らすひところの女のように、加奈子はオカッパ頭をしているわけでも、濃いアイラインを入れているわけでもない。が、やや赤くなって傷みかけた髪が、この街の住人であることを表していた。加奈子は沙美の大学時代の同級生だ。大手の出版社で女性誌の編集をしていたのであるが、五年前にパリに移り住んだ。今では撮影や取材に来る者たちのコーディネートをしている。元編集者だけあってセンスがよく、たちまち売れっ子になったというのは本人の弁だ。来年の仕事まで決まっているほどだという。

今回もある女性雑誌がロケで来ているので、その合間を縫っては、何くれとなく沙美のめんどうをみてくれているのである。

「どう、いい買い物出来た」

加奈子は沙美に笑いかける。昔から煙草吸いの女だったから前歯が少し汚れている。これだけの美人なのにちょっと惜しいなと沙美は思った。

「グッチをのぞこうと思ったんだけど、日本人が道路まではみ出しているんだもん、とても買い物どころじゃなかったわ」

「こっちの人もびっくりしてるわ。今までシャネルに押し寄せてた人の波が、今度はグッチにわーって向かってるって」

「このあいだまで、いろんな雑誌がグッチ、グッチって騒いでたからね。やっぱり見てみたいと思ってるんじゃないの」

「何考えてんだろ、なんて思うときもあるけど、ファッションとか流行なんてそんなものかもしれないものね」

加奈子はあっさりと言い、近づいてきたウェイターにカプチーノを注文した。

「午後からプラダに行こうと思ってるんだけど、やっぱり日本人が多いかしら」

「あそこはすごい、すごい」

加奈子は大げさに顔をしかめ、目の前で手を激しく振った。

「やっぱりプラダは人気で、そりゃあ大変よ。ニット売り場なんか、押すな、押すな、っていう感じ」

「そう…。買い物は控えて美術館めぐりって言いたいところだけど、オルセーもルーブルも何回も行ってるわ」

「いっそのこと、エステに行ってみたらどう」

加奈子が言った。

「パリのエステって面白いわよ。日本みたいにあんまりいじらないんだけどね、なんか効果があるわよ。雰囲気もいいしさ」

「加奈子はどこのエステに行ってるの」

「行ってるも何も、パリのエステはお金持ちのマダムのものよ。私なんかめったに行きやしない。だけどね、本当に肌がボロボロになったときは、コリーヌ化粧品のエステに行くわ」

「コリーヌ化粧品のエステか…」

沙美が免税品店で必ず買うのがコリーヌ化粧品である。かなり値段が高いが、ここから出ている美容液というのは確かに効き目がある。つけた翌朝は、肌がしっとりと輝いているのがわかる。あの会社が経営するエステなら一度は行ってみたい。パリのエステ体験なら、絶好の土産話にもなるはずだった。

「今から予約出来るかしら」

「やってみるわ。あそこのエステティシャンで、ひとり知り合いがいるの。彼女に頼んでみる」

「ねえ、パリのエステって高いの」

「日本と同じくらいじゃないかしら。えーと…」

加奈子は円に換算しようとするときの癖で、すばやく目を宙に浮かせる。

「日本円で一万五千円ぐらいかしら」

「ちょっと高いけど、まあいいか」

「でもね、ついた女性に四十フランか五十フランのチップをあげてね。あなたは旅行者だから三十フランでいいと思うけど」

「わかったわ」

「じゃ今から電話するわ。それから夕飯は七時三十分でいいかしら。ずうっとつき合えなくてごめんね」

「全然構わないわ。加奈子は仕事の途中抜け出してくるんだもの」

「私も昔そうだったけど、女の編集者って本当に我儘《わがまま》なのよ。おまけに情報は頭がパンクしそうなぐらいあるから、本当にやりづらいったらありゃしない」

加奈子は肩をすくめたが、その動作は日本人のそれとは少し違っていた。

教えられたエステティックサロンは、高級ブティックが並ぶサントノーレにあった。ウインドウには、おなじみのコリーヌ化粧品が美しくディスプレイされている。栗や枯葉によって飾りつけられ、銀色のパッケージはあたかも秋の果実のようであった。

受付のところに、赤いスーツの女が座っている。

「四時に予約したサミ・キタムラですけど…」

「お待ちしていました。どうぞ」

発音はあまりうまくないが、ちゃんとした英語だ。この分ではエステティシャンも、多少は話せるだろう。やがてブルーの制服を着た小柄な女が階段を降りてきた。

「マダーム、上、上がる。バスローブ、着る」

どうやら彼女はほとんど英語を喋ることが出来ないらしい。個室に入ってからも身ぶり手ぶりで説明する。部屋の広さは、日本の普通のエステティックサロンというところであろうか。青を基調とした内装がしゃれているといえないこともないが、想像していたほど豪華なわけでもなく、特殊な機械を備えているわけでもない。マッサージもパックも短い時間で終わり、確かに加奈子の言う、

「日本ほど手間をかけない」

というのは本当らしい。沙美が髪を直しているとエステティシャンがパンフレットを持ってやってきた。いくつかの化粧品の写真に◯印がつけてある。どうやら沙美の肌質に合ったものを選んだから買えということらしい。

「あのね、ここにあるものは私が持っているものばかりなの。だからいりません」

沙美は英語で言ってみたが、女は曖昧《あいまい》な笑いを浮かべるだけだ。これではらちがあかない。沙美は支払いのためのカードを切ってもらいながら、受付の女に説明することにした。

「今日は私、肌の手入れをしてもらうために来たの。それにおたくの製品は日本でも

いっぱい持っているから必要ないわ。それとも、ここでエステをしたら、必ずおたくの製品を買わなきゃいけないシステムなのかしらね」

そのとき、人の気配を感じて沙美は振り向いた。すぐ後ろに紺色のスーツを着た男が立っていた。男の顔があまりにも浅黒いので、沙美は一瞬ほかの国の人間だろうと思った。しかし彼の口から出てくるのはまぎれもない日本語である。

「いったいどうしましたか」

「いいえ、たいしたことじゃありません。エステはしたけれど、ここの製品は買うつもりはないって言っただけです」

男は早口のフランス語で女に喋りかける。女は今度は沙美に向かい、英語を発した。

「何も心配することはありません。製品は単にアドバイスをしているだけで、買っていただかなくてもいいんですよ」

「どうも失礼しました」

男は日本語で言い、沙美を近くのソファに誘う。おそらく関係者なのだろうと、沙美はごく自然に腰をおろした。

「失礼があったらお許しください。ここは案外日本人は少ないんですよ。日本の方は買い物に夢中で、なかなかエステまでいらっしゃいません。彼女たちは慣れていないんですよ」

「いいえ、私の方こそフランス語をまるっきり喋れないのがいけないんです」

「でも英語はお上手ですね。僕は最初、日本人じゃないかと思った」

「そんなことないですよ。英文科英語ですから、肝心のときにはまるっきり役に立ちません」

といっても沙美は大学三年のときに、学校の交換留学生としてサンフランシスコの大学に一年いたことがある。しかしそんなことを初対面の見ず知らずの男に言うことはないだろう。

「失礼ですが、さっきのお話によると、うちの製品を愛用してくださっているようで、ありがとうございます」

男は懐《ふところ》に手を伸ばし、銀製の薄い名刺入れを取り出した。思っていたとおりコリーヌ化粧品の人間だった。日本支社広報担当ディレクターと名刺に刷ってある。礼儀として沙美も自分の名刺を渡した。

「ほうー、昭和エージェントにお勤めですか」

「ええ、でもおたくさまとうちとは、ご縁がありましたでしょうか」

こういうときもつい営業口調になってしまう。

「いや、うちの場合広告は本国から送られてくるのを使いますし、めったに広告はうちません。ですから、おたくさんとつき合いはないと思いますよ」

〝本国〟という単語を、奇妙な感じで沙美は聞いた。

「あの、北村さん、もしお差しつかえなかったら、夕食でもいかがでしょうか。ここでお会いしたのも何かのご縁ですし、あなたのような人から、ぜひうちの製品に対するご意見をお聞きしたいんですよ」

沙美は、こういうとき女が誰でもするように瞬時のうちに男の品定めをした。年のころなら四十二、三というところであろうか。スーツの色合いとネクタイの柄がよく合っていて、まずまずの合格点をやれるだろう。それより何よりもコリーヌ化粧品の名刺が、沙美に安心感を与えている。普段自分が愛用しているものをつくっている人間というのは、それだけで心を許してもいいような気がするのだ。

そしてやはり旅をしている身の上が、沙美の警戒心をゆるやかに解いていった。

「いいですよ」

沙美は言った。

「でも友人と一緒なんですけど、よろしいでしょうか」

「もちろんですよ。その方もぜひどうぞ」

男は微笑《ほほえ》んだが、それは男としての好奇心と営業的なものがうまく混ざり合ってい
る笑いであった。沙美はこんな風に微笑む男を、今まで見たことがないと思った。
田代《たしろ》という男が招待してくれたのは、プラザ・アテネの裏側にあるイタリアンレス
トランであった。
「パリでイタリアンなんて、おかしいと思われるかもしれませんが」
メニューをめくりながら彼は言った。
「ここの料理は本場よりもおいしいって、もっぱらの評判なんですよ。それにもうそ
ろそろ、フランス料理も飽きられたころかなあって思って…」
「本当、本当」
パリに住んでいる加奈子が大きく頷《うなず》く。
「ここのパスタはどれを食べてもおいしいし、Tボーンステーキも最高。凝ったソー
スをかけたフランスの肉料理より、ずっとおいしいと思うことがあるわ。それにして
もよくこの店、予約が取れましたね。二ヶ月先まで予約がいっぱいだって言います
よ」
「いや、僕の力じゃなくて、本社の力でしょう」

田代はさらりと言った。

「大切なお客さまを招待するからといって、本社の方から予約を入れてもらったんですよ」

「さすがコリーヌ化粧品よね」

加奈子にしては珍しく、媚《こ》びたような口調だ。食前酒の甘いワインが早くもまわったのかもしれない。

「私、このパリに来てわかったんだけど、コリーヌ化粧品っていうのは巨大企業なんですよね。沙美、ソワレシャンプーも、香水のブリューもみんなコリーヌの傘下だって知ってた?」

「知らなかったわ」

ソワレシャンプーも、香水のブリューも、日本で人気のあるメーカーである。フランスの会社だということはわかっていたが、コリーヌ化粧品と繫《つな》がっていたとは初耳であった。

「コリーヌはいくつもの化粧品会社、化学品会社で構成されるコングロマリットの中核企業なんです。フランスは、ファッションを文化と見なしますし、ファッションは重要な産業です。ですから、こんな風に大きな企業になったんですよ」

田代はまるで翻訳された文章を暗唱するように言った。しかし得意気な様子はまるでない。一言一句、一生懸命思い出そうとでもするようであった。

「コリーヌ化粧品の人たちっていうのは、すごくプライドが高いわ。コリーニアンっていって、彼らは大変なエリートなんですものね」

「上田さん、よくご存知ですね」

「フランスに来て、五年もたてばそのくらいのことはわかりますよ」

「でも残念ながら、エリートっていうのは本国の人たちだけでしょう。日本にいる僕らにそういう意識はありませんよ」

「そんなことないわ。今は外資系の化粧品会社っていったら、女の子の憧れの職場じゃありませんか。ねえ、沙美、私たちの同級でもひとり、外資系へ行ったコがいたわねえ」

「えーと、あれは」

思い出した。確か石塚《いしづか》という女であった。身長が百七十五センチもあろうかというのっぽで、一風変わっているという評判であった。帰国子女だった彼女は、当然のことながら英語の成績が抜群で、その発音のよさは外国人講師が「文句なし」と言ったほどである。が、彼女自身があまり愛想のない学生だったので、沙美たちは、

「バイリンガルが、何も英文科に来ることはないじゃないの」

とこっそり陰口を叩いたこともある。確か彼女は、その語学力を買われてアメリカの化粧品メーカーに就職したはずである。

「いいな、いいな、外資系の化粧品メーカーなんて、お仕事がすっごく面白そうだわ」

加奈子が歌うように言った。

「もしパリにいるのに飽きたら、日本に帰って田代さんのところへ入れてもらおうかしら」

「上田さんのような方なら大歓迎しますよ。すぐにボスに会ってもらいますよ。もしそんなときが来たら、履歴書を送ってください」

「お世辞でも嬉《うれ》しいわ。私、だんだんハイミスの自分の行く末が、心配でたまらなくなってきているんですもん」

沙美は次第に息苦しくなっていく。加奈子と田代とのふたりのはずむような会話は、まるで沙美がここにいないかのようであった。加奈子はパリに来てから、少し変わったと思う。美しく派手やかな顔立ちの割には、男に対してそっけなさ過ぎるというのが、加奈子に対する仲間の評価であったはずだ。それなのに今の加奈子ときたら、流行色にマニキュアした指を見せびらかすように、グラスから指を離さない。そして甘やかなねっとりとした視線を、田代に注いでいるのだ。

——加奈子は、この男に興味を持ったんだろうか——

まさかと思う。はっきりと年齢を尋ねてはいないが、おそらく田代は四十を幾つか過ぎているであろう。妻や子もいるに違いない。不倫をするならばともかく、加奈子の年ごろの女がターゲットにする男ではない。それならば加奈子のこの女っぽい様子はどうしたことであろう。沙美はコリーヌ化粧品がフランスで超一流企業であるという言葉を思い出した。もしかすると加奈子は転職を狙《ねら》っているのであろうか。パリで加奈子と再会して気づいたことは幾つかあるが、計算高さもそのひとつだ。それは沙美の知っている加奈子にはなかったものであるが、もしかするとそれはこの異国で生きていくための大切な美徳というものかもしれない。

「やあ、うまそうだなあ」

ラディッシュとベーコンのスパゲティの後、田代の前に運ばれてきたのは羊料理である。ぷうんときつい香辛料の香りがした。

「こういう煮込みは、トスカーナの代表的な料理ですね。僕はイタリアワインはよくわからないけれど、あてずっぽうにブルネロ・ディ・モンタルチーノにしてよかった」

どうやら田代というのは、かなりの美食家らしい。沙美のいる広告業界にも、うまいものに目のない男たちが何人もいるが、田代は彼らとはどこか違っていた。ワインや料理の名を舌に乗せるときがとても自然なのだ。日本にいて知識を詰め込むだけの男たちと、ヨーロッパにしょっちゅう行き来している男との差だろうかと沙美は思った。いずれにしても、一緒に食事をするのに田代は申し分のない男といってよい。彼はごくさりげない調子でパリや日本の有名人たちの話をする。化粧品会社がパーティをするとき、セレブリティと呼ばれる人たちを、どれだけ呼べるかということは、PRの担当者たちの手腕にかかっているという。

「じゃ、田代さんはジュリエット・ビノシュに会ったことがあるんだ」

加奈子の質問に、田代は苦笑いして答えた。

「いいえ、彼女はほかの化粧品の広告に出ているから来てくれませんよ。それに本国が主催するパーティに、僕らはめったに行きません」

「それじゃ、日本でパーティに来る有名人は、みんな田代さんの知り合いなんだ」

「知り合いというほどじゃありませんけれど、電話をかければ来てくれるような人は何人かいますよ」

「私ね、雑誌の後ろの方で、パーティに来た有名人のスナップが載ったページ、見るのが大好きよ。コリーヌ化粧品の新製品のパーティは、女優さんなんかがいっぱい来るし…」

「それはそれは…。うちのパーティの様子を、そんなにじっくり見てくれる人がいるとは思いませんでしたよ」

「だって面白いじゃないの。有名人がパーティに来るとき、どんな格好をしてくるのか見るのって、ねえ、沙美」

　加奈子は突然沙美に話しかける。

「私は雑誌社に勤めていたとき、ずうっとドキュメンタリーとか人物ルポばっかりで、本当につまらなかったわ。私なんかより、沙美の方がずうっと派手な日常よね」

「そんなことないわよ。広告代理店っていったって、バブルがはじけてからずっと地味な毎日なんですからね」

　沙美はふっと、自分が担当している四国の小さな市について話そうかと思った。町興しのために、何が出来るかと考えていること。ビデオ制作に城下町祭りの企画、この街出身の脚本家による講演会…。けれどもそれを口にするのは、少しみじめ過ぎるような気がした。いつか胸を張って、あの街について喋ることが出来るような気がする。けれども今は駄目だ。絶対に駄目だ。

「地味、地味っていったって、あなた、普通のOLに比べたらずうっと恵まれてるわよ。こんな優雅にパリ旅行してるんだからさ」

「何言ってるのよ。たった八日間よ。一ヶ月以上いたら、優雅って言われたっていいけれどもね」

「それじゃ、いつ日本へお帰りですか」

田代が尋ねた。

「あさってです、あさっての便で日本へ帰ります」

「JALですか」

「いいえ違います」

沙美が別の航空会社の名を告げると、田代は小さく頷いた。

「そうですか。また日本でおめにかかりたいですね」

「本当にそうですね」

そう答えながら、沙美はもう二度とこの男と会うことはないだろうと思った。いつだってそうだ。旅先でふとしたことから知り合い、名刺を交換したりする。が、よっぽどの偶然でもない限り、その人たちと会うことはない。また会いましょうというのは、大人同士のちょっとしたマナーというものなのだ。

「もうちょっとワインはいかがですか」

田代が瓶を傾けてくれた。その横顔を見た沙美の心に、奇妙な甘酸っぱさがわく。そうしたマナーだけではちょっと惜しいかな、という思いである。いくらおじさんでも、田代はやはり素敵な男だ。しかし東京へ帰ってから会う理由は何もない。田代がもっと若く、独身であったら、理由はいくらでも自然発生したであろうが、沙美は積極的にそれをつくるつもりはまるでなかった。おそらく田代にしても同じことだろう。彼が気に入っているのは、おそらく活発にものを言い、長い睫《まつげ》をそのたびに上下に動かす加奈子の方に違いない。

「ありがとうございます。とてもおいしいワインですね」

沙美は微笑みかけ、そしてすぐにやめた。なんだか加奈子と張り合っているような気がしたからだ。そしてふと、自分はとてもついていない女なのではないかと思った。

ホテルからのタクシーの運転手に、少しチップをはずんだ。

「メルシー、マダム」

黒人の気のよさそうな青年は、大きな声で礼を言って、車のトランクからスーツケースを引っ張り上げてくれた。沙美のスーツケースは、金色のメタリックカラーを施した〝ゼロ〟の製品だ。スーツケースといってもありきたりのものは嫌だったから、香港で探してきた。これはキャスターとハンドルがついているが、縦に動かすようになっている。よく中腰になって、がらがらとスーツケースをひきずっている女がいるが、沙美はああいうのだけは我慢が出来なかった。空港を歩くときこそ、女は、颯爽《さっそう》と歩かなければいけないというのが、三十歳の沙美が持つ美意識というものだ。エコノミーシートのカウンターに並ぶ若い女の子たちの中で沙美は確かに目立っている。沙美はこうしたときも、決してジーンズなどはかなかった。こちらで買ったノータックの細身のパンツに、昔のアニエスb.の革のコートを組み合わせている。

「北村さん」

突然名前を呼ばれて沙美は振り返った。そこにはトレンチコートを小脇にかかえた田代が立っていた。

「あなたの分も、こちらでチェック・インしましょう」

彼が指さすカウンターの上には「ビジネスクラス」というサインがあった。

「いいえ、私はエコノミークラスですから」

「大丈夫ですよ。さあ、いらっしゃい」

後ろに並んでいた女の子たちのグループを、うまくさばいてくれて、田代は沙美を列から出してくれた。

「これがチケットですね」

「ええ、でも…」

「任せておきなさい」

カウンターの前にブルネットの髪の女が座っていたが、田代はフランス語で何か話しかけた。女は沙美のチケットを受け取る。何か言われるのではないかと思ったが、女はごく自然な感じで手元のキーボードを叩いた。そしてすぐにボーディングパスを渡してくれる。青色のそれには確かにビジネスクラスと記されている。

「席は僕と少し離しておきましたよ。隣りに座って、あれこれ話しかけられるのも疲れますからね」

「田代さん、あの、これって…」

「心配なさることはありませんよ」

田代はそう驚くな、という風に首を横に振った。

「この航空会社とうちとは、いろいろ繋がりがあります。今回ちょっと優待券を余分に使っただけです」

「困ります。こんなことをしていただいては」

生まれて初めて手にする、ビジネスクラスのボーディングパスを沙美は押し返すようにする。不正なことが行なわれたのではないかという思いだ。

「私はコリーヌ化粧品と何にも関係ないんですから」

「つくってくだされぱいいじゃないですか」

「えっ」

「さ、早くして。そのスーツケースを預けるんですね」

田代はさっさと沙美のそれを、カウンターの横のターンテーブルに置いた。沙美の金色のスーツケースは、ビジネスクラスのタグをつけられ、ゆっくりと運ばれていく。

「心配なさることは何もありません。コリーヌ化粧品の社員は、年間何枚かの優待券を貰いますが、僕の分を使ったんですから」

「でも、そんなのは申しわけないわ。今度いらっしゃるときに使えばいいじゃないですか」

「北村さん、いま何月だと思ってるんですか」

「十月…」

「もうすぐに今年は終わってしまいますよ。僕の優待券は無効になってしまいます」

「あら、本当」

沙美は笑ってそれが承諾の証《あかし》になった。ふたりはそろってビジネスクラスのラウンジに入る。空港の中にこんな場所があるとは知らなかった。幾つもソファが置かれ、セルフサービス式の飲み物がカウンターに載せてある。小さなチーズやクラッカー、チョコレートもあった。

「こんなところで、こんなことを言うのは失礼だと思うのですが……」

田代は沙美をじっと見る。彼は肌も浅黒いけれども、目の虹彩も日本人離れしている。少し茶色がかっていて、真中に沙美の顔が映っていた。

「実はうちのＰＲマネージャーの席が空いています。前任者はなかなか有能な女性でしたが、有能過ぎて別の化粧品会社からスカウトに来たようですね。この世界は、待遇のいいところを求めて職場を移るのはまったく珍しいことではありません。彼女が辞めたことを聞いて、早くもいろいろなところから自薦、他薦でやってきます。私も何人もの方をインタビューしました。けれどもどうしても、これという方がいないんです」

田代は相変わらず翻訳調の口調で言う。が沙美は意味がまだよくわからない。

「あの、それってどういうことでしょうか」

「ですから、北村さんのご意向をお聞きしたいんですよ。あなた、うちのＰＲマネージャーになる気はありませんか」

「何ですって」

「おととい、夕食を食べながらおっしゃってたじゃありませんか。広告の仕事にもう飽きた、女を大切にするふりをして、実はそうじゃなかった。日本の企業って、どうして建前と本音がこんなに違うんだろうって…」

「私、そんなことを言ったでしょうか」

加奈子に比べたら、ずっと控えめにおとなしくしていたつもりであるが、その分ワインを飲んでしまい、デザートのころはすっかりだるい気分になってしまった。もしかしたら、そんなことを口走ったかもしれない。

「うちは化粧品会社ですから、女性が最前線に出ていきます。ご存知のように、PRマネージャーというのは企業の顔になりますし、イメージキャラクターにもなります。ですからどこの会社も、本当に有能な素晴らしい女性が担当になります」

マスコミにいる人間として、沙美はほとんどの雑誌に目を通す。化粧品特集のときばかりでなく、インテリアや流行《はや》りの店や映画についても、各化粧品会社のPR担当の女性マネージャーたちがコメントするようになったのはこの数年のことだ。

クラランスのあの人、ディオールのあの人、ロレアルのあの人、シャネルのあの人、ざっと思い出しただけでも、数人の美しく魅力的な女性の顔が浮かんでくる。英語やフランス語を操り、メイクは当然のこと、服の着こなしも会話もすべて洗練されている女性たちだ。彼女たちはPR担当のOLではなく、まるで若い文化人のような存在に見える。

「私はとても無理です。あんなすごいキャリアウーマンになれるはずはないですよ」

「いいえ、最初にお会いしたときから、とても感じがよくて頭のよい方だなと思っていました。うちの会社は経験者しか採用しませんが、北村さんのキャリアなら充分でしょう。うちは広告代理店からの転職組がとても多いんですよ」

「ちょっと待ってください」

沙美は肝心なことを思い出した。

「私、フランス語がまるっきり喋れないんですよ。それなのにフランスの化粧品会社に勤められるはずはありません」

「大丈夫ですよ」

田代は軽く微笑む。まるで大人が子どもをなだめるような笑いである。この男は、本当に幾つなのだろうかと沙美は思った。

「大丈夫ですよ。うちの会社の連中はほとんどフランス語が出来ません。部署によっては、もちろんフランス語が使える者は何人かいますが、会議も連絡もみんな英語ですよ。だから北村さんぐらい、英語をお話しになれたら充分じゃないでしょうか」

もし本当に会社を辞める気があったら、すぐに履歴書を送ってくれないかと、田代はたたみかけるように言う。

「といっても、お給料は今とそう変わらないかもしれません。スカウトする割には、たいした額じゃなくて申しわけないと思っています。世間では外資系というと、高給を貰っているようなイメージがありますが、年俸契約制になっていますので、一年をトータルするとご期待に沿えないかもしれません」

けれどもと、彼は言葉を続ける。

「もし北村さんが、男女の差別なく働きたいとお考えになっているのならば、私はぜひうちをお勧めします。女性に期待する職場じゃなくて、女性が中心にならなけりゃ、まわらないところなんですよ」

「田代さん」

沙美はやっとのことで体勢を立て直した。さっきからすっかり相手のペースにはまってしまっている。ここでしっかりと自分を主張しなくては、おかしなことになりそうだ。

「田代さんは、私のことをまるっきりご存知ないでしょう。買い被《かぶ》っているような気がします。もしかすると、私はとんでもなく無能な人間かもしれないですよ」

「いや、普通のインタビューの何倍もの時間、あなたと話をしていますよ。それに、最初におめにかかったときから、あなたが有能な女性だということはすぐにわかりましたよ」

　昨夜別れた加奈子のことをちらりと思い出した。それでは田代と彼女との馴《な》れ合いのような会話はいったい何だったのだろうか。彼は初めから沙美に目をつけていたというのだ。くすぐったい甘やかな感じは、確かに優越感というもので、こんなものを味わったのは大学生のコンパのとき以来のような気がする。あのとき、男の子たちはこうささやいたものだ。

「ずうっと君のことが気になってたんだ。君の友だちをまこうと必死だったよ」

　が、コンパのたわむれの恋と、転職とはまるで違う。優越感などによって会社を選ぶことは危険過ぎる。会社というのは、男の子のように気軽に替えるわけにいかないのだから。

　搭乗の案内アナウンスが始まった。まずフランス語によって田代が反応し、次に英語のそれで沙美は荷物をまとめ始める。

ビジネスシートは、想像していたほどそう広くはなかった。けれどもエコノミー席よりも座り心地がはるかにいい。気を遣ってくれて田代は後ろの方の席だ。ウェルカムシャンパンを飲む前に、沙美は彼に向かって軽く会釈《えしゃく》した。

スチュワーデスもずっと親切で丁寧である。沙美は彼女に頼んで日本語の雑誌を持ってきてもらった。中年のフランス人スチュワーデスは、古い月の女性雑誌を持ってきた。ぱらぱらめくると、後ろの方に加奈子の大好きな「パーティピープル」のページがあった。カクテルドレスやタキシードの人々の談笑写真だ。

「ベラ化粧品新作発表会会場」とある。俳優やモデルと一緒に写っている女がいた。黒のタフタのカクテルドレスを上手に着こなしている。

「ベラ化粧品PRマネージャーの、神林《かんばやし》ゆりさん」

とある。彼女もまた女性雑誌でおなじみの顔だ。

——もしかすると、自分もこのひとりになるんだろうか——

それは素晴らしい幸運のようにも、何かつらいことの始まりのようにも沙美には思われる。この旅行で、自分の運命は変わるのだろうか。いずれにしても決定するのは自分なのだと思ったら、小さな身震いがきた。

やっとことの重大さがわかったのだ。

第二章　綺麗を売る

コリーヌ化粧品ジャポンは、青山通りに面したビルの中にある。コリーヌ化粧品のシンボルカラーである薄いブルーは内装にもたっぷりと使われていて、ロビーや応接室の壁紙は、パッケージと同じ青だ。

このあたりではしゃれていて、いかにも外資系の化粧品会社らしい雰囲気なのであるが、さらに奥のオフィスに進むと乱雑としか形容出来なくなってくる。資料となる雑誌や、発送しなければならない試供品の山で、デスクの間をまっすぐ歩くのが困難なほどだ。沙美に与えられたデスクは、前任者が辞《や》めた後しばらく物置き場と化していたらしい。何日か前のダイレクトメイルが積んであったりする。が、それをいっきに捨てるわけにもいかず、沙美はひとつひとつ確かめたりまわりの人に尋ねたりするのだ。

コリーヌ化粧品ジャポンは、二年前まで三田にあったのであるが、手狭になったためにここに引越してきたという。新しいビルは窓を大きくとった設計で、外苑の緑を楽しむようにという贅沢《ぜいたく》さだ。外苑の森はこうして上から見ると、なおさら美しい。秋が深くなり黄のグラデーションに彩《いろど》られているのも、ヨーロッパの森のようだ。絵画館前のイチョウ並木はこの窓からは見えないが、もう充分に色づいているはずであった。

ときどき手を休め、沙美は窓に近寄っていく。この窓の前に立ってから、曇ったり雨が降ったりしている日は一日もない。いつも晴れて、窓からはまばゆい光がたっぷり注ぎ込んでいた。といっても沙美は、この会社に移ってから二週間もたっていないのだ。土日は休む。だからずうっと晴れた日ばかりだといっても、何の不思議もなかったかもしれない。けれども沙美はそのことをよい印のように考えることにした。もしかすると自分は、かなり不安になっていたり気が弱くなっているのではないかと、ふと沙美は思った。そうでなかったら、どうしてこんな風にジンクスのようなことばかり考えたりするだろうか。

晴れた日が続くからいい印。

地下鉄が空《す》いていたからいい印。

髪のブロウがうまくいったからいい印…。

自分は毎日こんなことを心に刻み込んで出社しているような気がする。

転職などというのは世の中にざらにあることだ。女性雑誌の見出しにだって、「今こそ転職でサクセスしよう」などという言葉が躍っている。自分ももっと気楽になめらかに職場を変えることが出来ると思っていた。それなのに沙美が費したエネルギーとどろりとした気分の重さというのは、予想以上のものだったのである。

沙美が考えていた理想的な退職というのは、当然のことながら「惜しまれながら辞める」というものであった。沙美の突然の申し出に上司は驚き、そして引き止めようとする。自分がした仕打ちや失礼な態度を悔やんだりしなければならない。その結果もっといい条件を出したりするだろう。「君はうちの会社にとって必要な人なんだから、そんなことを言わないでくれ」などと言って引き止めてくれたりしたら最高だ。けれども沙美は気持ちを翻《ひるがえ》す気はない。冷静にしかも威厳を持って、はっきりと退職の意志を告げるのだ。

けれども沙美は自分のそんな想像が、いかに子どもっぽく現実離れしたものかすぐに思い知らされることになる。沙美が退職したいと申し出たとき、上司が示した態度は驚きや悔いよりも、不機嫌ということであった。

「困るんだよね。こういうの急にされちゃ」

部長はいらいらと中指をモールス信号のように叩き始めた。

「やりかけた仕事やクライアントに迷惑がかかると思わないか」

「ですから社の規定どおり、一ヶ月前に申し出ていますけれど」

本当はもう二ヶ月我慢して、冬のボーナスを受け取ったとたん退職を告げることも出来たのだ。が、それをするのだけはよそうと沙美は心に決めていた。今までさんざんそういう同僚を見てきたこともあるし、コリーヌ化粧品からとにかく早く移ってきてくれと言われていたからである。

「一ヶ月じゃ何も出来ないよ、何もさ。まったく困っちゃうよなあ」

まあいいよ、後で連絡するよと部長はモールス信号をやめた。そしてわざとらしく頬を手で覆《おお》いため息をついた。

「こんなこと言いたかないけどさ、だから女は困るんだって言われるよ。ハイ、さよならを平気でするってね…」

嫌なことを口にするとき、自分の考えを第三者の言葉のように発するのは、昔からの彼の癖である。相当苛立《いらだ》っているらしい。が、女が退職を告げるとどうしてこれほど男の上司は腹を立てるのだろうかと沙美は思った。広告代理店という会社柄、転職などというのはそう珍しいことではない。デザイナー、コピーライターといったクリエイターといわれる連中は、さらによい条件を求めてしょっちゅう職場を変わる。沙美が所属する営業の部門さえ、他の堅い業種に比べたら会社を移る者は多かっただろう。

彼らのうちひとりとして、

「だから男は困るんだ」

と言われたりしたことがあるだろうか。沙美は決してフェミニストというわけでもなかったし、自分でも肩肘を張ったタイプではないと思う。が、

「だから女は困るんだ」

という言葉を聞いたときは、突然吹き出す汗のように「なぜ」という疑問がいくつも皮膚の上に生ずる。そしてそれは本音を聞いたという冷たい感情にいきあたるのだ。

せっかく目をかけてやっていたのに。

女でもちゃんと仕事をやらせてやったじゃないか。

それでもまだ不満を持つというのか。

という相手の気持ちがほの見えるのだ。

結局沙美は一ヶ月たたず二十日あまりで会社を辞めることになった。沙美が担当し

ていた四国の小さな市の町興しキャンペーンは、若い男性社員が担当することになったが、そのすばやさといったらない。沙美は退職の挨拶に行くこともないと指示された。四国までの旅費ももったいないということらしい。

沙美は何年か前の、男の上司との蜜月時代を思い出した。バブル景気で世の中が浮かれていたころだ。毎晩のように皆で飲みに出かけ、広告のことや流行のことなどさまざまなことを語った。君には本当に期待しているよ。これから広告の世界は、女が中心になってくれなけりゃ…などと言われたのもこのころである。が、沙美はもうそのことを思い出すまいと心に決めた。

わずかに心が救われたのは、沙美がコリーヌ化粧品のPR担当になると聞いて、羨《うらや》ましがってくれる女性社員が何人かいたことである。

「いいわね。カッコいいわね。PR担当なんて。これからは北村さんを雑誌で見ることになるのね」

自分は何て見栄っぱりの女なんだろうと沙美はひとりになったときに小さく笑った。自分ひとりの考えで決断を下したことでさえ、同性の賛美を必要とするのだ。女たちから漏《も》れる「いいわねぇ」という羨望の言葉が、これほど甘く心に浸《し》みるものだとは沙美には意外だった。

「本当に私、ちょっと弱気になっているのかもしれない」

沙美は思う。このコリーヌ化粧品に移ってから二週間、沙美はまだ自分のすべきことがよくわからない。とりあえず前任者が置いていった資料を眺めるぐらいだ。考えてみると転職というのはこれが初めてなのである。三十一歳の沙美は、まるで転校生のような気分を味わっているのである。

「北村さん、ちょっといいかしら」

窓際に立っていた沙美は、声をかけられて振り返った。振り返る前から沙美は声の主が誰だかわかっていた。PR担当のチーフ小泉由利子《こいずみゆりこ》は、いつもきつい香水をつけているからである。三十九歳の彼女は、フランス大使館勤務の夫を持ち、ハーフの女の子がふたりいる母親である。が、外国人の夫と結婚している女にありがちな国籍不明のところはまったくない。化粧も薄く、着ているものこそブランドもののスーツらしいが地味であっさりしたものが好みだ。大ぶりのイヤリングや指輪、といったものにも興味がないらしい彼女が、どういうわけか猛々《たけだけ》しいまでにきつく香水をつけているのだ。どうやらこれはフランス人の夫の好みらしい。

「今までめんどうみられなくてごめんなさいね。私も瀬沼《せぬま》さんに急に辞められたものだから、いろいろすることがあったのよ」

瀬沼というのは沙美の前任者である。非常に有能で、別の企業にスカウトされた女性だ。

「明日からね、あなたの挨拶を兼ねて、主だった雑誌社にキャラバンでまわって欲しいのよ。私ももちろん一緒に行くから、よろしくお願いするわ」

沙美はこれについて予習を既に済ませている。ひとりで読み学んでいた資料から、キャラバンというのは、PR担当がひとり、ないしはふたりで出かける小さなプロモーションだということも、その目的が何かということも知っている。コリーヌ化粧品が来春に向け大展開しようとしている主力製品は、「ノン」という美容液だ。化粧品の流れというのは、それこそ女の願望の歴史であるが、このところ日本の化粧品会社は顔を引き締めるというコンセプトを打ち出してきた。やや上の世代に向けて頰や顎《あご》のたるみを警告する製品であったのだが、これは若い女性からも支持された。顔を引き締めるということは、すなわち顔を小さくすることだからである。

日本を大きなマーケットとするコリーヌ化粧品がこれを見逃すことはなかった。新製品「ノン」は、ノンエイジをうたった引き締め美容液で、これは世界に先がけ日本でまっ先に発売されることになった。

クリスマス前にこのお披露目というべき大パーティが開かれるはずであるが、その前にやるべきことは各雑誌社をまわってキャラバンを繰り拡げることなのである。

「そう、そう、これは大切なことだから聞いておいてちょうだい」

由利子は声を潜《ひそ》めるために近づいてきた。香水のにおいが一層強くなる。沙美はなぜか一瞬身を固くした。

「北村さんは二年ごとの契約で、年俸はそのとき決められるはずよ。そのとき査定で一番厳しくやられるのはね、うちの化粧品がどの雑誌に何センチの大きさで何回出たかということ。定規で計って評価されるの」

「何ですって」

そんなことは初耳であった。フランス人の日本支社長からも、年俸は実績に応じてという言葉を聞いていたが、それは雑誌に出た量によると由利子は言う。

「うちなんかまだいい方なのよ。ベラ化粧品なんかね、大きさだけでなく、その波及効果などを複雑な点数制にして、査定するんですってよ。それが一定に達しない人はすぐに解雇されるわ。だからあそこのPR担当はすぐに変わるのよ」

驚いてはいるのだが、それが自分に結びつくことだとは沙美はまだ実感がわかない。まだぼんやりと由利子の口元を眺めている。

「そんなにぽかんとしないでよ。これから北村さんは、あなたの魅力で雑誌業界をのしていかなきゃいけないのよ。頑張ってちょうだい」

由利子はコリーヌ化粧品の人気商品であるネイルを塗った手で、沙美の肩をぱんと叩いた。

秀文社は日本を代表する出版社である。ここ一社だけで女性誌は七誌あるのだ。神田の神保町にある本社ビルは、十二階建ての真白いビルである。なんでも有名な建築家に設計してもらったということであるが、そのわりには何ということもない平凡なビルである。

由利子は受付の女性のところへ進み、会社名と名前を名乗った。

「二時にね、『シフォン』の田口《たぐち》さんとお約束しているのよ」

「そうですか。それならばすぐに連絡いたしますので、ロビーでお待ちください」

「あ、いいの、いいのよ」

由利子はひらひらと手を振った。こうすると彼女はとたんに外国人っぽくなるのが不思議だった。

「いつも編集部にまっすぐ行くからいいのよ」

エレベーターの中で、由利子はこうささやいた。

「私たちはね、言ってみれば保険のおばちゃんなのよ。受付を通さずに机の横に立てるようになれば一人前なのよ。前の瀬沼さんはそういうことが天才的にうまかったのねぇ。どこの受付もすぐに手なずけちゃうのよ。あらー瀬沼さん、いらっしゃーい、なんていう感じだったわねぇ」

エレベーターがちんと鳴り四階に着いた。ここは実売部数七十万部を誇るファッション雑誌『シフォン』の編集部がある階だ。沙美は自分がひどく緊張していることに気づいた。広告代理店のAEという仕事柄、出版社とはつき合いがあった。が、たいていは広告部の中年の男たちが相手だった。雑誌社に勤める知り合いは何人かいるが、そう親しいという間柄ではない。ましてや編集部に行ったことはなかった。

由利子は慣れた調子でずんずん進んでいく。コリーヌ化粧品のオフィスも相当散らかっているが、マスコミ人の働く場所というのもそれ以上だ。沙美にはゴミの山としか思えないのだが、部屋のいたるところに雑誌が積んである。そしていかにもファッション雑誌の編集部らしく、何枚もの洋服がラックにかかっているのも見えた。おそらく撮影商品なのだろう。沙美は辞めたばかりの職場を思い出した。クリエイターたちの部屋に行くと、よくこうした光景を目にしたものだ。高価な服や商品が、撮られることを目的に集められると、突然、無機的に変化していくのはどこも同じであった。

「田口さん、田口さん、こんにちは」

由利子は三十人ほどいる人々の右寄りの端に向かって手を振り始めた。会社では決して見せたことのないような浮き浮きとした調子だ。四十近い彼女のこのしぐさは、沙美の心に恥ずかしさをもたらす。デスクに座っている男も女もみんな忙し気に立ち働いていて、こちらをちらりと見ようとしないのも屈辱的であった。さっき由利子の口にした、

「私たちは保険のおばちゃんだから」

という言葉を思い出す。それにしても田口という人間はいったいどこにいるのだろうか。さっきから由利子はしきりに手を振っているのであるが、それに応える者はどこにもいないのだ。

やがて受話器を置いて、ひとりの若い女がのっそりとこちらに近づいてきた。コム・デ・ギャルソンのタイトスカートに、プラダの上着を羽織っている。こうした組み合わせは出来そうでなかなか出来ない。沙美はこの田口という女は、編集者ではなくスタイリストではないかと思ったほどだ。無造作にはねた髪も流行のものだし、靴の形も完璧だ。しかし惜しむらくは器量があまりよくない。えらが張っていて目が細いのだ。おそらくこれほどおしゃれやメイクの技術を身につけていなかったら、野暮

ったく暗い女と言われていたことであろう。

「小泉さんたらイヤだわ。大きな声で何度も呼ぶんだもの。私、電話中だったのに」

田口という女の年は二十代半ばといったところか。おそらく酒が好きなのだろう、声が低くしわがれていた。

「ごめんなさい。久しぶりに田口さんの顔を見たら、もう私のこと忘れたんじゃないかって心配になっちゃってね」

由利子はあきらかに下手《したて》に出ていた。

「田口さん、紹介します。今度担当させていただく北村です。どうぞよろしくお願いいたします」

沙美は刷り上がったばかりの名刺を交換した。田口の名刺には何の肩書もついていない。

「じゃ、この人、瀬沼さんの後任なんだ」

意地悪さと好奇心が入り混じった田口の目だ。

「そうなんです。瀬沼同様、どうぞよろしくお願いします」

「瀬沼さんって、すごいやり手だったからね」

田口は編集部の隅に並べられたソファの上で、伸びをするように体を揺らした。

「もうコリーヌ化粧品の瀬沼さんっていったら、PR担当の鑑《かがみ》。大変な名物女性だったわ」

「そうですか。私は噂《うわさ》でしか知らないんですよ」

沙美はあっさりと答えた。

「あの人のキャラバンって、すっごく面白かったのよ。たとえば新しい香水がオリエンタル調だったりするでしょう。するとね、チャイナドレスを着て現れたりするの。パリジエンヌをイメージして、レインコートを着てきたこともあるし…。あの人の説明っていうのがこれまた面白いのよねぇ」

「北村もね、今まで広告代理店にいたバリバリの女性なんですよ。瀬沼同様よろしくお願いします。田口さん、お暇なときなんてないでしょうけど、今度ゆっくり食事でもして北村にいろいろ教えてやってくださいよ」

由利子がずっと年下のこの女性編集者の機嫌をとるようにするのはむしろ滑稽《こっけい》であった。由利子は瀬沼という女の噂話をしながら、新製品を手早くテーブルの上に並べ始める。パンフレットと写真を読みやすく田口の側に向けて置く。

「この『ノン』ってパッケージもいいでしょう。ブームになること間違いなしって、私たちは信じているんですけれどもね」

「引き締め化粧品なら、やっぱり美巧堂の『ミラクル・リフト』がいちばんだっていう信仰は強いからなあ…。後追いのコリーヌさんはかなり苦しいでしょうね」

「田口さん、そんな意地の悪いこと言わないでよ。おたくの『今週イチオシ化粧品』に出してくれたら、パッと火がつくのは間違いないんですものね」

「そりゃそうかもしれないけど、あのページは読者がつくるランキングページですからね、私なんか勝手に書けないわ」

この田口という女が笑うと意地の悪さが丸見えになると沙美は思った。会社の権力を自分のものと勘違いしている若い女。それはかつての沙美の姿とだぶるものであった。

「とにかく田口さん、使ってみてよ。十セット置いていくから、副編の村上《むらかみ》さんにも渡しておいてちょうだい」

ワンセット二万四千円の美容液が十セット、無造作にテーブルの上に置かれた。それを無表情に田口は受け取る。それもかつての自分に似ていると沙美は思った。

「ねえ、美容担当の編集者っていうのは、みんなあんなに感じが悪いんですか」

近くのホテルのコーヒーハウスで、ミルクティーを飲みながら沙美は問うてみた。我ながらきつい言い方になったと思ったが仕方ない。

「そんなことないわよ。たいていの美容担当の人は感じいいわよ。あそこの『シフォン』は特別なの。なにしろあそこの美容ページっていうのはすごい力持っているからね。美巧堂のアイクリームをあそこが『究極のパワー』って誉《ほ》めたら、あっという間に二万本売れたっていうもの」

「ふうーん、雑誌の力ってすごいもんですねぇ」

「そりゃそうよ。私たちは日本の大メーカーと違って、じゃんじゃん広告出来るわけもない。ああいう美容ページだけが頼りっていうわけなの」

「だからあの若い女の子、あんなにいばってるわけなんですね」

「だから彼女は特別なのよ。『シフォン』はやたら売れてるし、その美容担当っていったらみんなちやほやするものね」

「あの、あの人っていつもあんな風にどっさり化粧品貰うわけですか」

「あたり前よ。各雑誌社の美容担当は毎週ダンボールで商品が届くはずよ。それこそ店が開けるぐらいたっぷり貰うでしょうね」

沙美は資料で見た新製品の発送リストを思い出していた。各マスコミのほかに、女優やファッションジャーナリストといった有名人女性の名も二百人ほど記されていた。

「あんな女の子でも、雑誌社に勤めているだけですごい力を持つんですねぇ…」

「田口さんなんてまだいい方よ。この業界で有名な人がいるのよ。ものすごく売れてる女性誌の編集長なんだけど、親子四人で行くハワイ旅行の費用を、ベラ化粧品に持たせたっていうんですもの」

「どうしてベラ化粧品が出すんですか」

「決まってるじゃないの。秋にその雑誌じゃ、二十ページのベラの特集が組まれたっていうわよ。宣伝費に換算したら、それこそ三億四億になるんですもの、一家のハワイ旅行ぐらい安いもんじゃないの」

「ふうーん、そんなこともあるんですか」

沙美は失望しているわけではない。驚いたのは本当だが、心のどこかで面白がっている自分がいる。このことを早く恋人の直樹に知らせたい。が、彼はこのところずっと留守番電話のままなのである。ゴシップを早く知らせたいというのは確かに愛のひとつの形だ。彼はいったいどこへ行ってしまったんだろう。

どこかで目覚まし時計が鳴っている。いや、今日は土曜日だから、時計はセットしておかなかったはずだ。それなのにあのけたたましい電子音がずっと耳元で鳴り続けている。なんとかしなきゃ、早く止めなきゃと思いながら、沙美はまどろみから深い眠りへと引き込まれる。このところいつもそうだ。よほど緊張しているに違いない。朝寝をしようと思っているのに、脳のどこかがいつもの時間に反応していたのである。二回目の眠りはうまくいった。花が開くように目が覚め、沙美は暖かいベッドの中で大きく伸びをする。時計を見た。十一時をまわったところだ。昨日家に帰ってきたのは午前二時を過ぎていたが、八時間は眠ったことになる。このところいつもそんな日が続いていた。先輩の由利子にひっぱりまわされて、食事をしたり酒を飲むことが多いのだ。昨夜は女性誌の編集者とフリーライターの女性五人で、西麻布の和食屋で食事をした後近くのカラオケに出かけた。

あの『シフォン』編集部の田口という女と違い、彼女たちはとても気さくだった。沙美がマイクを握ると、

「よっ、二代目！」

などと声をかけたりする。どうやら前任者の瀬沼が初代ということになるらしい。業界でもやり手で有名だった彼女は、編集者たちに抜群の人気があり、商品を大きな記事にしてもらうことが実にうまかったという。まだ一度も会ったことがないけれど、瀬沼という女を継ぐ者として沙美は認知されているのだ。知らない女と比べられるということはかなりつらい。仕事にしても恋にしても同じことだ。沙美の疲れはそんな

思いから来ているのかもしれない。

沙美はベッドから起き上がり、枕元の電話をとった。昨夜眠りにつく前に、明日起きたらまっ先に恋人に電話をしようと考えていたからである。彼とはもう十日以上も連絡がとれていない。こんなことは珍しかった。

コールが三回もしないうちに留守電ではない直樹の声がして、

「どうしたのよ」

思わずなじる口調になった。

「家にいるんなら電話してよ。留守電聞いてくれたでしょ」

「香港行ってたんだよ」

「何しに」

「仕事に決まってるだろ。うちの支店、返還の後いろいろ後始末がたまっているんだよ」

直樹の声は淡々としていて、そうすまながっている様子もない。やっと連絡がとれた安堵《あんど》もあり、沙美は少々腹が立ってくる。

「だってさ、電話ぐらいくれたっていいじゃない」

「夜したけど、いなかったよ」

だったら会社の方に、と言いかけて沙美は口をつぐむ。意外と照れ屋の直樹に、移ったばかりの職場に電話をかけろというのも無理かもしれない。おまけに彼は、たとえ恋人でも相手の留守番電話にメッセージを残すのが大の苦手なのだ。

沙美はもうふた言三言、強い言葉を口にしたいような気がしたがそれは得策ではないとすぐに判断した。甘えるあまり男に詰問《きつもん》し、怒らせるなどという失敗は二十代の女がすることだ。今の沙美はすぐに気持ちも喋《しゃべ》り方も切り替えることが出来る。

「お昼どうするの。軽く何か食べてふたりでジム行こうか」

ふたりで同じスポーツジムに入会したのは昨年のことだ。直樹の勤める銀行が関係しているジムだったから、彼の方は入会金がいくらか割引かれ、彼はそれを沙美の誕生祝いの温泉旅行に使ってくれたものである。

「いつものイタリアンでいいわよ。それともあそこのサンドイッチハウスにしようか……」

沙美のマンションから車で四十分かかるスポーツジムは、しゃれた住宅地の中にあったから、付近には飲食店も多い。スポーツジムに行く前にはふたりで前菜とパスタだけの遅い昼食をとったり、焼きたてのライ麦パンのサンドイッチをテラスで食べたりするのも楽しみだった。

「オレさ、何かさ、香港行ったら調子悪くなっちゃって」

「中華料理の食べ過ぎじゃないの」

「毎日接待だったからなあ」

「もうトシなんだから、脂っこいものはよくないわよ」

沙美は三十三歳の直樹のことを、中年の男のように扱うことがある。そうするとぐっと彼のことが御《ぎょ》しやすくなるような気がするからだ。機嫌のいいときの彼は、この冗談にうまくのってくれる。が、今日の彼はそれにまったく応えようとはしてくれなかった。

「今日はあんまり外を出歩く気分じゃないんだ。沙美の部屋で何かつくってくれよ。あっさりしたものがいいな」

「構わないけど…」

「電車だから一時間ぐらいで行くよ。じゃあな」

電話を切られた。受話器を持ったままの沙美はいまひとつ釈然としない。料理は嫌いではなかった。直樹が急に泊まることになった夜でも、冷蔵庫の余りものでリゾットやうどんをつくることがあった。これからやってくる彼のために、簡単なブランチをつくることなどわけもないことだ。けれども今までそういうことは、いつも沙美の方から提案されていなかったか。いくら好きな男でも、命令口調で言われると料理はただの義務に変わる。それに沙美の体からすっかりと疲れが消えているかというとそうでもないのだ。今の電話で、はっきりと形をとらない疲れ、だるさがあちこちからにじんできたような気がする。沙美はとたんに買い物に出かけることも億劫《おっくう》になってきた。

ここから歩いて十分ほどのところに、コンビニとスーパーの中間のような店がある。大急ぎでそこへ行き、サラダの材料とアサリを買ってくる。そして直樹がやってきたら冷やした白ワインのハーフを開け、彼がビデオを見ている間に、ボンゴレスパゲティのための麺を茹《ゆ》でる。クレソンを洗って水切りをしておく…。この手順は、ちゃんと頭の中で整理されている。ただ体が動かないのだ。

直樹が訪れたとき、沙美はソファで雑誌を眺めていた。コリーヌ化粧品に勤めてから、読む女性雑誌の数は膨大《ぼうだい》なものになった。日本にこれほどたくさんの種類があるのかと驚くほどだ。読みきれないものは、家に帰ってから目を通すようにしている。化粧品の記事ばかりではない。今どういうものや、どういう人たちが流行《はや》っているかを知ることは、沙美がまっ先に学ばなくてはいけないことなのだ。

「何かかったるかったから、ピザを頼んどいたから。それでいいでしょう」

「ピザかあ…」

直樹はあきらかに不満そうに鼻を鳴らした。ついでにソファに置いてある雑誌をじろりと見る。結構ひまそうにしているじゃないかという感情が、顔に濃く表れていた。咎《とが》められている。沙美は深く胸を衝《つ》かれた。自分は咎められ、そして責められている。いったい何のために。彼の要求する昼食をつくらないことは、それほどいけないことなのだろうか。自分はこの男の妻ではない。恋人なのだ。恋人に課せられる義務は、一生懸命相手を愛するということしかないはずである。おいしいパスタを供することは、決してその中には含まれていない。料理はあくまでも沙美が自発的に好意で行なうべきものなのである…。

自分は本当に疲れているのかもしれないと、ふと沙美は思った。考えてみるとこれはごく些細《ささい》なことじゃないだろうか。出前のピザに、恋人がちょっと嫌な顔をしただけなのだ。

直樹は我儘《わがまま》なところが多分にあるが、アメリカ留学でひとり暮らしのたくましさと、いくらかのフェミニズムを身につけていた。この部屋に来たときも、自分が飲みたければさっさとコーヒーを沙美の分まで淹《い》れてくれるし、皿洗いとて手伝ってくれる。沙美が自分の人生の設計画を描くとき、

「働くことに協力してくれる夫」

という図が当然浮かんでくるが、その点彼は合格といってもよい。それなのに今日の直樹は、不機嫌さを隠そうとしないままソファにどさりと腰をおろす。固い茶色の革ジャンパーとチノパンツとの組み合わせは、彼にとても似合っている。

パスタをつくっておけばよかったかなと沙美はちらりと考え、そんな自分を少し恥じた。男の機嫌をとるために、自分のしたくないことまでする女というのは、沙美の一番軽蔑《けいべつ》すべきものである。

沙美はベルギー製の缶ビールを冷蔵庫の中から取り出し、CDを替えた。直樹とはあまり音楽の趣味が一致しないが、このロックグループだけは別だった。彼らが来日したときは、どうにか手に入れたチケットで、武道館へ出かけた。思えばもうかなりの数の思い出をふたりでつくり出したことになる。

「おい」

直樹が突然顔を上げた。

「来年は絶対に結婚するからな。わかったな」

「えーっ、ちょっと待ってよ」

沙美は深く息を吸った。ふたりの間には、確かに「暗黙の了解」というものがあったはずであるが、結婚という言葉がこれほどむき出しの形になったのは初めてである。

「そんなこと、突然に言われたって困る」

「何言ってんだよ。結婚なんて勢いでするもんなんだからな。オレたちだって両方三十を過ぎているんだ。もうぐずぐずは出来ないさ」

銀行マンで坊ちゃん育ちの直樹が、こう乱暴な口をきくのは、おそらく緊張しているせいだ。彼は以前から磊落《らいらく》な男に憧れ、それを真似ているようなところがあるのだ。

「ちょっと待ってよ…。ねえ、プロポーズならちゃんとそれらしくしてよ」

「おい、おい。お互いもうそんな年じゃないだろう」

悪ぶって顔を大きくしかめたのも、多分照れているせいだ。

「それとも花束持ってひざまずけ、っていうのかよ」

「そうじゃないけど…」

沙美は混乱していた。こんなはずじゃない。こんなはずじゃないと、心の中で大きく叫ぶ声がする。男から求婚されたのは初めてではなかった。けれどもあれは二十代最初のころの現実感のない恋であった。沙美の中でぼんやりと、自分の最後の男は多分直樹になるのではないかという予感が生まれてからもう随分たつ。けれどもいざ実際にプロポーズされても嬉《うれ》しさがこみ上げてこない。まず沙美が感じたことは、

「何も今じゃなくても…」

という舌うちしたいような思いなのである。三ヶ月前、前の会社を辞めようかどうかと悩んでいるときだったら、沙美はそれこそ一も二もなく飛びついたことだろう。けれども今、沙美は新しい職場に移って三週間足らずなのだ。どうしてよりによってこんなときに、直樹はプロポーズするのだろうかという苛立ちの思いさえある。沙美はこの自分の反応を、直樹のせいにしようとした。

「あのさ、プロポーズってもっとそれらしい雰囲気のときにするもんじゃないの。ピザの出前待ってる最中にされたって困るわ」

「鮨《すし》の出前ならいいっていうのかよ」

直樹がまったく愚にもつかぬジョークを口にした。

「もうそろそろかな、ってずっと考えてたんだけど、ここんとこお互い忙しくってずっと会えなかったじゃないか。結婚して同じうちに住んでたら、こんなことは絶対にないなあって思ってさあ…。やっぱり結婚するしかないかなあって…」

「うん…」

やっとしみじみとしたものが、沙美の胸の中に湧《わ》いてきた。が、それはすべてを満たすほど豊かでも熱くもない。沙美は二十歳になったかならないときの最初の光景を思い出す。大学時代の恋人であったクラブの先輩である。彼の口から「結婚」という言葉が出たとき、沙美は確かに感動した。そのころ知り始めたエクスタシーのように、頭の中が真白になり、体に震えが来た。あのときのようなことはもう二度と味わうことなく、自分は結婚していくのかと思うと沙美はちょっと哀しくなる。

が、この哀しみは、しみじみとした喜びと重なり混じり合っていくものらしい。いつのまにか沙美は上半身をすっかり恋人にゆだねていた。いつもよりも長いキスの後、直樹はささやく。

「ベッド、行こうぜ…」

沙美が後から歩き出したとたん、ピンポンとピザの配達人がチャイムを鳴らした。

十二月になったとたん、沙美の忙しさは加速度がかかってきた。コリーヌ化粧品の主力ライン「ノンエイジ化粧品」は、顔を小さくしたい、たるみを防ぎたいという世の中の風潮にうまくのり、売り上げを順調に伸ばしている。もしかすると自社の大ヒット商品「ホワイトニング・パック」を抜くのではないかと噂されているのだ。

「そうはいってもね、私たち外資系化粧品なんてたいしたことないのよ」

というのが、うまくいっているときだから出る由利子のぼやきである。ランコム、イヴ・サンローラン、シャネル、マックスファクター、カリタ、ヘレナ ルビンスタイン…、どれも女性たちにとって馴じみの深いメーカーなのであるが、この外資系化粧品のすべてを合わせても、全体の売り上げの二割程度に過ぎないということを聞いたとき、沙美は心底驚いたものだ。あれだけ人気のあるメーカーの売り上げを全部集めても、国産有名化粧品メーカーにとても及びもつかないというのである。

「若い人の意識は変わったっていっても、日本人ってそういうものなのよ。やっぱり保守的なものなのよ」

沙美にさまざまなレクチャーを施してくれたトレーニング・マネージャーの木村淑子《きむらよしこ》は言う。淑子は五十をいくらか過ぎた年齢であろうが、職業柄さすがに肌は美しかった。俗に言う「叩き上げ」の幹部職で、高校を出た後デパートで国産化粧品メーカーの美容部員を長らく務めていたのであるが、売り上げの凄《すご》さで彼女はすぐに知られるところになった。本社で、美容部員の育成にあたるようになった彼女を、コリーヌ化粧品が高給で引き抜いたのは、今から五年ほど前になる。

何か国語も喋る高学歴の女ばかりのこの会社では、極めて異色の存在であるが、温かい人柄とそつのなさで大層人気がある。沙美はこの女性と一緒になると、いつもほっとした気分になるのだ。

由利子もそうだが、コリーヌ化粧品はフランス人の夫を持っていたり、元大使館勤務という者が大部分だ。本国に留学していた者もかなりの数にのぼる。外見は確かに日本人なのであるが、精神の何パーセントかがフランス人、といった人たちに沙美はまだ慣れることが出来ないでいる。自分のミスは決して認めようとはしないくせに、その代わり相手が失敗しようものならじりじりと責めていく。まず自分の得になるかならないかをとっさに考え、それによって行動を決めていく。このところ同僚たちのそうした部分に辟易《へきえき》していた沙美にとって、淑子の存在は有り難かった。もう三十年以上前に故郷を出てきたというが、ときおり混じる大阪訛《なま》りも耳に心地よい。

「ねえ、北村さん、化粧品ってほんまにおもろい商品やと思わへん?」

「そうでしょうか。私はまだそこまで考える余裕なくって」

「こんなもんね、原価は一割もせえへんのよ。一万五千円の美容液やったら、まあ原価はせいぜい千四~五百円ってとこやねえ。だけどね、私らの話術と、あんたらのうまいパブリシティで、価値は十倍にもなるねんよ」

「そう考えると、ちょっと空《むな》しくなりますね」

「なんで?」

淑子は二重の幅がやけに広い大きな目を見張った。

「せやから面白いんやん。昔からよく言われることやけどね。じゃ、安い化粧品で効果あるかどうかっていうことなんよ。二千円の美容液つけて、女がほんとに綺麗《きれい》になるかどうかゆうたら違うんとちゃうの？　自分は一万五千円のもんつけてる、自分はそれだけの価値がある女だっていう思いが、女を綺麗にするんと違《ちゃ》う」

この淑子から沙美はいろいろな手入れやメイクのテクニックを教えてもらった。淑子の言い分はこうだ。

「そりゃ、今流行のヘアメイクの人たちはうまいわよ。時代っていうものも確かにわかってるかもしれへん。だけどあれは撮影用の化粧よ。普通の女の人たちにあんなことを教えても仕方ない。私はね、美容部員の若い人に、必ず二十分以内で出来るメイクをお客さまにお教えしなさいって言ってるねん。ファンデーション塗るだけで、四十分も一時間もかけたら、そりゃ綺麗になるで。だけど普通の働いてる女の人たちにあんなこと出来る？」

とはいうものの、淑子の下で働く指導員に眉をカットしてもらい沙美は確かにあかぬけてきた。

最近深夜まで会社にいることが多いのだが、淑子の指導と高価な美容液のせいで、そう肌が荒れたという感じはない。むしろ肌理《きめ》が細かくなったぐらいだ。

今、社内は新製品発表パーティに向け、大変な忙しさだ。招待客のリストアップから発送まで由利子に手伝ってもらったものの、沙美はほとんどひとりでやってのけた。といっても招待客のリストは、前任者が作成したものがパソコンに入っていた。沙美は由利子に教わりながら、そのリストに人を足したり、引いたりする。

「このね、宮内《みやうち》みちるは、もうリストからはずしといていいわ」

「ええ、いいんですか」

宮内みちるは誰でも知っている人気女優である。三十六歳と少々とうが立っている現在、これといったテレビドラマや映画の主演作はないが、その代わり、ファッションリーダーの地位は揺るぎなきものと言ってもいい。彼女が身につけた服やアクセサリーは、いつも話題になる。ドルチェ&ガッバーナを、いち早く着て、映画の試写会に現れたのも彼女であった。元モデルというスタイルのよさと美貌に加え、作詞をしたりエッセイを書いたりという知的なところも売り物だ。

「あの人ね、本当に問題なのよ。いつもうちは、業界の人や有名人にどっさりと化粧品を送ってるでしょう」

「ええ」

各編集部の美容担当の編集者やライターはもちろん、女優や歌手、作家といった人たちにもセットにして送る。ヘアメイクアーティストでも有名どころはたいてい贈呈しているはずだ。中には修業中のまったく無名なアーティストが、化粧品をくださいと会社を訪れることがある。そんなときにも由利子はそれこそ持ちきれないぐらい紙袋に詰めてやる。

「うちの製品をそれだけ使ってやろうっていう気持ちが嬉しいじゃないの。ところが宮内みちるの場合は違うの。もっと欲しいからダンボールで送ってくれって電話がかかってくるのよ」

「まあ、そんなことするんですか」

「そうよォ、ああいう人っていうのはすごく図々しいわよ。オートクチュールメーカーのパーティがあると、あの人、そこのブランドのすんごいドレスを着て現れるでしょう」

「ええ、私、いつもワイドショーが楽しみでした。あの人ぐらいになると、いろんなブランドのドレスを、こんなにいっぱい持っているんだなあって」

「違うわよ。あそこに出席している人のドレスは、みんな会社が貸してあげてるのよ。新作のドレスを着てもらって、雑誌やテレビが取材する。宣伝費と思えば安いものよねぇ…」

「そうなんですか…。知らなかった」

「それどころじゃないのよ、宮内みちるの場合は。貸したり借りたりはお互いに納得ずくのことなんだからいいわよ。でもそのうちにドレスを返さなくなったっていうわよ。オートクチュールだから何百万もするのがあるわよねぇ。どうしたらいいんだろうって、ビアンカの広報なんて泣いてたもの」

オートクチュールのドレスに比べたら、化粧品などというのはたかが知れている。だからコリーヌ化粧品は彼女が言うとおり、製品をダンボールで送りつけた。しかしやがて彼女は、パーティに出席するのにギャラを要求してくるようになったというのだ。

「歌を歌ったり、司会したりするならともかく、パーティの客として出席するだけなのよ。あの人よりももっとすごい大女優が、快く来てくれるのに、あの人ったら今後はタダで出席しないなんて言ったから大変。瀬沼さんがついにキレちゃったのよ。もうあなたのような方には、二度と来ていただかなくても結構です、なんて言って電話を叩き切ったのよ」

「へぇ…」

こういう有名人の裏話というのは、何度聞いても面白い。いけない、いけないと思いながら、沙美はずっとさっきから熱心に耳を傾けている。

「それからね、宮内みちるって、使っている化粧品聞かれても、コリーヌの〝コ〟の字も言わなくなったのよ。このごろはやたらイヴ化粧品のことを褒めるから、あそこからよくしてもらってるんじゃないかしら」

「でも瀬沼さんって、思い切ったことをしますね。私、人の話からもっと慎重で人あたりのいい人だと思ってました」

「あの瀬沼さんっていうのはね、確か日本橋の生まれよ。ちゃきちゃきの下町育ちなの。愛想がいいけれど、曲がったことは大嫌いよ」

沙美は雑誌の切り抜きの中に見る、瀬沼を思い出した。近いうちに会うことになるだろうけれど、写真で見る彼女はのっぺりとした美人だ。話に聞くいきいきとした感じは伝わってこない。

「ねえ、瀬沼さんは、その宮内みちるの件が原因で、ここを辞めたんでしょうか」

「まさか、宮内みちるを怒らせたぐらいで。彼女はそんな大物じゃないわ」

それよりも恋愛の問題じゃないのと、由利子は言う。

「あの人と田代さんのことは有名だったから」

「えっ、何ですって」

田代は沙美がコリーヌ化粧品に入社するきっかけとなった男だ。彼はあの後、またパリに出張に出かけているから、沙美とはほとんど顔を合わせてはいない。その彼と瀬沼という女は恋仲だったというのだろうか。沙美はあっと、肩すかしを喰《くら》った思いになる。

第三章　見えざる嫉妬心

コリーヌ化粧品ジャポンの社長は、フィリップという生粋《きっすい》のフランス人である。フランス人は小柄な人が多いのであるが、彼は百八十センチを超える大男だ。フランス訛《なま》りが強い英語を、ゆっくりゆっくりと喋《しゃべ》る。彼はパリの本社から、信じられないほど高額の給料と、都心の六十坪以上のマンション住まいを条件にこの極東に赴任してきたのである。

会議での彼はやや興奮している。なぜならば来週に迫った新製品発表のパーティに、本社の社長が急きょ出席することが決まったからだ。会場をもっと大きなところに変更出来ないだろうかなどととんでもないことを言い出した。もっとも口にした本人にしても、そんなことは不可能だとわかっているに違いない。

「ああ、時計を逆にまわすことが出来たら…」

いかにも西洋人らしい大きなジェスチャーをした。

「でもパーティにやってくる人数は、当初の一・五倍でなくては困るよ。それにあのチャイルディッシュな一団はどうにかならないかね」

社長は〝チャイルディッシュ〟という単語を悪意を込めて発音した。彼の言う子どもっぽい一団というのは、若い女性編集者や美容ライターの一団だ。彼女たちもそれなりの年齢なのであるが、昨年赴任したばかりの彼から見ると、若い女の子たちがキャッキャッと笑いさざめいている光景に見えるらしい。

「そうはいっても、あの人たちが一番力を持っているのにねぇ……」

由利子が隣りに座っている沙美にそっとささやいた。

「もっとVIPを呼んで、もっと華やかなパーティに出来ないものなのだろうか。ロイヤルファミリー、女優、歌手、そういったセレブリティたちがカクテルドレスでやってくるような集まりに出来ないものだろうかねぇ……」

一時間後、PR担当者たちは電話の前に座っていた。社長に言われたからには、全力をあげてセレブリティたちをパーティに来させなければならないのだ。当然のことであるが、チャイルディッシュな一団も絶対に必要だ。

口ではさんざんうまいことを言うが、生粋のフランス人である社長は、日本人と日本のことを馬鹿にしているのである。一緒に酒を共にしたさる筋から、かなり酔った

彼が、

「自分のキャリアと金のことを考えなければ、こんな国に誰が来るか」

とわめいたという噂《うわさ》が流れている。しかしもうひとつの噂によると、社長はその〝こんな国〟の国民のひとりである秘書と深い仲だというのだ。

「そんなに驚くことないわよ。あの女が代々の社長と寝ちゃうのは有名な話ですもの。どうやらそれも秘書業務のひとつだと思っているらしいわね」

などと由利子は言ったものだ。

それはともあれ、偏見の強いフィリップ社長から見ると、若い女の子の一団にすぎない編集者やライターたちであるが、彼女たちが実は化粧品に関するメディアを握っているのだ。彼女たちの好みで商品の記事への取り上げ方はまるで違ってしまう。

国産の大手化粧品メーカーのように、巨額の広告を打つことが出来ない外資系のメーカーは、ほとんどそれらの記事に頼っているといってもいい。その成否を握っているのが、たかだか二十代の女性編集者たちなのである。彼女たちの裁量で商品がカラーグラビア一ページで扱われることもあるし、その他大勢十把《じっぱ》ひとからげにされてしまうこともある。そのためにもどんなことがあっても、彼女たちをパーティに来させなくてはならないのだ。

だから、パーティが近づくにつれ、PR担当者たちは直接電話をかける。出欠のハガキは出してあるものの、ずぼらな編集者たちはなかなか返事を寄こさないのだ。それに欠席と答えた人たちも、PR担当者が電話をかけると、行ってもいいと変更することがある。

「もしもし、内田《うちだ》さん、お願いします……」

先輩の平沢美奈子《ひらさわみなこ》の電話を、沙美は傍《そば》で聞いている。美奈子はコリーヌ化粧品PR部で香水を担当しているのであるが、パリの本社と違い、日本での香水の売り上げは微々たるものである。従って美奈子の社内における存在は地味なものといってもよい。その割に編集者に顔が利《き》くのは、彼女がしょっちゅう自腹を切って食事をご馳走《ちそう》しているからだという。彼女の夫はスイス人で、コンピュータ会社の日本支社長をしている。彼女の夫もまた広尾の超豪華なマンションに住んでいる〝赴任組〟のひとりなのである。

「あ、内田さん、コリーヌ化粧品の平沢です。お仕事だった？　忙しいところごめんなさいね」

沙美は二、三度会ったことのある女性誌のデスクの顔を思い出した。やたら眉を細くした年齢不詳女の、気だるげな顔が浮かび上がる。

「そう、そう、十七日のパーティのことなのよ。さっき出欠を見たら、内田さん、欠席になっているの…ええ、そうなのよ…」

何を話しているのか、美奈子はくっくっと笑い声をたてた。編集者たちとこんな風にぞんざいに話せるためには、いったいどのくらいの時間がかかるのだろうと沙美は思う。

「そりゃあ忙しいのはわかるけどもさ、内田さんが来てくれなきゃ困るわ。内田さんが来てくれるのと来てくれないのとじゃ、パーティの格がまるっきり違ってしまうわ。いいえ本当よ。うちのフィリップだって、ミス・ウチダは来ないのかって淋しがるわ。私、内田さんが来てくれなきゃ、フィリップに怒られてしまうわ。そう、お願いよ」

あの大男のフランス人の〝チャイルディッシュ〟という口調を聞かせてやりたいものだ。自分の心にさっきから意地の悪い考えばかり宿るのは、自分に直接電話をするような親しい人物がほとんどいないからだと沙美は思った。

ボードの向こう側では、青いスーツの由利子が前かがみになり、美奈子よりもずっと丁寧な口調だ。

「ええ、そうなんです。お忙しいのは重々わかっていますけれど、当日はマスコミも何社か来ていますの。理沙《りさ》さんに来ていただけたら本当に嬉《うれ》しいんですけれど…」

どうやらタレントが所属するプロダクションにかけているらしい。社長の言う〝セレブリティ〟確保に必死なのだ。

そのとき沙美は、ふと中原亜紀《なかはらあき》のことを思い出した。広告代理店の中にいても、沙美は地味な媒体ばかり手がけて、華やかなCMといったものにはほとんど縁がなかった。しかし四年前のあのキャンペーンは別だ。沙美の担当していた航空会社が新航路の宣伝のために、何回かラジオCMを打ったのだ。そのときの出演者が、やはりテレビのCMにも起用されていた中原亜紀であった。中原亜紀は当時美人女優として誉れ高かったが、今ではそれに演技派の貫禄が加わっている。三十歳そこそこで、映画の主演もする女優というのは亜紀ぐらいであろう。

沙美は仕事を何回かしているうちに、亜紀と妙に気が合った。それは向こうも同じだったらしい。ほぼ同い年ということもあり、何度か食事をしたり、一緒に酒を飲んだりした。その際、意外とも思えるほどの気軽さで、亜紀は自宅の電話番号を教えてくれたのである。

会社を辞《や》めた後も、ときたま思い出したように彼女から電話がかかってくる。友人というにはおこがましいが、知人といってもいい関係だ。沙美は亜紀をパーティに誘うことを思いついた。腕時計を見る。午後三時を少し過ぎたところだ。普通のOLだったら家にいるはずもない時間であるが、女優だったら可能性はある。沙美はいささか緊張しながら電話番号を押した。久しぶりにかける彼女の家の電話は留守電になっていて、おっとりとした彼女の声が聞こえてきた。

「ただいま外出しております。お急ぎの方は、ケイタイの方におかけください。ケイタイの番号は…」

亜紀の無用心さに沙美はちょっと呆《あき》れてしまった。女優といわれる人が、ここまで親切にこと細かに自分の行き場所を教えてやることはないではないか。が、考えてみると今の世の中、ケイタイの電話番号はどうということはないのだ。一番肝心なのは自宅の電話番号であるから、それを知っている者は、当然最初からケイタイの番号を知る権利を有しているらしい。

だから沙美はそうためらうこともなく、亜紀のケイタイの番号を押した。二回のコールの後、「もしもし…」という女の声が聞こえてくる。テレビのトーク番組に出たりするときよりも、はるかに早口になる。プライベートの女優の声だ。

「もしもし、私です。北村沙美、昭和エージェントにいた北村です…」

「ああ、沙美ちゃん、久しぶりねえ…」

亜紀は大層甘い声を出した。亜紀は必ず沙美のことを〝沙美ちゃん〟と呼ぶ。沙美

のだ。

"中原さん"と呼ぶ姿勢を崩さなければ崩さないほど、彼女は親し気な声を出すのだ。"親しさ"という肉を投げ与えるのは、立場が上の自分の方であるという、一種のノブレス・オブリージュ（貴族の義務）によるものかもしれなかった。

「会社移ったの、ハガキ貰《もら》ったわ。コリーヌ化粧品のPRをするんでしょう。いいわねえ、あそこの化粧品、私大好きよ。ほら、何とかいう顔痩せのクリーム、よく使うの」

「いくらでも送るわ、本当よ」

沙美は思わず叫んだ。

「うちのこと、知っていてくれて嬉しいわ。あのね、中原さん、今度の十七日、うちで新製品発表のパーティがあるのよ。ぜひいらしていただけないかしら」

「新製品のパーティって、よく女性雑誌の後ろの方に出てくるやつよね。よく有名人がスナップされているあれよね」

自らが人気女優であるにもかかわらず、亜紀はよくこんな風なものの言い方をする。芸能界のことを他人《ひと》ごとのように見て、面白がったりするのが昔からの亜紀の癖だ。

沙美はそれをうまく利用しようと思った。

「そうなの。あの"有名人スナップ"のコーナーに出てくるやつ。中原さんも女優だったら、一回はああいうところに出なきゃ」

「そうね、一度ぐらいは出てみたいと思っていたのよ」

受話器の向こう側から、くすくすと笑う声がした。もう少しだと沙美は思った。

「ねえ、ぜひいらしてくださいよ。中原さんがいらしたらマスコミも大騒ぎ、うちのパーティもぐっと箔《はく》がつくっていうもんだわ」

「大げさねえ」

「本当ですったら。実はね、パリから本社の社長が急に来ることになって、それでみんな大騒ぎなの。社長にＶＩＰを会わせなきゃ、コリーヌ化粧品の面目は立たないって。でもね、社長に中原さんのような大女優を引き合わせることが出来たら、もうこれは大喜びだと思うの。私みたいな新入りも、もうこれで大きな顔が出来るっていうものよ」

沙美はわざと露悪的なものの言い方をする。実はこういった口調こそ、亜紀のような有名人たちの大好物なのだ。案の定、彼女はくすくす笑いをさらに高くした。

「なあに、私、沙美ちゃんの点数稼ぎのために、パーティに行かなきゃいけないわけね」

「そういうこと」

「わかったわ。沙美ちゃんにはときどきご飯おごってもらったし、パーティぐらい行くわ。十七日には、確か取材が入ってたはずだけど、何とかなると思うわ」

亜紀ぐらいの女優になると、かえって時間はたっぷりと自由になるのである。

「よかった、嬉しい。本当にありがとう」

沙美は目の縁がふんわりと熱くなってくるのを感じた。もう計算抜きで本当に感動しているのである。たとえ気まぐれに投げ与えられたものにしろ、亜紀のこの好意は本当に嬉しかった。

「中原さん、ありがとう。私、本当に一生恩に着るわ。私、何だってしちゃう」

「そんなに恩に着なくてもいいからさ、コリーヌ化粧品のアイパック、送ってちょうだいよ。あれ、小皺《こじわ》を目立たなくしてくれるって評判いいの。私みたいに整形してない希少価値な女優には、必需品よ」

「もちろんあげるわよ。ダンボールどころかコンテナで送ってあげるわ！」

受話器を置くと同時に、沙美は叫んだ。ＰＲ部の部屋中に聞こえるほどの大声を上げた。

「中原亜紀がパーティに来てくれます！　本当に出席してくれるんですよ」

向かいのデスクに座っていた由利子が、一番大きく反応した。

「まあ、本当、すごいじゃないの。あの人、パーティ嫌いで有名なのよ。彼女が来てくれればプレスの人たちも大騒ぎよ」

「私も無理かなと思ったけど、なんかやたら機嫌よくＯＫしてくれたんです…」

話しながら、喉《のど》と目の奥の方から熱いものが押し寄せてくるのを感じる。それをさらに強い力で沙美は押し返そうとぐんと踏んばった。知り合いの女優がパーティに出席するぐらいで、これほど感動する自分が恥ずかしかったし、何よりも同僚の前で涙を見せてたまるものかと思ったのだ。

「すいません、アラモード出版のリスト、こっちにもください。私のおめにかかった方から、電話をしてみます」

照れ隠しに、沙美は事務的に喋り始める。

沙美と由利子の前に座っているのは、展示場を設計するプロダクションの男である。パネルやオブジェのデッサンを三人で検討している最中なのだ。

新製品の発表会とパーティといっても、松竹梅のクラスに分かれる。ホテルで簡単に済ませることもあるし、流行のレストランで凝ったパーティにすることもある。由利子の話によると、バブルのころは新しい香水の発表会のために、タイやハワイ、シンガポールの豪華リゾートホテルを借り切るということもあったらしい。そのときは飛行機を一台チャーターして、有名人やマスコミ関係者を招待したというから豪勢な話だ。しかしこれまた由利子に言わせると、今では、

「そんな話は夢のまた夢」

ということで、この数年来ずっと経費節減を言われ続けてきたらしい。発表会もPR担当者の手によることがほとんどで、花屋やホテルの従業員の協力ぐらいがせいぜいだという。由利子にしても、パネルを立てるための釘打ちがうまくなったそうだ。

けれども今度の新製品発表会には、かなりの経費が認められることになった。なにしろ本社から社長も来日することになったのだ。プレス発表会の後は、ビュッフェ式のパーティとなるが、それもかつてないほどのVIPが揃うことになっている。一番の目玉は、何といっても女優の中原亜紀であるが、それ以外にも少々小粒とはいえ売り出し中のタレントが何人か、そしてクラシックのピアニスト、彼女の夫である作曲家も顔を見せる。そしてこれはパーティの常連であるが、ファッションジャーナリスト、キャスター、某実業家夫人、といった面々も顔を見せるに違いない。

会場はまずコリーヌ化粧品のシンボルカラーである薄いブルーのタフタ生地で、壁を覆《おお》う。白百合を配したテーブルには、ブルーのシフォンに囲まれた新製品が置かれ、

出席者は自由に手にとって見ることが出来るように仕掛けた。

お土産も最近にない豪華さだと由利子は言った。新製品のノンエイジ化粧品はもちろんのことであるが、特製の化粧ポーチがすごい。これは来年の製品化に向け、試験的につくらせていたものを、今回のパーティのために六百個用意したのだ。シルク地でつくった愛らしいチェック柄は、おそらく大評判になるはずであった。

「このブースの位置なんですけどね」

プロダクションの男は、設計図を指す。

「ここに設置するとなると、ほら、この席から見づらくなるんですよ。記者会見のとき、この後ろの記者さんは、メインテーブルで喋っている人が、まるっきり見えなくなってしまいますよ」

「そういうのって一番困るわよね」

広告代理店時代、何度か記者会見のセッティングをしたことがある沙美は、口をはさんでいく。

「今度の発表会は、プレスの人たちの数が今までよりもずっと多いと思うんです。ですから見えない位置が出てくると、きっと不満がすごいと思う。いっそのこと、このブース、撤去したらどうでしょう。そういうこと、出来ませんか」

そのとき応接室に通じるドアが開き、神崎圭子《かんざきけいこ》が顔を出した。由利子のアシスタントをしている大学を出たばかりの若い女だ。

「申しわけありません、大切な打ち合わせ中だとは思うんですが、ちょっとおふたりに来て欲しいと部長が言ってます」

PR部部長の田辺《たなべ》のまわりには、既にふたりのPR担当者が集まっていた。彼らの顔がいずれもうつむき加減なことに沙美は気づく。どうやらよくないニュースらしい。

「ちょっとこれを見てくれよ」

いかにもヨーロッパ資本の会社に勤めている男らしく、田辺はぽってりした指に二つの太い指輪をはめている。あちこちに飛ばされっぱなしの商社マンだったのであるが、語学力を買われてコリーヌ化粧品にスカウトされた男なのである。

由利子がそのファックス用紙を読み、そして沙美にまわしてくれた。ワープロで打った文字が並んでいたが、内容はその文字の行儀のよさとはまるで違っていた。

「スーパーモデル、イリスが緊急初来日いたします」

という文字が、太文字や〝！〟マークを使っていないのに、ことさら強烈に目に飛び込んでくる。

「〝ボーテ・ドゥ・フラネル〟のイメージキャラクター、イリスが、このたび日本を訪れます。つきましては十二月十七日、プレス記者会見と、引き続きましてパーティを行ないます。暮れのお忙しいときとは存じますが…」

パーティ会場を見た。新宿のパークハイアット東京となっている。

「ひどいわ」

一番若い沙美が、一番素直な反応をした。

「〝ボーテ・ドゥ・フラネル〟は、うちのパーティが十七日だってことを知っているわけでしょう。なのにどうして同じ日にこんなことをするんですか」

「同じ日にパーティがかち合うっていうのは、そう珍しいことじゃないのよ」

と由利子。

「編集者の人たちは、結構面白がって、タクシー使って掛けもちしてくれるわ。だけども場所が新宿のパークハイアットじゃねぇ…」

コリーヌ化粧品のパーティは、お台場のホテル日航東京である。ホテル日航東京といい、パークハイアット東京といい、どちらも今大人気のホテルであるが、車で一時間近く離れている。師走の渋滞にひっかかれば、一時間半はかかるかもしれない。イリスは、次世代のクイーンの座は確実といわれるスーパーモデルである。しかも初来日だ。新しもの好きのマスコミ人たちが、いかにも飛びつきそうな話題である。彼らはおそらく、都心のスターの方に向かうであろう。その後果たしてベイエリアの方に足を延ばしてくれるのか。

「フラネルさんも、まったく困ったことをしてくれるよなあ…」

部長がいまいまし気に指でデスクを叩く。彫金の太いリングごと指が揺れる。もしかすると、彼はこのパーティによって大失点をするかもしれないのだ。なにしろ本社から直々に社長がやってくるのである。

まだまだ年功序列型の日本と違い、外資系企業はほとんどが契約制である。部長にしても二年ごとの更新で、その間の業績は厳しくチェックされているはずだ。

「こんなことってあるんですね。私、まだ胸がドキドキしている…」

由利子とふたり、プロダクションの男が待つ部屋に戻りながら沙美は言った。

「あのファックスを目にしたときは、頭がガーンってやられました。私の初仕事で、やっとうまくいきそうなときに、どうしてこんな意地悪するんだろうって…」

「私たち外資の化粧品メーカーなんて、所詮は弱小なのよ。なにしろ私たちみんな集まっても、全体の二割の売り上げしかないの。国産ブランドには、逆立ちしたってかなわない世界なのよ。だから今まで、そんなに足のひっぱり合いはなかったはずなんだけどねえ…」

ちょうど洗面所に向かう廊下で、あたりに人影はない。ふたりは自然と立ち話をする格好となった。

「さっき部長が、イリスの来日は急に決まったんだろうって言ってたけど、本当にそうでしょうか」

「怪しいもんよ。外タレなんて、一日二日寝かせとく時間はあるんだから、どうにでも調節出来るわよ。私ね、今度のことは瀬沼さんが計画したことだと思うの」

「瀬沼さんですか…」

またあの女かと、沙美は自分の前任者であったやり手のPRウーマンのことを思い出す。彼女は今でもよく雑誌に顔が出ている。彼女は今、ボーテ・ドゥ・フラネル・ジャポンのPRディレクターをしている。

「あの人、やっぱりうちのこと恨んでるのよねえ…」

「あの、それって田代さんが関係しているんですか」

パリで出会い、コリーヌ化粧品に入社するきっかけになった田代と、前任者とがかつて恋人同士だったという事実は、沙美に意外なほどの衝撃を与えた。自分はまだそれをひきずっているような気がする。

「そうよねえ、あのときの田代さんのやり方は、ちょっとよくなかったものねぇ」

「えーっ、そうなんですか」

「そうよ、不倫なんて両成敗だし、この業界じゃ珍しくもなんともないの。うちの会社だってたいていのこと、目をつぶるわよ。それなのに瀬沼女史が妊娠したもんだから……」

あっと由利子は声を立てる。向こうから誰かが歩いてきた。ふたりは何くわぬ顔で部屋へ向かう。沙美の知りたいことは、いつも中途半端のままだ。

いつかは会うだろうと思っていた瀬沼弥生《やよい》であるが、その日は唐突に訪れた。スーパーモデルの来日パーティを同じ日に定めたボーテ・ドゥ・フラネル社と話し合うために、沙美は由利子と一緒に麴町にある本社を訪れたのだ。ふたりは受付でしばらく待たされた後、ディレクターズルームと記された部屋に通された。ここに来るまでの廊下には、完璧に欧米式に各ドアの前に秘書が机を揃えている。パソコンの画面には、次々と数字が現れていた。

八畳ほどの部屋に入ると、デスクを取り囲むように椅子が置かれ、沙美と由利子はそこに座るように秘書の女性に勧められた。おそらく応接室を使ったりするよりも、人目につかず話が出来るという瀬沼弥生の配慮なのであろう。

沙美はあたりを見渡す。ここが瀬沼弥生の部屋だということはひと目でわかった。なぜならデスクの上には、スキーウエアを着た彼女のかなり大きな写真が置かれていたからだ。雑誌で見るよりもはるかに若々しい笑顔だ。いや、本当に若いときに撮った写真かもしれない。もう一枚カクテルドレスに身を包んだ写真もある。どこか外国でのパーティなのであろう。後ろにタキシード姿の白人が見える。

外資系の会社だと、家族の写真をデスクに飾る者は実に多い。それにさえ沙美は違和感を覚えるのだから、こうして自分ひとりの写真をデスクの上に置く神経というのは、どうもよく理解出来ない。強い自己愛の表れなのだろうか、それとも瀬沼弥生は単に本国の流儀を真似しているだけなのであろうか。

「彼女すごいわね。個室を貰《もら》ってるんだわ…」

由利子がそっとささやいた。

やがて廊下側とは別の壁に面した、もうひとつのドアが開き、瀬沼弥生が姿を現した。足の美しい女、というのが沙美の第一印象だ。もう四十近い年であるはずなのだが、瀬沼弥生は膝がすっかり見えるミニをはいている。黒いストッキングに包まれた足は、日本人離れした細さと長さだ。黒いシルクのシャツに黒いスカート、おそらくフランス製のものであろう、輝くような緑色のタフタのジャケットをはおっている。

「ごめんなさいね、こんなところにお通しして」

初めて聞く瀬沼弥生の肉声は、甘く鼻にかかっている。沙美の想像していたものとはまるで違っていた。そのキャリアから、太く強い声だとなぜか思っていたのである。

「お久しぶりね。懐かしいわ。皆さんお元気なのかしら」

瀬沼弥生は由利子に話しかけるが、化粧品会社のPR担当者同士の挨拶のようではない。まるで良家の夫人たちのようなおっとりとした調子の会話だ。

「紹介しておくわ。今度入った北村沙美です」

「よろしくお願いします」

深く頭を下げたついでに瀬沼弥生の靴を見た。よく磨かれたオーソドックスな形のものだ。が、ほっそりとした足の甲がこれだけ垂直に近く見えるということは、かなり高いヒールなのだろう。

「あっ、北村さんね。編集者の方たちからよく噂を聞くわ。とっても優秀な人が入ったって。弥生ちゃんより、ずうっといいわって皆が言うのよ」

瀬沼弥生は、自分のことを「弥生ちゃん」と、さらに甘ったるく発音した。沙美は今度は彼女の顔を見る。昔なら不美人の部類に入ったかもしれない。目の細い平べったい顔つきである。が、彼女はプロポーションのよさとメイクのうまさで巧みに原形を覆いかくしていた。細く入れたリキッドのアイラインが、彼女を国籍不明の東洋人女性のように見せている。ぽってりと描かれた唇が、細い目と不思議な調和を見せ、角度によっては淫《みだ》らともいえる表情を見せる。こんな色気のある女だとは、雑誌の写真は伝えてはいない。

「おたくのパーティのことだけれどもね……」

由利子はいきなり本題に入った。

「その日が、うちの新製品のパーティと重なっているのよ。おまけにうちはお台場のホテル日航東京、おたくのパーティは新宿のパークハイアット東京。うちじゃみんな、どうしたらいいんだろうって頭をかかえてるわ」

「でもね、日にちの変更は絶対に無理よ」

瀬沼は相変わらずあどけない口調のままで言う。

「イリスの日程で空いているのは十七日だけなのよ。彼女はボーイフレンドとクリスマスイヴをバージン・アイランドで過ごすらしいの。だからきちきちのスケジュールを組んでいて、私たちが貰った時間は十七日の二時間だけなのよ。だからもう今から変更してくれっていっても、絶対に無理だわ」

「私たちもね、そんな無理なことを言うつもりはないのよ」

フランス大使館勤務の夫を持ち、ことさら美しくおっとりとした喋り方を心がけている由利子が、そのままの調子を変えずに言いはなつ。

「でもね、私たちもこのまま指をくわえているわけにはいかないのよ。あなたもうちのPR担当だったからわかるでしょう」

「もちろんだわ。でもね、こちらもわざとやっているわけではないわ。同じ日になったのも、離れたホテルになったのもすべて偶然なのよ」

洗練されたスーツを着こなし、肌の手入れもメイクも充分手のかかっている女がふたり、やわらかい喋り口調はそのままに睨《にら》み合っている。由利子のこんな風な表情を初めて見た。

「それでね、おたくのパーティの終わる時間、ホテルの前にバスを二台つけさせてもらうことにしたわ。うちの方のパーティに来るお客さんをこれで運ぶことにしたの」

「それはいいアイデアだわ。由利子さんが考えたのかしら」

「いいえ、北村さんや皆で必死に考えたの」

瀬沼弥生はゆっくりと沙美の方を見る。小さいが黒目のかった目だ。まわりにかすかな皺があるが、大人の女の彩《いろど》りといえないこともない。

「瀬沼さんに一応お断わりを入れておかなきゃいけないと思って今日来たのよ。自分のところのパーティ会場の前に、バスを置かれたらやっぱり嫌なものですものね」

「とんでもないわ」

瀬沼弥生はにっこりと微笑《ほほえ》んだ。あきらかに勝者の笑顔というものである。

「私たちライバルっていうわけじゃないですもの。そんな気を遣わなくたって結構よ。出来たら私もそのバスに乗って、ご一緒したいぐらいよ」

ふたりの会話を聞いているうちに、沙美の頭の中にふたつの会社の売り上げ比がはっきりと浮かんでくる。フランス最大手の化粧品会社コリーヌであるが、日本においては新興のボーテ・ドゥ・フラネルと肩を並べている。フラネルは最近メイクアップのシリーズが大当たりして、前年比二十二パーセント増という勢いなのである。今回もスーパーモデル、イリスを起用して新製品はヒット間違いなしなのであろう。その数字が瀬沼弥生の態度にも微妙に現れている。それにしても彼女の様子には、多分に意固地《いこじ》なところがあり、やはりあの噂は本当だったのだと沙美は思う。

「ねえ、このあいだの話、もっと聞いてもいいですか」

あまりの寒さに、コーヒーを飲んでから帰ろうと、ふたりは英国大使館裏のカフェに入った。ここも流行のオープンカフェであるが、冬の間はぴったりとガラス戸が閉じられている。

「このあいだの話って何かしら」

由利子はきょとんとした表情だ。おととい切れ端のように沙美に投げ与えたスキャンダルのことなど、すっかり忘れたかのようである。沙美はかなりの恥ずかしさを押しやり、具体的な名を口にした。

「あの瀬沼さんがうちを辞《や》めた原因は田代さんにあって、それで瀬沼さんはうちの会社を恨みに思ってるって……」

「そう、そう、あのことね」

由利子はせっかちに頷《うなず》いた。

「うちで不倫なんて、全然珍しくも何ともないんだけど、瀬沼さんの場合はちょっと大変だったわよ。何しろあの人、妊娠してしまったんだから」

沙美は黙り込む。微笑みながらもきつい言葉を喋り、ラインが入った目のあたりにかすかに中年のきざしを漂わせているあの女性と、妊娠というものとがどうしても結びつかなかった。

「瀬沼さんは三十七歳だったから、子どもが欲しくて計画的にやったっていう噂もあるわ。それはともかく、彼女は〝未婚の母〟で産むとか主張したらしいわ。ま、日本のお堅い企業で〝未婚の母〟はまずいだろうけども、うちみたいなところでは許されるかもしれないわ。でも、相手が上司っていうのはねぇ…。瀬沼さんと田代さんとのことは、社内でも知らない人はいなかったから」

「それでどうなったんですか」

「田代さんが拝み倒して、堕《お》ろしてもらったっていう人がいるわ。だけどね、もっと有力な説はね…」

由利子は顔を近づけた。こうすると香水の匂いが一層強くなって、いかにも秘密話めいた雰囲気になる。

「田代さんが彼女を突き飛ばした、っていう説もあるのよ。それで四ヶ月だか五ヶ月の瀬沼さんは流産したっていうんだけれど」

「まさか！」

「私もまさかと思うわ。こういう話って、みんな面白がって話すから、やたら尾ひれがつくのよ」

「だけど田代さんって、会社から何のお咎《とが》めもなかったんですか」

「そういうところ、外資はドライよね。それで業績が下がったわけでもない。田代さんは言葉もできるし、やり手だっていうんで、本国の社長もお気に入りなのよ。だから彼はお叱《しか》りもなし。瀬沼さんが勝手に辞めたっていうことになったのよね。まあ、彼女も仕事が出来る人だから、すぐにフラネルにスカウトされたわけだけれどもね」

沙美はパリで聞いた田代の言葉を思い出した。

「前任者はなかなか有能な女性でしたが、有能過ぎて別の化粧品会社からスカウトに来たようですね」

そう言った彼の口調に、何の気負いや照れというものはなかった。あのときの田代は、女にだらしなくも見えなかったし、卑劣漢にも見えなかった。未だに彼は沙美の中に強い印象を与えているが、それは決して悪いものではない。いずれにしてももうじき田代は長期の出張を終え、本社の社長をエスコートしながら帰国してくるわけだ。そのときにさまざまなことを確かめようと沙美は思った。

自分をこの場所に連れてきた男が、卑怯《ひきょう》なことをするような人間だったら、自分はスタート時から失望することになってしまうはずだ。田代がどんな人物か、もう一度会ってきちんと見てみたい。それ以外の感情は何もないのだと沙美はひとり頷く。

クリスマス間近の青山は、騒々しい華やかさに満ちている。表参道では、ツリーや天使をかたどったネオンがあちこちに輝いている。

イタリアンレストランの窓ぎわの席で、黒のベルベットのスーツを着た沙美と、やはりスーツ姿の直樹は、向かい合って食前酒を飲んでいる。それはいかにも恋人同士にふさわしい光景であった。イヴの日は、どこのレストランも大変な混みようだ。それならば早めにクリスマスをしてしまおうという割り切り方も、長くつき合った恋人でなくては出来ないことだ。

「本当に本当に大変だったのよ」

このあいだ行なわれたコリーヌ化粧品の新製品発表パーティのことを言っているのだ。ボーテ・ドゥ・フラネルのパーティ会場にバスを差し向け、お客をそのまま運んでしまおうというアイデアはよかった。しかし問題は皮肉屋で気分にむらのあるマスコミ人種たちが、そのままバスに乗ってくれるかということであった。

そのためにバスはサロンバスにし、中にたっぷりと花を飾った。さらにカナッペとシャンパンを用意し、寛《くつろ》いだままお台場へ行けるようにという仕掛けだ。それだけではない。沙美はバスガイドの格好をすることを思いついた。嫌がるアシスタントの神崎圭子を説き伏せ、ふたりでバスガイドの制服を着た。コリーヌ化粧品のシンボルカラーに近い色の布を探し、徹夜で業者に縫わせたものだ。その格好でバスの前に立ち、

「コリーヌ化粧品行きのバスはこちらでございます」

と声をかけたところ、マスコミ人種たちは狙《ねら》いどおり大層面白がり、みんなぞろぞろとバスに乗り込んでくれた。知り合いの編集者たちが、

「北村さん、よく似合うよ。ずうっとガイドさんやってもいいんじゃないの」

と声をかけてくれ、それが沙美には嬉しかった。なぜならばこの二、三日由利子の方はすっかりふさぎ込み、

「うちがバスを仕立てて、あっちの客をごっそり運んだなんて、そりゃあいい物笑いの種になるでしょうね。苦肉の策とはいえ、業界はしっかりこの噂で持ちきりになるわよね」

と悲観的なことを口にするのだ。そこへいくと沙美は新人の大胆さで、あれこれ思いついては進めてしまう。化粧品会社というところは、不思議なほどPR担当者に寛大であった。予算の範囲内のことであれば、女性の担当者は自由に振るまえるのである。「下駄を預ける」という言葉があるが、今回のパーティにしても、表に出るのは由利子が主で、司会も彼女が担当したのだ。化粧品という商品の性格上、女性たちが仕切っているイメージを客たちに与えたいのであるが、実際もそれに近い。沙美はつくづくわかったのであるが、化粧品の業界というのは女性が売り込み、宣伝して、女

性がそれを選んで世に拡まるという世界なのである。

「だけどそれが成功したかどうか、監査するのは男じゃないの」

という声があるにはあるが、その女の力の持ち方たるや、今までいた広告業界とは比較にならない。その代わり責任もすべて負わされるのは当然のことで、パーティが終わるまで、沙美はまったく生きた心地がしなかった。

パーティの目玉といってもよい女優の中原亜紀が、なかなか来てくれなかったのである。彼女の写真を撮ろうと、何人かのプレスが来ていたが、彼らの口から、

「本当に来るのかな」

などという声が漏《も》れたものだ。約一時間近く遅れてパーティにやってきた亜紀は、とても機嫌が悪かった。「沙美ちゃん」という呼びかけが「北村さん」になり、

「私、今日は風邪気味なのよ。北村さん、もうそろそろ帰らせていただくわ」

などと着いたそうそう言い始めて、沙美はどれほど慌《あわ》てたことだろうか。

その他にもパーティではいろいろなことがあった。本社の社長を前もって紹介していたのであるが、マスコミ人たちは遠まきにするばかりであまり彼に話しかけようとはしない。通訳がたえずついているというものの、フランス人と話すことが億劫《おっくう》なのだ。後から沙美たちはフィリップ支社長から小言をさんざん言われた。

「どうしてもっと、フランス語の出来る連中を招かなかったんだ。大使館関係者があまりいなかったが、招待状の発送に漏れはなかったのか…」

が、とにかくパーティは終わったのだ。一時はどうなることかと思ったが、成功といってもいいものになった。おかげで沙美は次の日から二晩は、疲れのあまり不眠に悩まされたものだ…。

などということを、沙美は次々と喋り続けているのであるが、直樹がのってこないのははっきりとわかる。今まで彼は、比較的沙美の愚痴《ぐち》を辛抱強く聞いてくれたものである。それが沙美の気持ちを強く直樹に寄せることとなった。世の中を見渡しても、女の会社のあれこれに耳を傾けてくれる男は、あまり存在していないのだ。

ウェイターがやってきて、ふたりの前に前菜を置く。直樹のそれは真赤に熟れたトマトに、モッツァレラチーズをのせたものだ。平凡な一皿であるが、彼はこれが大好物である。

「それで今度の正月のことだけどさ」

彼の話題の変え方は、ほとんど素っけないといってもよいぐらいだが、それには理由があった。

「今度の正月は、ちゃんとさ、うちに来てくれよ。君の両親のところにも行くつもりだよ。そっちの方が順序が先かもしれないな。うちのお袋たちは、いつでもスタンバイOKだって言ってる」

「あのね、そのことだけど」

「言うな、何にも言うな」

直樹は右手に持つナイフをまるで凶器のように沙美に向けた。これで言葉を制しようとしているのだ。彼がこんな不作法なことをしたのは初めてであった。

「もうお前の、〝だけど〟とか〝あのね〟とかいう言葉聞くの、うんざりなんだよ。このごろ、沙美はちょっとおかしいぞ。何だか仕事に取り憑《つ》かれてるっていう感じだ」

「だって仕方ないじゃないの、会社を移ったばかりなんだもの」

「そりゃわかるけど、ちょっと頑張り過ぎだと思うな」

「そうかしら」

ここまではいつもの会話のペースであったが、ふと思いついて沙美は言ってみた。もしかしたらこの言葉は言ってはいけないのかもしれない。ふたりの関係を変えてしまうのではないかと一瞬案じたものの、それはすらりと舌にのった。

「ねえ、女が仕事に取り憑かれちゃいけないの」

「えっ」

「男の人が仕事に夢中になるのはあたり前で、女がそうしちゃいけないのかしら」

「いけなかないさ、いけなかないけどさ…」

直樹はナイフで白くはりついたチーズを撫《な》でていく。そうしながら言葉を探しているのだ。

「いけなかないけど、女がそういうことをすると失望することが多いからな」

「失望…？」

「うちでもそうさ。女を総合職だ何だって、ちょっとおだてさんざんこき使う。女は真面目だから一生懸命やる。だけど気づいてみれば出世も出来ないし、給与だって男とは違う。そこでこんなはずじゃなかったって、キイーッてなるのさ」

「私ね、出世とかお給料のためにやるんじゃないわ。もちろんそのことはあるけど、それよりも仕事が楽しいの」

ああ、そうだ。とうとう本当のことを言ってしまった。つらくて嫌なことばかりの連続だと思っていたが、大きな仕事を終えて沙美はあきらかに興奮していた。その興奮が伝わるから、直樹は不機嫌になっているのだ。

「この先どうなるかわからないミステリー小説を読み始めたっていう感じ。結論が知りたくってうずうずしているの。息もつかずにページめくるように、毎日仕事してるわ。これってやっぱり楽しいことでしょう。だけど直樹って…」

これもまた言ってはいけないことかもしれない。

「女が仕事で楽しそうにしてるの、あまり好きじゃないみたいね」

「男はみんなそうだよ」

彼はトマトを頰張る。育ちのよい我儘《わがまま》な男の顔だ。沙美が愛する男の顔である。

「女が仕事のことを話すと、他の男のことを聞いているみたいな気分になるんだよなあ。これも一種の嫉妬《しっと》で、仕方ないことじゃないかなあ…」

「私、あなたがそんなこと考えてるなんて思わなかった」

「オレなんかいい方だと思うよ。結婚前にちゃんとはっきり言うんだからな。まあ、オレはさ、そんなにいい亭主にはならないかもしれない。あ、いい亭主ってまめな亭主ってことだよ。掃除や、夕飯つくったりってことは苦手だけど、それ以外は努力もするし、君を責めたりは絶対にしない。ま、オレのレベルでよしとするんだな。ほら、沙美、いつか言ったことがあるだろ。『自分にとって都合のいい男と、愛する男とが一致するとは限らない』って」

「よく覚えてるわね」

「そりゃそうだよ。プロポーズをいつするか悩んでたころだもの。なあ、そりゃ自分のためにエプロン締めて夕飯つくって、風呂わかしてくれる男はそりゃ都合いいさ。だけど、沙美、そんな男好きになれるか」

小さく首を横に振る。

「そうだろ。だからオレぐらいにしとけ。オレだってたまにはめしぐらいつくるし、それに……」

ちょっとそこで口をつぐんだ。

「誰よりも沙美のこと愛してるんだからさ」

一緒に頬張ったトマトとは不釣合な言葉であったが、それは温かく沙美の心を溶かす。今の議論はすべてこの言葉で消えてしまいそうになる。沙美の中で「待てよ」と小さな声がするのであるが、心地よさに身をまかせてもいいかと考える。

さっき飲んだシャンパンとオレンジジュースのカクテルは大層おいしく、イヴはもうじきだ。

「今日がオレたちの独身最後のクリスマスかもしれないな」

本当にそうね、と沙美は言った。

その日沙美は、とっておきのシャネルスーツを着た。それはおとしのシンガポール旅行で買ったものだ。もちろんかなりの決心が要る値段《い》であったが、沙美は夏のボーナスの半分を使ってこれを手に入れた。三十歳を迎える自分にふさわしいスーツを買おうと、旅行に出る前から決めていたのだ。

蛍光ピンクのふくれ織りのスーツは、いろいろな場面で活躍してくれた。広告代理店に勤めていたころのパーティや接待、そしてこのあいだの新製品のパーティのときに着ていったのもこのスーツである。めざとい編集者たちは沙美に目をとめ、さりげなくボタンを確かめたりしたものだ。もちろんファッション関係者たちであるから、普通のOLのように、無邪気に質問したり、シャネルね、などと羨《うらや》ましがったりはしない。あくまでもすばやく視線を走らせるだけだ。先輩の由利子に言わせると、

「最初からシャネルなんか着ると大変よ。今度のPRは金があるらしいとか、いろいろ噂たてられるんだから」

となる。化粧品会社のPR担当者たちはもちろんおしゃれでなくてはならないが、はっきりと高価なものを着るのも反ぱつされるというのだ。

「この業界はね、どこのブランドを着ているかで、その女の人格を定義しようとするからおっかないのよ」

しかしあえて沙美は、今日シャネルスーツを身につける。午後から直樹の実家へ行くことになっているのだ。婚約と堅苦しく考えずに、とにかく両親と会って欲しいというのが彼の意向であった。ひと目でわかるボタンをつけたスーツの女を、直樹の母親はいったいどのように見るだろうか。金遣いの荒そうな娘と見るかもしれない。それでもいいと沙美は思った。濃いピンク色のスーツは、沙美を上品な美しい娘に見せてくれる。

このスーツは、沙美がここ一番と思うときに着る特別な服なのだ。直樹の母親は知るだろう。自分の息子が連れてくるのはただの女ではない、自分の力で三十万円を超える洋服を買える、キャリアも知恵も積んだ女なのだということをだ。

直樹の家は私鉄沿線にある。このあたりは戦前から中級サラリーマンが住んでいたところで、生垣《いけがき》の続くあたりにその趣《おもむき》は確かに残っていた。

駅まで直樹は迎えに来てくれていた。いつものトレンチコートではなく、紺色のダッフルコートを着ている。それは沙美が初めて目にするものであった。

「学生のときから着てたやつだ。あんまりボロくなったんで、近所に行くときにしか着ないけど…」

照れたように笑った。紺色のダッフルコートは、直樹の二十歳のころをたやすく想像させる。大学に入ってからラグビーを始めたものの、体がまったくついていかず、ゴルフに転向したと言っていたっけ…。

冬の住宅地の道を直樹と歩きながら、沙美は鼻がつんとするような幸福感に包まれている。もうじき結婚する恋人と、彼の家へ向かっている。この道は幼い直樹がずうっと歩いてきた道である。恋をするということは、その男の現在をひとり占めすることだが、結婚するということは、彼の過去も未来もひとり占めすることなのだ。沙美は思う。

「ほら、そこの角を曲がったところ。白い家だよ」

女は初めて行く恋人の家をあれこれ思い描く。あまり貧しい家だと哀しいけれど、そうかといってこちらがおじけづくような大邸宅も望んでいない。そう大きくなくてもよいが、住んでいる人たちが知的で、心豊かに暮らしていることがわかる家だ。花が生けられ、動物の気配がする家を、沙美は心に浮かべる。

が、その家は沙美の考えていたものとはかなり違っていた。白いプレハブ住宅はとても大きくあたりを圧していた。アーリーアメリカンとでもいうのだろうか、切妻《きりづま》屋根に出窓がいくつかある。その出窓にはレースのカーテンが垂れていて、見える花はあきらかに造花だ。もし沙美がこの家を無関係に訪ねてきたら、おそらく「趣味の悪い家…」とつぶやいていたことであろう。

「お袋、張りきっちゃってさあ」

直樹はドアのノブに手をのばす。その両脇には陶器の七人の小人が、おどけたポーズをとっていた。

「ケーキ焼いたりして大変なんだ。ま、大目に見てくれよ」

その口調に得意な思いとおしさが込められていることに沙美は気づく。が、このくらいは我慢しなくてはならないであろう。

「男でマザコンじゃないのなんていないわよ。特に東京育ちはひどいわ。だけど実際にマザコンじゃない男を探そうとしたら、よっぽど育ちが悪いか、心がねじくれた男しかいないからねえ。マザコンはちゃんとした家の息子の必要悪みたいなものかもしれないわねぇ」

などとこのあいだも友人と話し合ったばかりだ。

「まあ、いらっしゃい！」

そのとき、ドアが大きく向こうから開けられた。若づくりした女、というのが沙美の第一印象である。そう濃い化粧をしているわけでも、派手な洋服を着ているわけでもない。が、その初老の女には、どこか諦《あきら》めていないような、体の奥がはしゃいでいるようなところがあった。

「あけましておめでとうございます。新年そうそうにお邪魔して申しわけございません」

「何おっしゃるの。いらしてくださるのを、とっても楽しみにしていたのよ。主人も今まいりますからね」

応接間に通され、沙美はやっとわかった。直樹の母親の趣味は、どうやらメルヘンティックというものらしい。部屋のいたるところに陶器の置物があり、壁には小さな額が飾られている。これだけ大量の造花を見せられると、沙美はげんなりしてしまうのであるが、これは直樹の母の趣味であるようだ。

「私はね、アートフラワーをもう二十年もやっていますのよ。この家を建て替えるときも、主人や直樹は大反対したんですけれど、私は自分のつくった花が似合う家にしたかったの」

沙美はいつのまにか目の前の女を値踏みしている。そう悪い女ではなさそうだ。センスの問題はあるにしても品は悪くない。沙美のシャネルスーツにすぐ目をとめたが、悪意なくそれを誉《ほ》め讃《たた》えた。そもそも直樹の父は、関連会社に移る前は大企業でかなりのポストに就《つ》いていた。直樹の甘い顔立ち、ちょっと我儘な育ちのよさというのは、東京の中流階級独特のものだ。おそらく彼女もそれなりの学校を出て、人が羨む人生をおくってきたのであろう。が、沙美にはどこかひっかかるところがある。それはこの女をただちに「お母さん」と呼べるかという疑問だ。

出窓がある白い家に住み、造花を愛し、玄関前に七人の小人を飾る女というのは、今まで沙美が苦手としてきたタイプだ。仕事で会ったとしたら、ただちにうんざりとしたことであろう。それでも沙美はもうじきこの女と親類となるのだ。なぜならば、この女は沙美が結婚する男の母親だからである。

「やあ、いらっしゃい」

ドアが開き、直樹の父親が顔を出した。こちらの方がはっきりと直樹との類似点が見出せる。かなり輪郭があいまいになっているというものの、やわらかな線を描く薄い唇が息子と同じだった。

「北村沙美さんですね。直樹の父親です。今日はよくいらっしゃいました」

父親は管理職に長く居た人の持つぞんざいさで、沙美に話しかける。こうしてティータイムが始まった。といっても正月の三日であったから、すぐにビールの栓が抜かれ、紅茶の横にお重が並ぶという奇妙なことになった。途中で直樹の母が焼いたというケーキを口にしたが、予想どおりとても甘かった。

「ねえ、沙美さんのご両親は栃木ですってね」

いよいよ始まったなと沙美は身構える。

「栃木のどのへんなのかしら」

「鹿沼《かぬま》っていうところですけど、ご存知でしょうか」

「名前は聞いたことがあるわ。それでご両親はお元気なのかしら」

「彼女のご両親は高校の先生してるんだ」

母親の意図を先まわりして直樹が答えた。

「お父さんは化学、お母さんは英語を教えてるんだよなあ」

「まあ、それでこんな風に頭のいい、しっかりとしたお嬢さんがお育ちになったのね……」

その後、やや沈黙があり、彼女はやっとタイミングを得たとばかりにいっきに喋り出す。

「それでね、私たちはいつご挨拶に伺ったらいいのかしら。うちもね、初めてのお祝いごとのものですから、どんな風にしていいのか見当がつかないのよ。あのね、沙美さんのおたくの都合のいい日を教えてくだされば、私たちはすぐにその、鹿島…」

「鹿沼だよ」

直樹が口をはさんだ。

「そのおうちに正式に伺いますから。そしてそのときに、式の日取りやいろんなことを打ち合わせしたいわ。ねえ、パパ…」

彼女は傍《かたわ》らにいる夫の顔をのぞき込む。

「あなたも忙しいでしょうけど、週末だったらすぐにでも大丈夫でしょう。一月はゴルフの予定もそんなに入ってないはずだわ」

「うん」

ビールの大瓶を空けた彼は、もの憂げに頷いた。

「じゃ、さっそく今日決めちゃいましょうよ」

彼女は意外にもすばやい身のこなしで立ち上がり、どこからか卓上カレンダーを持ってきた。表紙がとられたばかりの真新しいカレンダーである。

「えーと、週末で大安っていうと、ないものねえ…。でも友引っていうのがあるわ、ほら、今月の二十三日の土曜日」

その卓上カレンダーの一月のページには、独楽《こま》と猿まわしのイラストが描かれていた。沙美の中に突然熱いものがわく。それは嫌悪といっていい痛さを持っている。人生が、自分の人生が、こんな風に猿の絵が描かれているもので決められてよいのであろうか。まるでドライブの予定を決めるように、カレンダーに丸印をつけられてよいものだろうか…。

「ちょっと待ってください」

沙美は小さく叫んだ。

「あのちょっと待ってください」

「何だよォ」

直樹がこちらを睨んでいる。余計なことを言うなと、父親そっくりな唇が制している。

「そんなに性急にことが運ぶと、私は思ってみなかったんです」

「沙美、君はさ、ちゃんと栃木のご両親に話してくれたんだろ」

「ええ、もちろん、結婚を前提におつき合いしている人がいることは話しました。近々紹介するとも言いました。だけど今月中に、結婚の日取りうんぬん、なんて言われても私、困るんです」

「お前さあ、こういうときにそういうこと言い出しても困るんだよなあ」

「沙美さんの気持ち、わかるわ」

意外なことに、直樹の母親が味方についた。優しく笑いかけてくる。

「女の人ってそういうものよ。いざ結婚することが決まると、とたんにすごく不安になるものなのよ。だけどね、沙美さん、おめでたいことって、とんとん拍子に進めなきゃ駄目よ。はずみでぱーんといかなくては、あなたみたいに頭のいい方は──」

ここで彼女が皮肉を込めたことは、いくら沙美でもわかった。

「なかなか結婚の決心がつかなくなるわ。ねえ、ここは年寄りに任せておいてくれないかしら。ふたりの気持ちがここまで固まっているんなら、後のわずらわしいことはみんな私たちがしてあげるわ」

「でも、直樹さんからお聞きになっていると思いますが、私、転職したばかりで仕事がまるっきり軌道にのってないんです。これがちゃんとするまで待ってくれないかって、直樹さんにはお願いしてるんですが……」

「まあ、沙美さんたら男の人みたいなことを言って……」

彼女は笑った。少々大げさではないかと思えるような笑いだった。

「女の人はね、仕事で丸ごと幸せになろうなんて考えなくていいの。結婚して子どもを育てて、そして仕事をして、トータルで幸せになればいいじゃありませんか。私、直樹の姉にはいつもそう言っていましたよ」

その言葉は、以前直樹が沙美に言ったものとそっくり同じであった。

この日のことで、沙美は直樹と激しくやり合った。両親の前で恥をかかされたと直樹が言えば、約束が違うと沙美は反論する。

「まずはちょっとした顔合わせっていうことだったじゃないの。それなのに、式の日取りがどうの、なんて言われたら、こちらはびっくりしちゃうわよね」

「おい、おい、いいかげんにしろよ。君は僕と結婚したいのか、どうなんだよ」

と詰め寄られると沙美は弱い。結局は直樹の一方的な怒鳴り声で電話は切られることになる。

が、会社の方は沙美のそんな憂鬱《ゆううつ》を吹き飛ばすような忙しさがずっと続いている。本社からディレクターが来日し、春に向けての新製品を説明した。多くのマスコミが予想することであるが、今年の春はファンデーション戦争になる。今まではべったりとしたマットな肌が主流であったが、この三、四年で日本の女の好みは驚くほど変わった。厚塗りを避け、素肌のようにさらりとしたファンデーションが好まれる傾向が出てきたのだ。各社研究に研究を重ね、いっせいに新製品をデビューさせる予定であるが、コリーヌ化粧品のそれも大きな話題を集めそうだ。「マジ・ドゥ・ペルル」真珠の魔法と名づけられたファンデーションは、日本では珍しいシェイクする液状のものだ。まるでローションをつけるように、ひたひたと塗る。これほど薄づきで大丈夫だろうかと不安になるのもつかの間、液を吸った肌は今度は内側から輝き出す。これにはトレーニングルームで試したPR担当者たちも舌を巻いた。

「これは、雑誌社の担当者たちが飛びつきそうよね」

「どうですかね、大々的にタイアップ広告をうつのは」

由利子の言葉に皆も大きく頷いた。各出版社に足しげく通い、頭を下げて美容ページに出してもらうといういつものやり方と違い、タイアップ広告というのはこちらが金を出してスポンサーになるのだ。これは雑誌社との潤滑油の役割を果たすし、何よりもPR担当者たちが元気づく。仕事の労力は大変なものになるが、こちらの好きなように広告がうてるのだ。が、当然のことながら多額な費用がかかる。案の定、部長はいい顔をしなかった。日本の景気の悪化に伴い、本社からの締めつけがとても厳しくなっている。もうこれ以上の予算がとれないだろうというのだ。

「そのために君たちがいるんだから頑張ってくれよ」

最後はいつもどおりの言葉で締めくくった。

「イヤになっちゃうわよね。私たちPR担当っていうのは、会社にとっちゃ特攻隊なのよ」

ランチの後のコーヒーをすすりながら、由利子は頰に手をやる。今度のファンデーションの威力はまったくたいしたもので、ガラス越しの陽光の下でも、彼女の肌は肌理《きめ》の粗さが目立たない。

「特攻隊ってどういうことですか」

「決まってるじゃないの。軍艦買う金はないから、とにかく人海戦術でやる。ひとり一機で飛んでって、とにかくページ貰ってこいっていうのが社のやり方よ」

「そう言われると、何だか悲しくなっちゃいますよ」

「本当にそうよ。私たち結果が出てナンボの世界なんですもの。沙美さんだって、コスメ・デ・プラージュ社の倉島《くらしま》さんの話、聞いたでしょう」

沙美は頷く。今、それは業界をかけめぐっている大きな噂なのだ。

化粧品会社のPR担当の人事は、たいてい四月に行なわれる。契約更新をする者もいるし、ここで解雇を言いわたされる者もいる。が、コスメ・デ・プラージュ社の倉島恵利《えり》の一月の更迭《こうてつ》は誰もが驚いたものだ。彼女は長年の功績が認められ、三年前に契約社員ではなく日本支社の正社員になったという経歴を持つ。けれども彼女の運勢は、このときからいっきに下り坂になる。コスメ・デ・プラージュ社は、次々と新製品を出したものの、どれもヒットには結びつかなかった。とにかくコンセプト、容器のデザインすべて古くさいなどと、美容ページの覆面座談会でも酷評《こくひょう》されたものだ。

この事態を挽回《ばんかい》しようと、コスメ・デ・プラージュ社は総力を結集した。クリスマスに向けて新しいフレグランスを発表したのだ。フレグランスは直接売り上げには結びつかないものの、化粧品会社全体のイメージを持ち上げる役割をする。華やかなパーティも、香水ならではのことだ。ここで倉島恵利はいっきに反撃に出ようとしたあまり、大きなミスを犯してしまうのである。

まず会場を押さえられなかったところから、彼女の悲劇は始まったといってもよい。クリスマスシーズンにパーティを開こうと思ったら、少なくとも半年前から押さえておかなければならないことぐらい、PR担当者だったら知っていただろう。彼女も努力したのであるが、招待者の人数は膨《ふく》れ上がり、会場は一転、二転した。その結果、人々が冷笑を浮かべるような安っぽいホテルがパーティ会場となってしまったのである。

それでも最後の最後まで、彼女は決して諦めなかった。多分かなりの金を使ったのだと言われているが、ある有名女優に来てもらうことに成功した。彼女は男と金にまつわる幾つかの醜聞《しゅうぶん》があり、最近はあまり人前に出てきていない。倉島恵利は彼女のこの負の部分に賭けようとした。香水のパーティにはふさわしくないかもしれないが、とにかく名前が出さえすればいいと、各ワイドショーのクルーも呼んだのである。

レポーターがマイクを女優に突きつける。

「どんな香水がお好きですか」

三台のテレビカメラがまわり始める中、黒いダナ・キャランのイブニングドレスを着た女優は艶然《えんぜん》と微笑んで答えた。

「やっぱりシャネルの五番かしら…」

そして二週間後、倉島恵利に辞令が下った。PR担当からマーケティングへの異動は、この業界の常識では左遷ということになる。

「この業界はね、そんな女たちの屍《しかばね》がごろごろしてるわよね。空《むな》しく海に散っていった特攻隊の女たちのね…」

「由利子さんって、随分古い言い方しますね」

沙美は吹き出した。

「でもね、その屍は半年もしないうちにまた生き返るじゃないですか。倉島さんだってじきに、今度は別の会社のPR担当になって、張り切ってばりばり仕事をするはずですよ。私はそう思いますけどね」

「あなたはまだ若いからねえ、そういうポジティブな考え方が出来るのかもしれないわね」

あ、そろそろ時間だわと由利子は立ち上がり、沙美も後に従った。今日は午後から「マジ・ドゥ・ペルル」の撮影があるのだ。発表する日まで極秘事項とされる新製品であるが、PR担当者たちはそんな悠長《ゆうちょう》なことをしていられない。ごく一部の雑誌社、力を持つビューティジャーナリストなどに、こっそりと情報を流すのである。

「まだどこにも教えてないのよ。おたくにだけは特別なのよ…」

このささやきは実によく効いて、あるファッション雑誌からはさっそく一ページを割くから掲載させてくれという申し込みがあった。締め切りぎりぎりのところであるが、今日中に撮影と取材をすれば、今月のグラビアに間に合うというのである。

が、沙美たちはもう一社、別の雑誌社にも同じことをしている。月刊の女性誌は進行状況がほぼ同じなので、そこの編集部からも同じことを言われた。

「どうしても今日中に撮影したいの。悪いけれど会社の地下スタジオまで持ってきてくれないかしら」

極秘事項ということで、沙美たちに渡されたファンデーションは一個しかない。一個しかないものをどうして二ヶ所の撮影に間に合わせるかというと、それはもう沙美たちの活躍によるしかなかった。

いろいろ打ち合わせた末、由利子と沙美は連携プレイをとることにしたのである。神田の出版社のスタジオで、撮影は一時から行なわれる。このときカメラマンの機嫌をうんととって、コリーヌ化粧品のファンデーションを一番最初に撮ってもらう。そして由利子はこの商品の説明のためにスタジオに残る。この間、沙美はたった一個のファンデーションを持ち銀座に走るのだ。銀座の出版社の自社スタジオでも、同じように午後から撮影が行なわれているのである。

「新製品なので一個しかないの。至急、社に戻さないと」

とふたりは言い訳するが、そんなことは嘘だと編集者の方もとっくに見抜いている。が、自分たちを一番手のグループに入れてくれたことに満足して商品を釈放してくれるのだ。

その日の午後、ファンデーションの容器を紙にくるんでバッグに入れ沙美は歩く。タクシーでは間に合いそうもないので、移動は電車を使った。目ざす出版社は地下鉄の駅からかなり歩く。

地下のスタジオにたどり着いたときは、冬にもかかわらず、鼻の頭に汗をかいていた。

「北村さん、遅い、遅——い」

顔なじみの編集者が不満気に口をとがらせた。もうあらかた撮影は終わったところであるらしく、若い女性の助手がふたり、返却する化粧品の容器を布で拭《ぬぐ》っているところであった。

「ご免なさい、ちょっと道路が混んでたの」

「おたくの今度のファンデーションは、今年の注目株だから、カメラの今田《いまだ》さんも凝って撮ろうって言ってたのよ」

「嬉しいわ。よろしくお願いします」

バッグから容器を取り出し、自分たちは特攻隊というよりも出前持ちかもしれないと沙美はくすりと笑った。が、これは決して自嘲《じちょう》というものではない。どんなみじめさや滑稽《こっけい》さがあっても、やはりこの仕事は面白いと思ったとたん、直樹の怒鳴り声が胸をかすめた。

第四章　仕事と寝る女

文園館ビルを出ようとしたとき、沙美はひとりの女とすれ違った。紺色のハーフコートに茶色のワイドパンツという組み合わせは、さりげなく流行を取り入れていて、いかにも女性編集者らしいいでたちだ。女の少ししゃくれ気味の顎《あご》に記憶があった。

「あら、三崎《みさき》さんじゃないですか」

「あっ、北村さん」

どうしてこんなところにとうっかり言いそうになり、沙美は自分の愚かさに思わず苦笑した。この文園館出版は、三崎芙美《ふみ》の勤務先なのだから、彼女がいてもまったく不思議はない。けれども彼女は、昨年末の異動でファッション誌『ｒａｇａｚｚａ《ラガッツァ》』を離れたのだ。美容ページ担当の座を離れ、部署が変わった編集者は、ＰＲ関係者たちにとって何の価値も持たない。よほど個人的なつき合いがある以外には、連絡もしていないはずだ。だから久しぶりに会った芙美に対し、沙美は、

「どうしてこんなところにいるの」

という感想をもってしまったのである。

「ねえ、北村さん、時間ないかしら」

そう長いつき合いというわけでもなかったのだが、芙美は親し気に沙美の腕をとる。しばらく見ない間に肌が荒れたな、と思った。各女性誌にいる美容担当の編集者たちは、それこそダンボールで送られてくる化粧品をふんだんに使うから、みんなそれなりの水準を維持している。しかし芙美の肌はすっかりくすんでいて、口のまわりにはいくつかの吹き出ものさえ出来ていた。

「ねえ、ちょっとぐらいいいでしょう。すぐ近くにおいしいコーヒーを飲ませてくれるところがあるのよ」

「ええ、それじゃ…」

おそらく先輩の由利子なら、そんな時間はもったいないとうまくかわすことであろう。けれども沙美にそんなことは出来なかった。何より目の前の芙美は、ひどく疲れた様子をしている。『ragazza』編集部にいたときは化粧もうまく、ちょっとコケティッシュなところがあったはずだ。それが跡かたもなく消えているのだ。ひとりの女の変わりように、沙美は個人的興味を持ったのである。芙美ばかりではない。

編集者というのは部署が変わるとファッションから語り口調までがらっと変わる人がいるのだ。

「私ね、今ね『週刊女性ファニー』にいるのよ」

コーヒー専門店の席に座るなり芙美は言った。まるで自分のことを訴えているような口調であった。

「知ってます」

その後、沙美は言葉にちょっと詰まった。面白いですか、というのはくだらぬ質問だが、話の流れとしてやはりそう聞かざるを得ないだろう。

「面白いですか」

「面白いわけないじゃない。『ｒａｇａｚｚａ』から『女性ファニー』へ行くのがさあたりには文園館出版の社員らしい男女が打ち合わせをしていたり、煙草をくゆらしたりしている。今の言葉を聞かれたらどうするのだろうかと沙美の方がひやひやした。

「『ｒａｇａｚｚａ』はさ、実売数三十万そこそこだけどね、『女性ファニー』は、八十万いくわ。一ヶ月じゃ三百二十万よ。すごい数字でしょう。それなのに影響力がまるで違うの。『女性ファニー』に入ってくる広告ときたら美容整形にダイエット、それより何より、女性週刊誌っていうのは、いろんなところからすごく冷たくされるの」

「そうでしょうか…」

他人《ひと》ごとのように沙美は言ったが、内心はひやりとしたものが走り抜けた。たいていの外資系化粧品会社がそうであるが、コリーヌ化粧品も女性週刊誌にいっさい取材協力をしないことになっている。商品を提供することはおろか、貸し出しさえ拒否するから女性週刊誌の美容ページは、商品を自ら買い取って撮影しているのだ。

「ねえ、コリーヌさんって、うちの女性誌の編集長、副編集長を集めて、恵比寿の『タイユバン・ロブション』で食事会をしたでしょう」

「よくご存知ですね」

沙美は舌を巻いた。文園館出版では女子大生から中年女性までそれぞれの年代に合わせ、女性誌を五誌刊行している。それらの編集長、副編集長クラスに来てもらい豪華なフレンチレストランで食事をしたのは本当だ。けれどもそれを他の雑誌の編集者まで知っているのには驚いた。

「北村さん、甘いわねぇ。昨夜は東京モード社の編集長を招いてたのも知っているわ。この業界はね、次の日の十時にはどこで誰が食事したか伝わることになっているのよ。

私なんか『女性ファニー』に移っちゃったばっかりに、一日の時差が出てしまったけれどね」

芙美は沙美よりふたつみっつ上といったところであろうか。とにかく肌が荒れている。もしかしたら芸能人のスキャンダル記事を書くために徹夜で張り込みでもしているのかと思ったら、新しい雑誌でもやはり美容ページを担当しているのだという。ベテランのファッションや美容担当編集者というのはふつう上の者が手離さないものであるが、芙美の場合新任の編集長にうとまれたという。なるほどこれほどはっきりものを口にするタイプならば、彼ももて余してしまったに違いない。

「なんだかあのころのことを思うと、信じられない気持ちになるわ。新製品が出るたびに、使いきれないぐらい送ってもらって、しょっちゅうお食事会にパーティ、そのたびに素敵なお土産を貰《もら》って帰ってきたわ」

「いつだってどうぞいらしてください」

「招待状がないところには行けないわ。あなたたちのところへ行く情報ものすごく早くて、担当者が変わろうものなら次の日からプレゼントはそっちの方へ行くんですものね」

芙美は〝自嘲《じちょう》〟という感じで笑ったが、その鋭さはいつのまにか沙美の方へ向けられていく。

「ねえ、コリーヌさんがやたらとお食事会を開くのは、新製品の『マジ・ドゥ・ペルル』がいまひとつだからでしょう」

図星であった。この春からのファンデーション戦争の主力商品として登場したこの製品は、薄づきのうえに肌が自然に輝いてくる。大ヒット間違いなしという声も社内に出ていたのであるが、どういうわけか発売してから売り上げがあまり伸びないのだ。沙美たちにしてみれば商品には自信があったし、時代の流れにものっていると思う。女性雑誌の紹介グラビアから火がつけば、大きな話題になると信じ、各雑誌社に懇願している最中であった。

「ねえ、私『女性ファニー』に移ってやっとわかったの。女性週刊誌を読んでいる女性のパワーってすごいものだって。あなたたち化粧品会社の人たちって、女性週刊誌のことをバカにして商品も貸し出してくれないわ。だけどね、読者はあなたたちが考えているようなダサいおばさんたちばっかりじゃないのよ。プラダやグッチの特集をすれば、いっぱい問い合わせがあってちゃんと買いに行くのよ。どうしてそういうことがわかってもらえないんだろうって、私いつも歯がゆい思いをしているの」

芙美の話に沙美はいつしか引き込まれていく。

「こんなにいいものなのに、どうして認めてもらえないのだろう」

こういう口惜しさは、沙美がこの何ヶ月か味わっているものだからである。「マジ・ドゥ・ペルル」のなめらかな質感は、他のどこにも負けないものだと沙美は信じているのだ。今、コスメ・デ・プラージュ社の「SOIE《ソワ》」=絹という名のファンデーションが売れに売れている。薄づきで肌が紗《しゃ》のヴェールをかけたようになるとマスコミは書きたてているけれど、それよりも、「マジ・ドゥ・ペルル」の方がはるかに秀れたファンデーション効果だ。

「毎日の売り上げ集計を見るたび、歯ががりがり鳴っちゃいそうなの」

と言ったら、由利子に、

「そうなったらやっと一人前のPR担当よ」

と笑われたものであるが、この無念さは沙美が初めて経験するものであった。広告代理店に勤めていたころよりそれははるかに強い。広告ウーマンの時代、沙美が手がけたものは航空会社や洋酒メーカーであった。自分が毎日手にとって使うものではない。これは素晴らしいものですよ、と言いながらも心のどこかで仕事と考えていた節がある。ところが化粧品というものと沙美との間にはほとんど距離がない。沙美は今、化粧品をすべて自社のものにしているが、使えば使うほどコリーヌの製品は、よく出来ていると思う。大金をかけて商品開発を行ない、女性の肌のことを考え抜いている。メイクアップ商品もフランスらしいセンスのよさだ。つまり沙美は、日いちにちと身《み》贔屓《びいき》になっているのである。だからこそ「マジ・ドゥ・ペルル」のことはつらくてたまらない。どんなことをしてもヒットさせてみたいと思っている。今日文園館出版を訪れたのも、金持ちの中年女性向けの雑誌に、出来るだけ大きく紹介して欲しいと頼みに行ったのだ。

「ねぇ、だけど北村さん、うちの『マダム・フォーラム』は確かに高級雑誌だわ。写真も綺麗《きれい》よ。だけどね、あそこの実売どのくらいだと思う。十万なんて言ってるけれどもね、実売は七万を切るぐらいよ。あまりにも経費がかかるから、立て直しを迫られている雑誌なのよ。そこへいくとうちは順調だわ。八十万という数字は嘘じゃないの。ねえ、それなのにどうしてあなたたちは無視しようとするのかしら。女性週刊誌に出すと、イメージが壊れるとでも思っているの。でもコリーヌさんが協力してくれなくても、私たちはいいと思ったらこちらで買ってでも紹介するわ。その記事と協力してくれた記事との違い、読者にわかるかしら。それなのにどうしてそこまで意地を張るのかしらね」

沙美の中でさまざまな計算が始まる。先輩の由利子は何と言うだろうか。従来どおり女性週刊誌には協力しないと言うだろうか。が、八十万という数字はやはり捨てがたいものがある。タイアップ広告は無理としても、商品を提供する代わりにこちらが口をはさむことは出来るかもしれない。グラビアの美容ページをあかぬけたレイアウトにしてもらう。モデルも日本人ではなく、外国人にしてもらう。そうすれば上司を説得することも出来るに違いない。

「三崎さん、ちゃんと考えてみるわ」

沙美は言った。

「うちだってそろそろ新しいことを考えなきゃいけないのよ。そうね、そうなのよ。私、頑張ってみるわ」

夜十時を過ぎると自動ドリップ式のコーヒーはとたんに不味《まず》くなる。いつもブラックで飲むことにしている沙美だが、こうした場合少し砂糖とミルクを入れる、そうすると少しごまかせるような気がするのだ。電話が鳴った。

「もし、もし、北村さんいらっしゃいますか」

直樹の声であった。

「あ、私よ」

「君さあ、いったいどうしてたんだよ」

腹立たしさを押し殺した直樹の声である。そういえばこの一週間まったく連絡をとっていない。

「うちにかけて留守電に入れてもダメ。このあいだケイタイにかけたら、忙しそうにしていてすぐに切られてしまったよな。それだったら会社に電話するしかないけどさ、会社だとこみ入った話も出来ないしさ、まったくイヤになるよ」

「ごめんなさい。本当に忙しかったのよ」

沙美は指こそ休めたが、ディスプレイに映る画像を眺めている。コリーヌが初めて行なう女性週刊誌を媒体にしたキャンペーン、その企画書を喋《しゃべ》りながら頭の隅で読み返している。

「それでさ、今度の食事会のことだけどさ」

「えっ、食事会って」

つい企画書に気をとられた沙美はとんちんかんな返事をし、再び直樹に怒鳴られた。

「何言ってんだよ、来月のお袋の誕生日パーティのことだよ。君、ちゃんと話聞いてるのか」

「聞いてるわよ」

直樹の家では、父と母、姉、そして直樹の誕生日パーティをすることになっている。これは地方出身の沙美にとって不思議な話であった。子どもの誕生日ならともかく、もうじき六十になろうとしている人の誕生日パーティを、どうして開かなくてはいけないのだろうか。しかし直樹の母のパーティはいつもとりわけ盛大に行なわれるとかで、今年は当然のことながら沙美も参加することになった。父親や直樹のパーティはうちでこぢんまりとやるのであるが、母の場合は本人の好みで外ですることが多い。今年は都内でも最も人気の高いホテルの中のレストランに行くことになった。このホテルは直樹と沙美の披露宴会場の第一候補となっているところだ。なんでも直樹の父親とここのホテルの社長とは仲がよく、いろいろと便宜をはかってくれることになっているという。デザートのころに総支配人が顔を出し、軽い打ち合わせもすると聞かされている。

「うちのお袋は大喜びさ。自分の誕生日の祝いの席で、僕たちの結婚話がいよいよ具体化するんだからな」

沙美はそうね、と言いながら、画面の文字をひとつ変換させた。

「それでさ、プレゼントのことなんだけど……」

直樹はややきまり悪げに小さな声になった。これは親がらみで沙美に頼みごとをするときの彼の癖なのである。最近沙美はこれに気づくことが多い。

「あのさ、そのときのプレゼントなんだけど、僕も半分出すから、ちょっと張り込んだものを買ってきてくれないかな」

「張り込んだものって、いったいどのくらいのレベルのものなのかしら」

沙美は嫌味にならないように気をつけながら、それでも意外そうな声をたてる。沙美の考えとしては、社員割引をしてもらい、コリーヌ化粧品の栄養クリームと口紅あたりを綺麗にラッピングして贈ればそれでよいと思っていた。

「そうだなあ、うちのお袋はアクセサリーに目がないんだ。シャネルのイヤリングとか、エルメスのブローチとか、そういうものを用意してくれないかなあ」

あれは何年前のことになるだろうか。沙美の誕生日プレゼントに直樹は、真珠のシャネルのイヤリングをプレゼントしてくれたものである。今それと似たものを彼は母親に贈ろうというのか。フィアンセと母親が同じようなものを身につければ彼は満足なのだろうか。

「それじゃ頼むよ。カードは僕と君の名前で書いといてくれよ」

「わかったわ」

電話を切った後、沙美はもう何週間デパートへ行っていないだろうかと考えている。

ゆっくりと買い物をする時間などまるでないのだ。それなのにやはり沙美は直樹の母親のために、デパートの中の高級ブティックへ行かなくてはならないのだろうか。中年向けのアクセサリーを選び、そしてカードを書く。

「お誕生日おめでとうございます。今年は北村沙美として最後の〝おめでとう〟です。来年からはお母さまの娘として〝おめでとう〟を言わせていただくんですね。どうかこれからも素敵なお母さまでいてください」

仕事柄、沙美はいくらでもこんな文句を思いつくことが出来る。白い家、アートフラワー、陶器の七人の小人が好きな直樹の母親は、きっとこのカードを見て涙を流さんばかりに喜ぶだろう。そうすることを続けるのが多分結婚だろうと沙美は思う。

――自分がしたくないことでも、他人のためにするのだ――

いやいや、あまり多くのことを考えてはいけないのだと沙美は首を横に振る。結婚というものについてあまりつき詰めていってはいけないのだ。そうすると幸福にはなれないのだと心の奥で声がする。自分で創り出す運命や幸福の他に、人がもたらしてくれる運命や幸福というものがある。人の中にはこのふたつの時間が流れているのだ。後者のときはあまり逆らうことをせず、ゆっくりと身をゆだねていけばいい。そして自分の力で頑張るときには、全力を込めて立ち向かっていく。今のようにしてだ。沙美のつくった企画書がディスプレイされていく。

「この企画はあくまでもわが社主導型とし、レイアウト、モデルの選定等もこちらが企画する」

「なお、『マジ・ドゥ・ペルル』を読者プレゼントとして百個提供するが、その際はモニター募集として感想を後に義務づけ、これは当社の貴重な資料とする」

そのときだ。沙美は自分を呼ぶ声にゆっくりと振り向いた。田代が立っていた。どこか接待の帰りであろう、かすかにゆるめたネクタイと、顔の赤みが酔いを表していた。

「こんなに遅くまでご苦労さまだね。ちょっと忘れ物をとりに帰ってきたら、君がいたんで驚いたよ」

「企画書を書いていたもんですから、ちょっと遅くなりました」

ふたりの間には壁掛け時計があり、それは十一時二十分を指していた。沈黙がしばらく続き、それを破るために沙美は喋り出す。

「あの、ご挨拶しなきゃ、しなきゃと思ってたんですけど、おかげさまで何とかやっています。本当にいろいろとありがとうございました」

「いや、いや…。北村さんの話はパリまでちゃんと届いていましたよ。君がとても優秀でよくやってくれているって聞いて、僕もとても鼻が高かった」

出会ったころと田代の浅黒さは変わらない。ときどきヨーロッパで見かけるインテリのベトナム人という感じだ。かすかに白髪の混じった髪が額にかかっていて、田代には独特の風情がある。自分の前任者を妊娠させたという醜聞《しゅうぶん》を耳にしなかったら、もっとこの男を尊敬し好きになれたのにと沙美は思った。

「このあいだのパーティも、本当によくやってくれたね。僕たちの仕事は、新人といっても即戦力になれなきゃお話にならないけれども、北村さんはまるで十年もこの仕事をやっているみたいだった」

「どうしたんですか、そんなに誉《ほ》めていただくと困ります。ちょっと酔っているんじゃありませんか」

「そんなことはないよ。疑り深いんだね」

田代は歯を見せて笑った。そうするとますますベトナム人のようになった。

「北村さんは僕がひと目惚《ぼ》れして入社してもらった人だ。その人のことを皆が誉めてくれるから、僕もとっても嬉《うれ》しいんですよ」

〝ひと目惚れ〟という言葉は、沙美のキャリアのことを指しているのはわかっている。それなのに一瞬鼓動が速くなったのがわかった。沙美はあわてて、パソコンに目を走らせるふりをする。

「それだね、今度の週刊誌とやる特集というのは」

驚くほどの早さで、田代は沙美の肘の後ろにあるパソコンの画面に目を走らせる。彼の立場でも、初めて女性週刊誌と組む記事のことは耳に入っているらしかった。

「ちょっと見てもいいかな…」

「どうぞ」

沙美は椅子ごと体をずらしたが、田代の動きの方が早かった。彼が顔を近づけたとき、かすかに辛口のコロンがにおった。

「ふう…ん、ねえ、北村さん、失礼だけどこの企画書の中身、『女性ファニー』の方は知っているんだろうか」

「まだ正式な了解はとっていませんが、ほぼ全面的な協力は約束してくれました」

「老婆心ながら言っておくよ。『女性ファニー』の編集長は小山田《おやまだ》といってね、これは煮ても焼いても食えない男だ。ブラックジャーナリズム上がりで、一時期はフリーライターとして名を馳《は》せた。だけどあまりにも凄腕《すごうで》なもんだから、文園館出版が初めて女性週刊誌を創刊するにあたって、彼を編集長として招いたんだ。組合も反対する大騒ぎになったが、やっぱり彼はたいしたもんだ。あれよあれよという間に、八十万の雑誌に育てたんだからね」

「知りませんでした」

日本でも一流といわれる出版社に、そんな人物がいるとは沙美にはにわかに信じられない。

「その彼がね、すんなりとこの条件を呑《の》むとは思えないんだ…」

「ですけどもね、私は担当の編集者とちゃんと話をしているんです。うちが女性週刊誌に協力するなんて初めてのことなんで、彼女たちもとても張り切っているんです」

「そりゃいいことだが…」

そして田代はゆっくりと喋り始めた。他の国の語学に堪能な人独特の、ゆっくりと言葉を選ぶ喋り方だ。

「北村さんはさぞかし、僕のやり方を古くさくて気取ってるって思っているだろうな。あれをしてはいけない、これはイメージに悪い、なんてことばかり考えているってね。けれどもね、僕たちは一個のクリームに、七千円、八千円という値段をつけている。どうしてこんな値段になるのか…それはね、人に憧れという感情を抱かせるためには、やはり必要なことなんですよ。人は低い方向には憧れない。高みへ高みへと憧れていく。そのためにはいろいろな仕掛けが必要です。僕たちの仕事は、言ってみればこの仕掛けを守ることなのかもしれないな。化粧品っていうのはこの世の中で一番理不尽な商品かもしれない。安くして多くの女性たちが使えるようにする。そしてそれで皆が幸せになれるか、美しくなれるかっていうとやっぱり違うんだ」

これと同じ話を、以前トレーニング・マネージャーの女性から聞いたことがある。

「一万五千円の美容液の原価は、せいぜい千四〜五百円っていうところよ。だけど二千円の美容液つけて女は嬉しいかしらね。綺麗になるかしらね」

もしかすると、自分がやっていることは、まやかしというものなのだろうか。そして自分はそれに気づき始めて、女性週刊誌という普通の女性も手にする媒体に注目したのだろうか。沙美はそんなことを田代に質問したいような気がしたが、出てきたのは別の言葉だった。

「でも、私、この仕事大好きなんです」

「でも、じゃなくて、やっぱりでしょう」

田代は微笑《ほほえ》んだ。

「女の人の心を操るんだ。こんなに大変でむずかしいことはない。だから楽しいんですよ」

沙美の背後で、初めての大きな仕事がディスプレイされて光っている。

ベッドサイドの電話が鳴っている。半分目が開かぬまま、沙美は受話器に手を伸ばした。手が痺《しび》れたようになっているので、一回ではうまく摑《つか》むことが出来なかった。

「もし、もし…」

ツツーという機械音がするだけだ。けれども呼び出し音は聞こえてくる。いったいどこからだろうかと、沙美はまだ覚醒《かくせい》しきっていない頭で思いをめぐらす。

「なあんだ、ケイタイか…」

ベッドのすぐ下に置いた、プラダのスウェードのバッグからその音はしている。家に帰るなり沙美はケイタイの電源を切ることにしているのであるが、昨夜はかなり酔って帰ってきたためにすっかり忘れていたのである。電話とケイタイの音とはあきらかに違う。ケイタイの方が、はるかに鋭くてけたたましい音だ。それなのにどうして気づかなかったのだろうかと沙美は腹立たしい気分になってくる。時計を見た。八時十二分という時刻を示している。普段の日だったら起きている時間であるが、今日は土曜日だ。休日の八時にケイタイにかけてくるなんて、なんて非常識な人間なのだろうかと、沙美は舌うちをした。前の会社にいたときから、出始めのケイタイは持っていたが、電話番号を教えていたのはごく親しい友人ばかりであった。けれども今の職場に移ってからはそうもいっていられない。ケイタイという存在自体がそうしたものに変わったのかもしれないが、皆ごく軽い調子で、

「何かあったときのために、ケイタイの番号を教えてください」

と言ってくるのである。そのために必要でないときはこまめに電源を切るようにしていたのであるが、昨夜はすっかり忘れてしまったのだ。沙美はのろのろとベッドから這《は》い出し床に立った。不精して手だけ伸ばそうと試みたのであるが、それよりも数センチ長い距離だったのである。その間に切れたら、それはそれでよいと思っていたのであるが、執拗にケイタイの呼び出し音は鳴り続けている。

「もし、もし、朝早くからすいません。日翼広告の青木《あおき》です……」

ああ、青ちゃんね、と沙美は愛称で言いかけてやめた。相手がわかったことにより非常識な時間に起こされた怒りが、一層濃くなったからである。

青木というのはまだ二十代の前半であるが、広告代理店勤務の男性特有のはしっこさと調子のよさを既に身につけている。あそこの化粧品会社が、どこそこの編集部の人間を集めてお食事会を開いた、などということまで逐次報告してくれて、沙美たちは彼がいないところでは〝岡っ引きの青ちゃん〟と呼んでいるほどだ。その青木が、

「北村さん、今日『週刊女性ファニー』の色校を手に入れました」

といきなり口にしたので沙美は心底驚いた。初めて女性週刊誌に協力した記事であるが、タイアップ広告ではなかったから広告代理店は通していない。おそらく印刷所で情報を摑んだのであろう。色校というのは、本格的な印刷に入る前の試し刷りのことである。この段階でグラビアの色の具合や文章のミスなどをチェックするのだ。沙美もまだ目にしていないそれを、早々に手に入れるとはさすがに〝岡っ引きの青ちゃん〟だと沙美は思った。

「だけど、このページはちょっと驚きですよね。プライドの高いコリーヌさんが、こんなにシロウトくさい日本人モデルを使うなんてねぇ…」

「ええ、ちょっと待ってよ」

沙美は叫んだ。

「そんなはずないでしょう。日本人モデルなんて。うちの方から選んだ二人の外国人モデルにしたはずよ。ちゃんと撮影にも立ち会ったから間違いないわ」

「だけどこのページ、みぃんな日本人モデルですよ」

「そんな…」

沙美の中で田代の言葉がぐるぐるとまわり始める。『女性ファニー』の編集長はブラックジャーナリスト上がりの大変なやり手だ。そうこちらの言うとおりにならないと思うが…。あのとき田代ははっきりと口には出さなかったものの、何かを案じている風であった。

「ねえ、青ちゃん、あなた今日、お休みなのかしら」

「ええ、そうですけど、僕のような仕事は日曜も祭日もないから…」

「だったら今すぐうちの会社に来てくれないかしら。私も用意してすぐに行きます。それからもしかしたら、うちの会社、今日誰もいなくて鍵があいていないかもしれない。それだったら、隣りのビルの一階にあるティーサロンで待っていてくれないかしら」

「ときどき、北村さんとコーヒーを飲むところですね」

「そう、そう、お願いね」

沙美はケイタイを切ると、バッグの中から手帳を取り出した。由利子の自宅の電話番号を押す。英語で女の子の声がした。由利子とフランス人の夫との間に出来た子どもで、インターナショナルスクールに通う十二歳の長女かもしれない。

「もし、もし、悪いけれどお母さん呼んでくれないかしら」

沙美も英語で頼んだのであるが、すぐ日本人とわかったらしい。

「わかりました。少々お待ちください」

今どきの子どもには珍しい綺麗な日本語であった。沙美はほんの一瞬であるが、由利子の隠された生活を垣間見たような気がした。会社でのキャリアウーマンとしての由利子しか見ていないが、家に帰ると彼女は外交官夫人であり、二人の子どもの母親なのだ。

「おはよう、シャワーを浴びていたもんだから、ごめんなさいね」

真白いバスローブを羽織った、幸福そうな由利子が見えるようであった。

「由利子さん、どうもちょっと困ったことが起こったらしいの。『女性ファニー』の件なんだけど、どうも記事を差し替えられているみたいなの」

「まさか」

「青ちゃんの情報でわかったの。彼は色校を持っていて、これから会社に向かってくるって。由利子さん、今から出社出来ますか」

さっきの女の子の声が、沙美に躊躇《ちゅうちょ》ということを与えた。せっかくの休日、これから一家で楽しい朝食が始まるところだったに違いない。

「OK、すぐ行くわ。髪を乾かさないまま行くけど勘弁してね」

彼女の住む飯倉の高級マンションから、青山のオフィスまで十五分もかからないだろう。沙美はパジャマのボタンを左手ではずしながら、右手でアシスタントの圭子の番号を押していた。

一時間後、色校を囲んで数人の人々がいた。さっきからいちばん身を乗り出しているのが沙美だ。化粧する時間がなかったから薄く口紅だけをつけてきたが、その唇をずっと強く嚙《か》みしめている。

「騙《だま》された…」

そこには初めて見るモデルの顔と写真があった。

「若く見える薄づきファンデーションのポイントはここ」

というコピーも最初のものと変えられていた。外資系化粧品は、極端な、といってよいほどイメージを大切にしているが、コリーヌ化粧品も例外ではなかった。勝手に使われるならともかく、協力した企画ページでは絶対に日本人モデルを使わない。

「ファンデーションの色がそれではわからない」

と懇願されても断固として断わった。それなのに『女性ファニー』のグラビアに出ているモデルは、平凡な顔つきの女の子なのだ。モデルの持っているゴージャスな雰囲気も特別な美しさもない。青木の言った、

「シロウトくさい」

という表現がぴったりであった。

「編集部はまだ誰も出ないのか」

部長が怒鳴るようにして言った。無理もない。女性週刊誌と組んでする企画に、最後まで反対していたのがこの田辺だったのである。彼の唇の端がさっきからしきりに吊り上がるのは、

「だから言ったじゃないか」

という言葉を我慢しているからに違いない。

「編集部は誰も出ていなくても、守衛か受付に頼んで、小山田編集長の自宅の電話番号を教えてもらうわけにはいかないのか」

「それはとっくに頼みました」

アシスタントの圭子の鼻の頭に汗がたまっている。

「ですけど、外部の人に自宅の電話番号は教えられないって言ってるんです」

「ちょっと待ってくださいよ」

口を出したのは、青ちゃんこと青木である。

「『女性ファニー』の編集長の自宅でしょう。違う部署の者に聞けばわかるかもしれ

ません」

ちょっと離れたところに行き、自分のケイタイを取り出した。なるほどと沙美は思う。マスコミの人たちの住所と電話番号は、秘密ということになっているのであるが、広告代理店の連中はどこからかちゃんと調べてくるのである。コリーヌ化粧品PR部にしても、関係あるファッション雑誌の編集長、副編集長、デスクのそれを把握している。お歳暮、お中元の類《たぐい》を贈るためだ。けれども女性週刊誌の編集長まで手がまわらなかった。

「わかりました、わかりましたよ」

電話をかけ終わった青木が手を上げる。背の高いハンサムな青年であるが、こんなときにでもうきうきとして見えるのが、欠点といえば欠点かもしれなかった。

「通販会社を担当している者から聞き出しました。板橋の方らしいですね」

その後しばらく沈黙があった。肝心の電話番号はわかったものの、この後どうやって駒を進めていいものやら、皆が思案しているのであった。今までも広告や取材にまつわるトラブルは幾つもあったが、これほど悪質なものは初めてといってもいい。しかもあきらかに確信犯なのである。田辺部長もどう相手に切り込んでいけばいいのやら、思案している様子であった。

沙美は撮影のときに挨拶に行った、小山田編集長のことを思い出した。ブラックジャーナリスト上がりの凄腕と聞いていたから、いったいどんな男だろうと思っていたのであるが、小太りのどこにでもいそうな中年男であった。にこやかに名刺交換をした後で小山田はこう言ったものだ。

「コリーヌさんに協力していただいて記事をつくれたら、うちのイメージもぐっとアップするというものですよ。読者も大喜びでしょう。本当にありがとうございます」

その男が知らぬ間に記事を差し替えてしまったのである。こんなことが許されてはならないと沙美は思う。正義というものではない。その日本人モデルを使った記事は、沙美から見てもなかなかよく出来ている。アイシャドウの発色も白人のモデルのときとまるで違う。けれども記事の出来とこれとは話が別だ。彼と彼の部下は、沙美の企画書に賛同してくれ、それに沿って記事をつくると約束してくれたのである。今まで沙美が手掛けた仕事、いや沙美の人生の中で、これほど約束が反古《ほご》にされたことはなかった。だから沙美は闘わなくてはならないのだ。

「部長、私が電話してもよろしいでしょうか」

田辺は浅く頷《うなず》いた。沙美は受話器の前に座る。このように何人もに囲まれて電話をかけるのは初めての経験である。教えられた番号を押す。

「もし、もし…」

女の声がした。おそらく小山田の妻だろうと沙美は見当をつける。

「わたくしコリーヌ化粧品の北村と申します。ご自宅にお電話差し上げて失礼とは思いますが、ご主人いらっしゃいますでしょうか」

「はい…、ちょっとお待ちください」

けげんそうに女が電話から離れるのと同時に、ママー、ママーと幼児が呼ぶ声がした。小山田というのはどう見ても五十過ぎだったはずだ。それなのにどうして小さな子どもがいるのだろうか。もしかして再婚なのであろうか。緊張しているにもかかわらず、まったく別の疑問が沙美の思考を中断する。それにしても今日は子どもに縁がある日だ。

「はい、もしもし、小山田です」

不機嫌さをまったく隠そうとしない男の声に、沙美はさすがにひるんだ。

「お休みのところ、ご自宅にお電話して申しわけありません」

「ああ、困りますね。こっちはプライベートな生活と仕事をきっちり分けているんですからねえ」

「でも、それでもお話ししなきゃいけない緊急の用事が出来たんです…」

沙美はここで呼吸を整えた。〝戦闘開始〟と心の中で何か鳴る音がした。

「今日、広告代理店の人が、おたくの色校を持ってきてくれました。小山田さん、これいったいどういうことなんでしょうか。うちが企画して立ち会った写真が失《な》くなっていて、その代わりに見たこともない写真がありました」

「ああ、それは簡単なことですよ」

こんな算数もわからないのかという教師のような口調だ。

「写真が出来上がったんですが、あまりいいものじゃなかった、それで私の判断で急きょ撮り直させた。それで何か問題があるんでしょうか」

「大ありですよ、小山田さん。こんなこと許されるとお思いですか。うちはきちんと企画書を出して、いろいろな条件をお願いしました。その中にこちらの指定したモデル、ヘアメイクアーティストを使うというのも条件に出しています。こういうのは契約違反にあたるんじゃないでしょうか」

「契約違反？　おたくとうちで、きちんとした契約書なんて交わしていましたか」

確かにそのとおりであった。マスコミの仕事などというのはたいてい口約束である。企画書を承諾したからといって、それは契約が成立したわけではなかった。

「こんなことを申し上げるのは失礼ですが、おたくが考えた写真はよくなかった。ねぇ、あなたたちは日本人の女性向けに化粧品を売ろうとしているんでしょう。それなのにどうして白い肌のモデルにファンデーションを塗って、もともと彫りの深い顔立ちの外国人使ってアイシャドウの効果を見せようとするんですか。おたくがイメージを守るためだとおっしゃるから、私も一度はそういうものかと思いました。けれども写真は全然よくなかった。私はこれはよくないと即座に使わないことを決めたんです。私たちにはね、編集権というものがあって、自分たちの誌面をよくするためにはどんなことだってするんです。そしてしなきゃいけないんです」

「でもどうして、ひと言おっしゃってくれなかったんですか。これって騙し討ちっていうもんじゃありませんか」

「あのね、今日の色校に間に合わせるために、どのくらい急ぎの仕事をやったと思うんですか。昨日の明け方まで撮影はかかったっていいますよ。こんなときに電話は出来ません」

次の言葉がなかなか出てこない。どう見ても沙美の形勢不利である。今にも大きな舌うちをしそうな田辺部長の顔がすぐそこにあった。このまま引き下がるわけにはいかない。

「小山田さん、急ぎの仕事だとおっしゃるなら、午後から出社なさるおつもりですね」

「もちろんです。土曜日はうちの校了日ですから。午後からほとんどが出てきます」

「それならば、私はこれからそちらへ伺います。やっぱりこういうことは会ってお話ししなきゃなりません」

「ですけどね、北村さん。今日はもう校了なんですよ。印刷所はもう動きだすばかりになっているんです」

「それでも変えていただくものは、変えていただかなきゃなりません」

そこで沙美は息を止め、その後、次の言葉を一気に言ってのけた。

「いいですか、小山田さん。今度のことはおたくだけのことじゃありません。私たち化粧品業界とマスコミとの関係を左右する問題になるんですよ。おわかりでしょうね」

夜の十時過ぎ、オフィスに戻った沙美はぐったりと椅子に身を投げ出した。まったく今日一日の短さときたら信じられないほどだ。早朝に電話で起こされ、記事の写真が差し替えられていることを知った。その後はてんやわんやの騒ぎとなり、小山田に会うために出版社まで車を走らせた。こちらには編集権があると突っぱねる小山田に対し、沙美は粘りに粘った。その結果、扉のメインの写真ともう一カット、イメージ写真の大きなものだけは、以前に撮った外国人モデルのものに戻してもらえることになった。

それでも沙美は油断しなかった。編集者と一緒に印刷会社まで出向き、写真を差し替える作業をこの目で見届けた。刷り出したものを確認のために入手した。そのことをオフィスにいる部長に伝えたところ、ねぎらわれるどころか、反対に長い小言を浴びせられた。

「僕は結果が出るまで相手を責めないことにしている。だけどもね、今度のことは北村君、君の責任だよ」

由利子に言わせると、

「日本で稼ぎまくっているくせに、信じられないぐらい東洋蔑視《べっし》」

というパリの首脳陣たちは、コリーヌ化粧品を日本人モデルに施すのを何より嫌うのである。もし『女性ファニー』の記事が本国に送られたら、何か言われるのではないかと、部長は警戒しているらしい。

「とにかく今日の経過をレポートにして提出してくれたまえ。月曜日の朝までに頼むよ」

疲れのために、こめかみがずきずき痛む。沙美は誰もいないことを幸いに、靴を脱いでストッキングだけになった。昔から靴は張り込んで外国製のいいものを買った。アレルのパンプスは大事に大事に履《は》いて、もう二回も底を張り直したものだ。もうすっかり沙美の肌の一部のように体に馴《な》じんだ靴なのに、今は爪先が締めつけられるようだ。どうやらかなり足がむくんでいるらしい。

電話が鳴った。おそらく由利子からだろう。文園館出版のビルの前で別れてからの、沙美のことを心配してくれているに違いない。

「なんだ、いたじゃないか！」

直樹の声は、怒りのためにかん高くなっている。

「ああ…」

何だか悪い夢からいっぺんに醒《さ》めたような気分だ。脇の下と背中の真中あたりが、じわっと冷たくなったのがわかった。今夜の夕食会をすっかり忘れてしまっていたのである。直樹の母親の誕生日祝いを都心のホテルのダイニングルームで行なう。そこは直樹と沙美の披露宴会場の第一候補になっているところだ。夕食が終わるころには、総支配人がやってきていろいろ打ち合わせをすることになっていた。プレゼントにイヤリングを買い、ラッピングもしてもらっていたというのに、沙美はこの騒ぎですべてのことを忘れてしまったのだ。

「ごめんなさい…。今日、仕事でとっても大変なことがあったのよ…」

「馬鹿野郎！」

直樹は沙美の言い訳を最後まで聞こうとしなかった。

「オレたちは食事を開始するのを一時間も待ったんだぜ。沙美さん、事故にでも遭ったんじゃないかってお袋は心配してさ。おかげでせっかくの誕生日がだいなしになったんだ。お前、悪いと思ってんのか…」

「もちろん、失礼なことをしたと思っているわ」

「常識で考えろよ、常識で。この世には電話っていうものがあるだろ。それなのにお前はケイタイもとらない」

「ものすごく急いで家を出たんで、置き忘れちゃったのよ」

「まったく信じられないよ。うちの両親は怒って沙美の悪口を言うような人間じゃないけど、さすがにむっとしてたぜ」

「本当に悪かったと思うわ…」

「とにかく今日のことはちゃんと話し合おう。とりあえず、うちのお袋に手紙を書いてくれよ」

「手紙を書くの…」

「そうだよ。心を込めて書けばお袋も許してくれると思うよ。あの人は根に持つような人じゃないから…」

わかったと言って沙美は受話器を置いた。そのとたん暖かいものが頬を濡らしているのがわかった。仕事の安堵《あんど》と、そして直樹に対しての怒りとが混ぜ合わさって、沙美はしばらく息も出来ないほどだ。

「嫌だ」

心から思う。どうして自分が手紙を書かなくてはならないのだろう。何ひとつ悪いことをしていないではないか。六十歳になる我儘《わがまま》な女のバースデーを、仕事のためにすっぽかしたことが、それほど非難されることだろうか。

再び電話が鳴った。直樹がかけ直してきたのかもしれない。沙美はいくらか躊躇した末に受話器をとった。

「もし、もし、田代です」

「あっ、田代さんですか」

電話で見えるわけもないのに、涙を中指で拭《ぬぐ》う。職場で泣いているところを見られるのは、沙美は何よりも恥ずかしいことだと思って生きてきたところがある。

「今日は大変でしたね」

「田辺部長からお聞きになったんですか」

田代の部署は、同じPRといっても本国との連絡が主だったから、沙美のいる部署とそう密な関係を持っているわけではない。だからこの情報の早さは奇妙であった。

「いや、小山田編集長から、僕のところへ電話がかかってきたんですよ」

「えっ、田代さんのところにですか」

「そうです。このあいだ言わなかったけれども、彼と僕は昔、ちょっと一緒に遊んだ仲だったんです。彼は言いましたよ、お前のところの女性は本当に手強《てごわ》いなって」

「そうですか……」

「これは僕個人の意見ですが、あの人は本当に老獪《ろうかい》なんですよ。おそらく今回のこともこちらが騒ぐのを計算に入れてのことでしょう」

「それ、どういうことですか」

「彼としては、写真全部を日本人モデルにするつもりもなかったし、出来るとも思っていなかった。半々ぐらいが理想だったでしょう。けれども最初からそれを言ったら、こちらが反対するに決まっている。だからいっぺんすべての写真を入れ替え、譲歩すると見せかけて、メインのものはこちらの写真を使ったんですよ」

「…………」

あまりのことに沙美は声も出ない。自分は今日、何というずる賢い計画にふりまわされていたのだろうか。おかげで沙美の運命は今日大きく変わろうとしているのだ。運命…、そう、そうなのだ。昨日まで漠然と感じていた不満と嫌悪が、今日はっきりとした形をとった。もしかすると、いや、おそらく自分と直樹は別れるに違いない。

おや、と田代は言った。

「もしかすると、北村さん、泣いているの」

「泣いてなんかいませんよ。ただちょっとショックなだけです」

「こんなことで驚いてちゃいけない。この世界、もっといろんなことがありますよ。どうです、北村さん、これからちょっと飲みに行きませんか」

「えっ、今からですか」

「そうです。代官山に行きつけの店がある。そこの店に今夜の北村さんを連れていきたいんだ。今夜のね」

田代は最後の言葉に力を込めた。

田代の道順は的確であった。交差点から二つ目の信号にガソリンスタンドがある。

そこから二十メートルほど歩いたところに、教えられたとおりのバーの看板が出ていた。

代官山というから、若者向けの流行の店を想像していたのであるが、モルタルづくりの平凡な外装である。半地下の店に入っていくと、カウンターに田代が座っていた。五十がらみのバーテンダーと何やら話していたが、沙美に気づいて軽く手を振る。

「この店、すぐにわかりましたか」

「ええ、ガソリンスタンドのところでタクシーを降りてすぐでした」

「そりゃよかった」

そして彼は、顔を覗《のぞ》き込むようにして何を飲むか尋ねた。

「ミモザをお願いします」

シャンパンをオレンジジュースで割ったこのカクテルを、沙美はいつも最初にオーダーすることにしていた。口あたりがいいし、色合いがとても女らしい。けれどもその後は、ウィスキーをストレートで飲もうと沙美は心に決めていた。田代が手にしているグラスと同じものをだ。

「とにかく今日はご苦労さま」

田代はグラスを合わせてきた。繊細なカットグラスを考慮して、触れ合わせたりはしない。目のところまでグラスを持ち上げるだけだ。日に灼《や》けたために、深く刻まれた皺《しわ》が少し動いた。

「今日は本当に大変だったね」

「本当に大変でした……」

沙美は素直にため息をついた。

「何度も心臓がとまりそうになりましたよ」

それには直樹との一件が含まれている。彼と彼の家族との約束を、すっかり忘れてしまっていたのだ。仕事で破れそうになった心臓に、直樹の電話が追い打ちをかけた。ぞおっと下半身が寒くなるような冷や汗をかいたのは、いったい何年ぶりだろうか。

「今度のことはいい勉強になった、なんていうには、君はもう充分に大人ですよね。ちゃんとキャリアも積んでいる」

「そうです。それなのに、あんな編集者にひっかかって、私は本当に迂闊《うかつ》でした」

「ひっかかる、って言い方はよくないと思いますよ。彼らは彼らなりに知恵をしぼる。それを見抜こうとするのもこっちの知恵というものでしょう」

「でも、私はまだ、そんなに人の裏側を読めません」

「北村さん、君は二十歳の女の子じゃないんだから、そんな言葉を口にしてうつむくのはやめなさい」

沙美ははっと顔をあげる。いつのまにか田代はこちらに横顔を見せていた。東南アジア系の彫りの深い顔立ちに、バーの薄暗い照明の下で、微妙な陰影がかかっている。そこに漂っているものが、怒りなのか励ましなのか、沙美はとっさに判断がつかない。

「人があんなに汚いものだとは思わなかった、なんていうのは世間知らずを装う馬鹿な女が言うセリフです。僕たちのビジネスは、そんなところで成り立っていやしない。騙しもするし裏切りもする。それなのに扱う商品は女性を美しくする商品です。矛盾していますよね。むずかしいですよね。だけど僕たちは進まなきゃいけないんです」

「だから、いろんなことを我慢しなきゃいけない、って言ってるわけですね」

「そうじゃない。北村さんを信じているだけです」

「信じる……」

唐突な言葉に、沙美は再び田代の横顔を見る。パリで初めて会ってから、どのくらいたっているだろうかとふと思った。

「北村さんはね、今にそういうドロドロとした人間関係を、面白がってくれる人だと僕は信じているんです。いや、今の時点でも、あなたは相当面白がっているのかもしれない」

「面白いですって。私はそんなことはありません。神経を擂《す》り減らして、いつもくたくたになって帰っていきます。今日だって強いウィスキーを飲まなくては、とても眠れない気分なんですよ」

「いや、だけどあなたはそういう生活をよしとする強さがあります。ねえ、北村さん、僕は仕事柄いろんな女性を見てきて、女性には二通りあることがわかりましたよ」

ちょうどバーテンダーが通りかかったので、沙美はこちらと同じものをと、田代のウィスキーグラスを指さした。

「下品な言い方をしますが、仕事と寝ることが出来る女と、出来ない女です。その男と寝るほどの仲になったら、たいていのことは許してしまうものでしょう。欠点にだって目をつぶることが出来る、それと同じように、文句や愚痴《ぐち》を言いながら、仕事に惚れている女性がいます。どうしても離れることが出来ない。北村さん、初めて会ったときから僕にはわかりましたよ。あなたは仕事と寝ることが出来る女性だってね」

「田代さん、それはちょっと違うかもしれませんよ」

沙美の耳に、さっきの直樹の言葉が甦《よみがえ》る。

――お袋にちゃんと謝ってくれよな、手紙書けよな――

「何回も何回も寝た男だって、やっぱり嫌いになることがあります。欠点だって見えるものは見える。冷静になっていろいろ考えてしまうんです」

「それは相手の男を、本当に愛していないからでしょう」

田代はこともなげに言った。

「本当に愛していたら、ドロドロになっても男と女は別れることが出来ない。そんな風にして仕事に惚れてしまう女というのは確かにいるんですよ」

「そうでしょうか」

やがてウィスキーが沙美の目の前に置かれた。田代とまったく同じ茶色の液体が、照明を幾つか中に宿して揺れていた。


結局三杯のウィスキーをストレートで飲んだのであるが、それがかえって目を覚めさせる結果となった。シャワーを浴びたが、心の昂《たか》まりは静めることが出来ない。体は疲れ切っているが、精神は鋭くそそけ立っているのがわかる。足にスリミング剤を塗り終え、急に思いたってバスローブのまま沙美はパソコンの前に向かう。ワープロ機能にした。

「今夜は本当に失礼いたしました」

直樹の母親に向けての手紙を打ち始めたのだ。

「いくらお詫《わ》びをしても済むことではないとわかっておりますが、仕事上の大変なトラブルが起こってしまったのです。私は相手方のところへ出向き、印刷所をかけずりまわりました。その結果」

沙美の指が止まった。正真正銘、吐き気がこみ上げてきたのである。

「出来ない……」

沙美はつぶやいた。

「どうしても駄目だ……」

受話器に手を伸ばした。直樹のケイタイの番号を押そうとしたのであるが、指が憶《おぼ》えていなかった。バッグから手帳を取り出す。いくらケイタイとはいえ、フィアンセの電話番号を憶えていない自分に、沙美はショックを受けている。番号を押した。自宅から通う直樹であるが、彼は電源を切っていないはずである。

「いったいどうしたんだよ、こんな時間に」

眠っていたらしく、不機嫌そうな直樹の声がした。

「手紙が書けないのよ」

沙美は言った。自分の声まで震えてきているのがわかる。

「あなたのお母さまへの手紙、今ワープロで打っていたんだけど、どうしても指が動かないの」

「えー、ワープロかよ」

直樹がまったく見当違いの大声を上げる。

「お前、非常識じゃないのか。お袋への詫びの手紙、ワープロで打つなんて信じられないよ。普通こういう場合は手書きに決まってるだろ。お前、いったい何を考えているんだよ」

「そんなことじゃないのよ。手が動かないの。本当に動かなくなったのよ…」

声の震えは止まらない。そしてうわごとのように脈絡のない言葉が次から次へと出てくる。

「どうしても駄目なの。あなたのお母さまへの手紙、どうしても書くことが出来ない。ワープロなら大丈夫かなと思ってやってみたの。だけどもやっぱり駄目なの…。だから、私、あなたのお母さまに謝ることが出来ないのよ…」

そして沙美は言った。

「だから、私、あなたともうやっていけないの。別れるしかないのよ…」

それはたった今思いついたことのような気もするし、ずっと前から考えていたような気もする。とにかく沙美は手紙を書くことが出来ない。体も心も踏ん張ってそれを拒否しているのだ。吐き気をもよおすほど強くだ。母親に詫びの手紙を書くことが出来ない女が、その息子と結婚することは不可能なのだと沙美は思う。

「沙美、いったいどうしたんだよ」

受話器の向こう側から、直樹の怒鳴り声が聞こえてきた。

「だからもう駄目なの。あなたと別れるしかないのよ」

「おい、馬鹿なことを言うなよ。疲れているのはわかるけどさ、この期《ご》に及んで、駄目とか別れるとかおかしいこと言うもんじゃない」

「だって、やっと今わかったのよ…。もうこれ以上やっていけないっていうこと」

「わかったよ、わかったよ。今からオレ、お前のところへ行くよ。車飛ばせば三十分で着くだろう。だから気を静めてくれよ」

受話器を置いてから時計を見た。午前二時をまわっていた。沙美はのろのろと立ち上がり、パソコンの電源を切った。「お母さま」などという文字は、もう二度と見たくなかった。バスローブを脱ぎ、ニットに着替えながら、沙美は浴室の鏡の中にいる自分を見た。そう青ざめてもいない。直樹が沙美の顔の中で一番好きと言ってくれる、ぷくりとした唇も赤味を保っている。

——このまま元に戻るんだろうか——

沙美は考える。部屋に来るなり直樹は沙美の唇を激しく吸う。そして愛しているから別れないでくれと懇願するに違いない。そして今夜のことは、仕事の疲れと直樹との諍《いさか》いから、沙美が起こした小さなヒステリーということになるであろう。

——でも、もう駄目なのよ——

呪文のように、うわごとのように沙美はつぶやき、そして口元を押さえる。さっき自分の書いた手紙の文章を思い出すたびに、確かな吐き気がこみ上げてくるのだ。

そしてインターフォンが鳴った。

「オレだよ、開けろよ」

何の権利があって、彼はこれほど横柄《おうへい》な口をきくのだろうかと沙美は思った。結婚するということは、一生こうした乱暴な言葉を聞かされるということなのだろうか。そして何十通、何百通という母親への詫び状を書かされるということなのだろうか。

やがてドアのチャイムが激しく鳴らされた。

「わかったわ、今開けるわ」

チェーンをはずすと、苛立《いらだ》ちのあまり顔がむくんでいる直樹が立っていた。

「オレが来るのわかってるだろ。どうしてドアを開けといてくれないんだよ」

悪かったわ、と言いかけた自分を沙美は恥じる。今までずうっとそうだった。怒らせると後がめんどうくさいと思い、心とはまったく関係なく謝罪の言葉をたやすく舌にのせていた。おそらく直樹の目に映る自分は、仕事にも熱心だが素直なところがある女ということであったろう。

「おい、いい加減にしてくれよな」

ソファにどさりと腰をおろす。直樹はよほど急いできたのだろう。シャツの裾がズボンからはみ出していた。それを自分への愛情だと沙美は思おうとしたが、どうしても出来なかった。

「オレは本当に怒ってるんだぞ。お前は今日の大切な夕食をすっぽかした。ま、黙って聞いてろ。それだけだって厳罰もんなのに、真夜中に電話かけてきて、もう別れるだのなんだのわめき出す。オレじゃなくたって、いったい何だろうって思うぜ」

「お詫びの手紙を書こうと思ったんだけど、どうしても書けないの。だから、もう駄目なのよ」

「いい加減にしてくれよ」

直樹は沙美を睨《にら》みつける。何の苦労もなく育ち、社会の暖かくぬくぬくとしたところで生きてきた若い男は、こうしたとき、憎悪があまりにもむき出しになる。

「だって君は、僕のお袋にすごく失礼なことをしたんだぜ。お袋は君の悪口を言ったりしない。挨拶に来たホテルの支配人にだって、息子のお嫁さんになる人は、すごいキャリアウーマンだから、どうしても抜けられない用事が出来たって言い訳してた。自分の誕生日だったんだぜ。それをひどい目にあわされても、お袋はお前のことを庇《かば》ったんだ。そういうお袋の気持ちが、君にはわからないのか」

「誕生日なんか、やらなきゃいいのよ…」

「えっ」

「いい年をした大人が、ホテルのダイニングルームで祝ってもらおうなんて、本当にイヤらしいわ」

「お前さ、言っていいことと悪いことがあるぜ」

「いいえ、わかったのよ、私」

声の震えはいつのまにかすっかりと消えていた。

「私はあなたと合わないの。あなたっていうよりも、あなたとあなたの家族に合わないの。私たち、今まで生きてきた世界が違い過ぎる。それから、これから生きていく道だって違うわ」

「おい、馬鹿なこと言ってんじゃないよ」

直樹は沙美の両の肩をわし掴みにする。大学時代、ラグビーをやっていたこともあるから、思いの外力《ほか》がある。

「どこがどう違うっていうんだよ。僕のうちだって君のうちだって、似たようなもんじゃないか」

「いいえ、違うわ。あなたが望んでいる奥さんはね、お母さまの誕生日にピンクのスーツを着て、バラの花束を持ってくるような女よ。私は残念だけど、そういう風には生きてこなかった。今みたいになるように育てられてきたのよ」

「沙美、考えてみろよ。僕はもう両親にちゃんと君のことを話してるんだぜ。お袋だって、君のことを、〝うちの可愛いお嫁さん〟って呼んでるじゃないか」

「いい、考えてもみてよ」

次第に自分がプレゼンテーションをしているような口調になっていることに沙美は気づいた。

「私は仕事を辞《や》めるつもりはないの」

「それは前から構わないって言ってるだろ」

「構う、構わないっていう問題じゃないの。私が仕事をするのは、生きていくのと同じぐらい当然のことなのよ。私があなたに一度でも、結婚後も仕事をして構わない、なんて言ったことがあるかしら」

「お前、何だよ。おっかないフェミニストのおばさんみたいな言い方じゃないか」

「そういう風に、話を茶化すのはやめてちょうだい」

沙美は田代の言葉を思い出す。この世の中には、仕事と寝ることが出来る女がいると彼は言った。もしかすると、自分はそうした女のひとりかもしれない。

「私の帰りが遅くなる、夕飯の用意が出来ない。掃除だってなおざりになる。そうしているうちにあなたは不満を漏《も》らすわ。仕事を辞めろとか、早く子どもをつくろうとか、私にいろんなことを要求するのよ」

「お前、どうしたんだ。いったいどうして今ごろ、そんなことを言い出すんだ」

「今まで目をつぶっていたのよ。あなたのこと好きだったし、結婚したかったから」

「おい」

直樹は手に力を込める。沙美の好きな涼やかな目が、強く光っていた。今なら引き返せるかもしれないと沙美は思った。過去に大きな喧嘩を何度もしたものだ。だから仲直りの方法もよく知っている。何も言わずに相手の胸になだれ込めば、彼がベッドへ連れていってくれるはずだった。そうすれば、沙美は半年後にウエディングドレスを着ることになる。それが何が悪いのだ、とささやく声がする。お前はきっと幸せになれる。結婚などしてみなくてはわからないのだ。する前にあれこれ考えずにまず跳んでみることだ。世間では多くの男と女が、それほど深く考えずに結婚というハードルを飛び越えていくではないか。

「おい、お前はオレのこと愛していないのか」

直樹は無意識に「オレ」と「僕」、「お前」と「君」を使いわけている。相手より優位に立とうとするときは、「オレ」「お前」になるのだ。

「オレは沙美のことを愛している。だから結婚しようと思ってるんだ。それ以上何が必要なんだ。えっ、そうだろ」

肯定の沈黙をするか、それとも口を開くか。が、沙美の舌は沙美も気づかなかった強い意志を持って動き始めた。

「私もあなたのこと愛している。だけど結婚しちゃいけないってわかったの。仕方ないわ。結婚ってものが用意されて、初めてわかることがいっぱいあるんだもの。あのね、私とあなたは結婚しちゃいけないの。恋人だから愛し合うことが出来ても、夫婦になったら憎み合うふたりはいっぱいいるわ。私、そんな風になりたくないの。だから今、別れた方がいいと思うの」

「お前の言っていることは本当にわかんないんだよ」

直樹は大声をあげた。そのとき沙美は、自分たちがとうに結婚し、くたびれ果てている中年の夫婦になったような気がした。

「本当に理解に苦しんじゃうんだよ。オレはいったい両親にどう言えばいいんだよ。うちのお袋はさ、オレと沙美の結婚、本当に喜んでくれているんだぜ。来月にでも指輪を見に行こうってまで話は進んでいたんだ。それなのにいったい何て言えばいいんだ」

「私ね、あなたのそういうところが、きっと耐えられなくなったんだと思う」

少し収まっていた吐き気が、またむっくりと動き始めた。

「まだ正式に婚約したわけじゃないわ。あなたが気にする世間の人たちも知らない。今だったら私たち、失敗を防げると思うの」

「たとえ失敗したっていいじゃないか、後悔するよりも」

「駄目よ」

沙美はさっきまでフィアンセだった男の手をふり払った。

「失敗する時間がもったいないもの」

直樹と別れた後、吐き気はもう感じなくなった。その代わり胸がえぐられるほどの淋しさがやってきた。特に週末がつらい。このところ忙しさのあまり会えないことが多かったが、それでも好きな男のいる土日と、誰もいない土日とでは、心がこれほどまでに違うものだろうかと沙美は思った。

――私は何を失って、私が得たものはいったい何だったのだろうか――

自由な時間、それは確かにある。もう恋人に遠慮することはなかった。沙美は好きな時間まで残業出来るようになったし、電話を気にしながら接待の場所に行くこともなくなった。

――だけどそれがいったい何なのだろうか――

働く自分の心を、どれほど直樹が支えてくれていたかやっとわかった。束縛をし、制限を与えようとしながらも、彼はやはり沙美を支えてくれていたのだ。

――私はもう三十歳を過ぎている。こんな私を愛してくれる男が、再び現れてくれるだろうか――

そんなことを思うのは、沙美があきらかに自信を失っているからだ。自分から告げた別れだったのに、沙美はやはり気弱になっている。友人たちの間では、沙美は結婚より仕事を選んだことになっているのであるが、それは少し違うような気がする。沙美はあのとき、彼の母親に謝罪するという苦痛に耐えられなかっただけなのだ。

せめてもの救いは、例のファンデーションの売り上げが急に伸びてきたことである。

これは『週刊女性ファニー』の記事によるものが大きいことは、統計が語っていた。下町のデパートでのコリーヌ化粧品の売り上げがぐっと伸びてきたからである。これは始末書まがいのものまで書かされた沙美にとって、非常に痛快なことであった。おまけに有名な美容ライターが、

「今年のファンデーションで、間違いなくベスト1」

という記事を書いてくれた。それも追い風となって、コリーヌ化粧品の「マジ・ドゥ・ペルル」は前月比プラス三十パーセントという売れ行きである。

「口惜しいけど、あの編集長はよくやってくれたっていうことかしら」

由利子さえ言う始末だ。

ファンデーションの好成績に気をよくして、本社は、日本支社に大きなプレゼントをすると通達してきた。コリーヌ化粧品が年間数億という条件で顧問に迎えた、オリビエ・ジュネを日本に派遣するというのだ。オリビエは、世界最高のヘアメイクアーティストと呼ばれ、『ヴォーグ』『エル』『マリ・クレール』の三誌の表紙が、すべて彼の手がけたモデルだったということさえあった。彼はどういうわけか飛行機が大嫌いで、彼と仕事をしたい出版社やCF制作者たちは、わざわざパリまで行かなくてはならなかった。しかし長年の訓練の成果で、彼はやっと最近フライトに耐えられるよ

うになったというのだ。その手始めに日本でデモンストレーションすることになったのである。

「嬉しいけど大変なことになるはずよ」

ファックスを手にした由利子が、珍しく興奮していた。

「私たちは眠れなくなるぐらい忙しくなるはずよ。オリビエが来日するなんてすごいことですもの。いろんな雑誌社が殺到するわ、それをうまくさばくだけでもひと苦労よ」

彼女の頰は上気していた。おそらく彼女も、「仕事と寝ることの出来る女」なのだと沙美はぼんやりと見つめている。

第五章　情事

「指の芸術家」と表現されるオリビエ・ジュネは、純粋なフランス人ではなく、アラブの血をひいているという。そういえば黒いくせっ毛の上に、肌もやや浅黒い。背はそう高くなく、腰のあたりにいささか不遠慮な肉がついていて、それが彼を三十四歳という年齢よりも老けて見せていた。

彼は十五歳で、当時パリ美容界の大御所であったシモーヌのサロンに入り、シャンプーボーイになった。彼はそのときから他の者たちとは違っていて、独特の指づかいによるマッサージはパリの上流夫人たちをうならせたという。十八歳のときには、既に全仏美容師コンテストで優勝し、二十一歳のときに独立した。初期の彼は次々と斬新なヘアスタイルを発表する美容師として活躍していたのであるが、やがてメイクアップの分野を手がける。ヘアとメイクが分業となるヨーロッパにおいて、彼はこちらでさらに偉大な才能を発揮した。『アンナ・モニカ』の名物編集長モニカ・ノーレスは二年間にわたって彼を表紙のアーティストに任命したが、そこからあのパープルアイシャドウの流行、ダブル・アイラインの衝撃などが生まれたのである。

二年前、コリーヌ化粧品が日本円にして六億という金額で彼と契約を結んだとき、全世界のマスコミが書きたてたものだ。日本の中年男性向けの雑誌に、

「たかが美容師に六億とは」

という意地の悪い論評が載ったが、コリーヌ化粧品は彼のプロデュースした「グートゥ・ド・エトワール（星のしずく）」ラインで大儲《おおもう》けしたし、彼の顔を広告に使うこともある。長い目で見れば元をとったのではないかというのが、沙美のまわりでの一致した意見である。

「それにしてもさ、マドンナじゃないんだからさあ」

由利子がため息をつく。オリビエを日本に呼び寄せるについて、本国側からこと細かい条件がついたのであるが、来日するにあたって、飛行機はもちろんファーストクラス、しかも彼は飛行機が大嫌いで、神経質になっているので、二席とって隣りは空けておいてくれということであった。ホテルは帝国ホテルかオークラのスイートルームでなくてはならない。彼に同行するマネージャーにもそれに準ずる部屋を。部屋の中には常に冷えたヴィッテルを十本以上用意しておくこと、部屋に置く花についても

彼は好みが煩《うるさ》いので、リストにあるものの中から選んでくれという念の入れようである。

オリビエのスケジュールについても、厳しい条件がついた。記者会見は一回だけ、パーティもその流れのレセプション一回だけに限る。媒体はクオリティが高く、実売三十万部以上の女性誌三誌だけという細かさだ。それについて、沙美たちは何度も会議を開き、三つの雑誌を選び出した。その合間にも、噂《うわさ》を聞きつけた知り合いの編集者たちから電話がかかってくる。

「うちはグラビアを五ページ用意するわ。モデルもオリビエの指定をちゃんとかなえてみせる」

「今度のメイク特大号に、どーんと巻頭グラビアでぶつけるつもり。ねえ、だから何とかならないかしら」

「ねえ、うちとコリーヌさんとのつき合いでしょう。聞いた話だけど『ブーケ』でやるらしいじゃない。『ブーケ』でやれて、どうしてうちでは出来ないの」

沙美も由利子もその対応に追われた。普段はこちらから頭を下げて頼み、やっと半ページでも商品を紹介してもらえば大喜びなのに、今回は逆の立場だ。どうやったら怒らせずに断わることが出来るか。沙美は必死だった。

「こちらとしても、よくわからないのよ。オリビエの方に、あらかじめ日本の主だった雑誌を何冊か送ったの。そして彼に選んでもらったのよ。選んだ理由…、それがこちらとしてもわからないの。印刷の具合とか、グラビアの感じとかで選んでいるんじゃないかしら。そう、あちらはアーティストだから、私たちだって何を考えているか本当によくわからないわ」

最後は苦肉の策として、オリビエを悪者にすることにした。

「まったくね。いつもこんなだったら、どんなに私たちの仕事もらくちんかしらね」

そうはいうものの、由利子は疲労のために目の下にうっすらと隈《くま》をつくっている。パリ本社から盛んにEメールや国際電話がかかってきて、その返事に追われているのだ。しかし由利子の仕事はこれからが本番になる。フランス人の夫を持ち、語学が一番達者な由利子が、オリビエの接待係になったのだ。が、彼はかなり英語の方も喋《しゃべ》ることが出来るため、沙美がサブでつくことになった。オリビエの希望で、京都観光という日程が入っているのであるが、これにも従《つ》いていくようにと言われている。

「京都と言えば、こんなことがあったわ」

由利子が話し出す。

「何年前のことだったかしら。当時の本社社長夫妻が来たとき、やっぱり京都へ案内したのよ。その奥さんっていうのがすごい女でね…」

典型的なフランスのブルジョア女性である彼女は、信じられないほど我儘《わがまま》で、由利子をそれこそこき使ったというのだ。

「どうしても負けろって、扇や骨董をとんでもない値段で交渉させて、値段が決まると、やっぱりヤメたわーってもんよ。夜中の一時に突然電話がかかってきて、何かと思うと、ルームサービスを頼んでくれ、日本人は英語がヘタだから通じないって私が叱《しか》られたの」

あまりの疲れに、成田空港で夫妻を見送ったとたん、へなへなと近くのソファに倒れ込んでしまったという。

「でも今度は、我儘な奥さんの心配をしなくてもいいですね」

沙美は自分でも、ちょっと下品な笑いを浮かべたのではないかと思った。オリビエがホモセクシュアルだということは、誰でも知っている事実だったからだ。

「いいえ、とんでもないわ」

由利子は困惑したような笑いを浮かべた。

「どうもオリビエのマネージャーっていうのは、彼の新しい恋人らしいわよ。いい部屋をふたつ用意させられたけど、多分一室は使わないことになるみたい」

「そうだったんですか」

かすかな嫌悪と好奇心が沙美の中をよぎる。堂々と振るまうゲイのカップルというのは、ニューヨークで目にしたぐらいだ。そういう人たちに対しては、いったいどういう風に振るまえばよいのであろうか。まったく気づかないふりをするのも、大層しんどいことのように思える。

「そんなに気を遣う必要はないわよ。あくまでもスターのアーティストと、そのマネージャーっていう態度でいいの。私は二度ぐらいパリで会っているけど、オリビエ自身は気さくでいい人よ。やたら持ち上げて、こちらをピリピリさせる、そして恩着せがましくするっていうのは本社のやり方なのよ」

オリビエを迎えてのレセプションは、大盛況に終わった。この種の集まりに普段は足を運ばない編集長クラスも姿を見せ、土産の数は大丈夫だろうかと沙美はひやひやしたものである。

由利子の言うとおり、オリビエはそうむずかしい人物ではなかった。ワイングラス片手に、若い女性編集者たちともにこやかに言葉をかわしている。

「ねえ、ねえ、北村さん、ちょっと…」

ピンクのシャネルジャケットを着た、伊藤美加子《いとうみかこ》が近寄ってきた。

「私さ、このあいだ塚本《つかもと》レイさんに会ったんだけどさ、おたくのこと怒ってたわよ。このところ新製品を送って来ないって。それから今夜のレセプションにも呼んでないでしょう。塚本女史はもうかなりオカンムリだったわよ…」

もはやこうした耳打ちには慣れている。パーティを開くたびに誰かが、沙美に〝ご注進〟をするのだ。どうしてあの人に招待状を出さなかったの、このごろ無視されているって怒ってるわよ…。

以前はそのたびに、沙美は『眠れる森の美女』に出てくる王妃のような気分になったものだ。どうしたって国中のすべての人々を姫の命名式には招くことが出来ない。リストの中から人を選び、その人たちに向けて招待状を書くというのはあたり前の話ではないか。

塚本レイというのは、四十代も終わりの美容ライターだ。美容ライター、などという言葉もなかったずっと前から、女性誌を中心に記事を書いてきた。が、彼女のセンスはもはや古いものとなり、その名前を誌面で見ることはほとんどない。フィクサー的な仕事にまわり、陰であれこれしているらしいのであるが、それが化粧品会社広報部に敬遠される原因になっているのだ。彼女を招待者リストからはずしてもう半年近くになる。しばらくは恨まれるであろうが、やがて彼女自身も悟っていくに違いない。この世界は、何のメリットもない人間にシャンパンは飲ませない。土産物も渡さないということをだ。

「ねえ、ねえ、そんなことよりもさ」

伊藤美加子にしても、自分が言いかけた噂《うわさ》をきりのいいところでやめてしまった。

「あそこに立っているワイズのジャケットの男が、オリビエの新恋人ってわけね」

美加子の視線の先には、所在無げに赤ワインを飲んでいる男がいる。オリビエよりも、ふたつみっつ年下というところであろうか。服装がしゃれていることを除けば、ごく平凡な白人青年である。褐色の髪を後ろで結わえているのがアーティストっぽくて、知らない人が見たら、こちらの方がオリビエに見えたかもしれない。

「おととし、うちでパリ特集をしたとき、オリビエにインタビューしたのよ。そのときはベトナム人のマネージャー兼愛人がいたんだって。もう信じられないぐらい綺麗《きれい》な男の子だって言っていたけれど、北村さんは知らないの」

「さあ、わからないなあ…。そういうことは本社からメールで入ってこないから」

いつのまにか沙美は、冗談めかしてうまくかわすコツも摑《つか》んでいる。

オリビエが日本に来て四日目、あまりの強行スケジュールだと、マネージャーという男は抗議の声をあげたが、雑誌のグラビア撮りはもう二誌済ませている。『ブーケ』のグラビアモデルのシンシアとジュリアは、以前パリで彼と仕事をしたことがあるそうで、スムーズに撮影が始まった。メイク途中の本人の写真は撮らせないということであったが、オリビエはカメラマンの強引さを見て見ぬふりをしてくれ、それはどれほど有り難かったことだろう。

「結構いい人で、よかったですよね」

と後ろの由利子を振り返ったが、そのとき彼女の顔は疲れのためにむくんでいた。接待という仕事は、全神経を集中させるものらしい。それにさまざまな交渉や説明といった社員としての職務が加わるのだから、由利子の忙しさたるや並たいていのものではなかっただろう。今もパーティの最中、由利子はずっとオリビエに寄り添うようにしている。いつもの高いヒールではなく、彼女が低めのパンプスを履《は》いていることに沙美は気づく。おそらくそう長身ではないオリビエを気遣ってのことだろう。

「それでは、そろそろお開きの時間にさせていただきます」

常時、新製品を送っているため、〝お友だち値段〟で司会を引き受けてくれた民放の人気アナウンサーが、場違いなほどはしゃいだ声で閉会を告げた。

「それではオリビエ・ジュネに、もう一度拍手を」

にこやかに手を振りながら退場する彼を、由利子と沙美はエレベーターの前まで送る。オリビエとそのマネージャーの部屋は、このホテルの最上階にあるのだ。

「ユリコ」

突然オリビエは由利子に向かって、何やら喋《しゃべ》り出した。門前の小僧何とやらで、沙美も幾つかの単語から見当をつけて、話の内容がぼんやりとわかるぐらいになっている。どうやら友人から聞いた六本木の面白い店に案内してくれと言っているらしいのだ。わかったわと由利子は言ったが、後のフランス語は早口でまったく理解出来なかった。そして彼はエレベーターに乗り込み、扉は閉まった。

「お客さまをお送りしなきゃいけないから、しばらく部屋で待っていてちょうだいって言ったのよ。それから多分私は、今夜行けないから、代わりに沙美に行ってもらうと言ったの」

二人はエレベーターの前から動かずにいる。土産を片手に持った人の波が近づいてきたからである。今夜出席してくれた客たちを、ここで大切に送らなければならない。

「そうですよねえ。由利子さん、お疲れですよね。彼が来日してからずっと、べったりついていてたんですものね」

「妊娠してたのよ」

「えっ」

よく言葉が聞きとれなかった。

「まさかと思ってたわ。下の子と八歳も違うのよ。恥ずかしいわ、こんな年になってお腹が大きくなるなんて」

まあ、それはおめでとうございます、という言葉を途中で切った。顔見知りの編集者たちの一団がすぐそこに来たからである。

「今日はどうもありがとうございました」

「こちらこそ、本当に楽しいパーティだったわ」

「由利子さん、じゃ、近いうちに電話するわ。いろいろ相談したいこともあるのよ」

「北村さん、また食事でもしましょうよ」

彼らがエレベーターに乗り込み、第二陣は部屋を出たところで、コリーヌの別の社員たちから別れを告げられている。ほんのわずかな時間があった。

「由利子さん、おめでとうございます」早口で言う。

「うちの会社は、妊婦には厳しいけどとにかく頑張るわ…」

「そうですよ、由利子さんがいてくださらなきゃ困ります」

「とりあえず、私は今日失礼させていただくわ。疲れ方がやっぱり違うみたいだわ。

それからね、フランス語を喋れる人がいた方がいいから、田代さんに頼むつもりよ」

由利子は出口のところで、フランス大使館の男と何やら話している田代の方を見た。彼は普段こうしたパーティには出てこないのであるが、やはり今夜は特別らしい。

最後の客と由利子が帰った後、沙美は田代に誘われてホテルのラウンジに行った。こうしてふたりきりになるのは、一ヶ月前、週刊誌のトラブルがあって以来だ。あの日のことは、何月何日と即座に言うことが出来る。結婚する約束をしていた男と、破局を迎えた日だからである。しかしもちろんそんなことを田代に言う必要はないだろう。今夜の彼は、パーティということを意識して、シルバーがかった抽象画のような柄のネクタイをしている。それは浅黒い肌の、日本人離れした顔立ちの彼によく似合っていた。

「カクテルを一杯ずつ飲んだら、彼らの部屋に電話してみましょう」

沙美はあの夜と同じミモザを頼んだ。今夜の沙美は、茶色のタフタのスーツを着ている。おそらくオレンジ色のカクテルはとてもよく似合うはずだ。

「北村さんが、編集者の人たちにとても人気があるんでびっくりしてしまいましたよ。パーティであれだけ人が集まったらたいしたもんですよ」

「そうじゃありませんよ。一番新米の私が、一番声をかけやすいんでしょうね。いろんな苦情も私のところへ来ます。あの人を招かないのはよくないって、必ず誰かに言われるんですよ」

「そういう声はちゃんと聞いておいた方がいい。後で役立ちますよ」

そんな話をしているうちに、一杯のカクテルはあっという間に空になった。

「それじゃ、そろそろ彼らをここに呼びましょう」

田代は立ち上がって、館内電話をかけに行った。なかなか戻ってこない。沙美は田代の残したカクテルグラスを見つめている。何という名前かよく憶《おぼ》えていない。ありきたりのものでないことだけは確かだった。透明の液がかすかに残り、その中にオリーブの実が横たわっていた。

通り過ぎるウエイターと入れ替わるようにして、田代が戻ってきた。その表情がさっきまでとはうって変わり、ひどく苦々しいものになっている。

「どうも何かあったらしいね」

「えっ、病気か何かですか」

思わず椅子から立ち上がりそうになった。

「いや、どうやらあのふたり、待っている間に大喧嘩を始めたらしい。オリビエが泣きじゃくっている」

「あのオリビエが泣いているんですか」

オリビエはマネージャーの前ではしばしば尊大な態度をとり、イヴと呼ばれるマネージャーは彼に対してひどく気を遣っていたから意外であった。

「あのふたり、どう見てもオリビエの方が女役だろう。オリビエの方が、あのイヴとやらに惚《ほ》れ込んでるんだ」

「私、まるっきり何も感じませんでした」

「僕はこれでも、フランスに暮らしていたことがあるからね、そちら方面は鋭いんだ」

エレベーターに向かいながら軽口を叩いているが、田代の目は笑っていない。

「オリビエはああ見えても、ナイーブなとても気の小さい男だよ。大嫌いな飛行機に乗って、知らない国に来て、とにかく神経質になっている。今夜それが爆発したんだろう。厄介《やっかい》なことにならなければいいが……」

「田代さん、脅《おど》かすのやめてくださいよ」

「いや、僕はささいなことで、すべてのことをキャンセルして帰国した女優やミュージシャンを何人も知っているよ。僕らはナマ物を扱うこともあるのだから仕方ないさ」

ナマ物という言葉は、ひどく唐突なような気がして、沙美は田代の横顔を見る。喉《のど》の線が不意に目に飛び込んできた。どうして田代の顔は、鋭い線ばかりで出来ているのだろうかと思ったとたん、エレベーターの扉が開いた。オリビエのスイートルームは、この階の一番奥にある。

ブザーを押し続け、しばらくたってからドアが中から開けられた。不貞腐《ふてくさ》れた顔のイヴがいた。

「ケ・ス・キ・リ・ヤ？（いったい何があったんだ）」

イヴは顎《あご》をしゃくるようにして、ベッドルームのドアを指した。田代はノックする。返事はない。が、彼は構わずにドアを開ける。広い寝室の右側のベッドに、オリビエはうつぶしていた。沙美は白人の男がこれほど激しく泣いているのを初めて見た。肩を震わせ、尻も上下させて泣いているのだ…。

どうしたんだと田代が肩を叩くと、オリビエはまたもやしゃくり上げる。

「僕の気持ちを誰もわかってくれない」

というフレーズと、「イヴ」という単語が繰り返されるのだけはわかった。部屋に入ることも出来ず、立ったままの沙美に向かって田代は言った。

「ちょっと込み入った話になりそうなんで、悪いけど待っててくれませんか」

「さっきのラウンジでですか」

「そうだなあ…。あそこだと女性ひとりで長居しづらいですね。あ、それじゃ」

ポケットから何かを取り出した。それを沙美に向かって投げる。受け取る前、空中でわかった。チェーンの付いた鍵であった。

「僕はうちが遠いんで、今夜は遅くなりそうだから、この階に部屋をとりました。チェック・インしただけで、まだ使ってないですから、そこで待っていてください」

「わかりました」

それを持ったまま部屋を出る。出口のところには、相変わらず唇を固く結んだままのイヴがいた。

廊下に出た。二十メートルほど歩いたところにその部屋はあった。さっきの豪華なスイートルームとは比べものにならない、平凡なツインであった。おかしなことになったなと沙美は思った。何の深い考えもなくこの部屋に来たが、男の予約したホテルの部屋に入っていくというのは、かなり奇妙なことではないだろうか。いっそのこと、伝言をして自分の家に帰ることも考えたが、オリビエの機嫌次第では夜の街に繰り出すことも考えられる。由利子から頼まれていることだし、このまま帰るというのも無責任というものだろう。

小さなソファに腰かけ、テレビのスイッチを入れた。見たこともないドラマが始まっていた。よくわからぬ筋を追っているうちに、沙美はどうやら眠っていたらしい。ノックの音ではっと上半身を起こした。

ドアを開ける。ネクタイをゆるめた田代が身をすべらせてきたとき、沙美はこのホテルの部屋で密会するために彼を待っていたような気がした。

「どうでした」恥ずかしさのあまり、大きな声を出す。

「いやあ、大変だった。契約のいざこざから始まって、本当は京都なんか行きたくない、明日帰国するってオリビエがわめき出すんだ。僕らへの不満もあるだろうが、それよりもイヴへのあてつけだな。いわゆる痴話《ちわ》喧嘩っていうもんだろう」

「まあ…」

「もっと自分のために尽くして欲しいって、オリビエは拗《す》ねて泣いているわけだ」

「信じられません、あんな大人の男が」

「わからないかなぁ。オリビエの外見は大人の男でも、中身は傷つきやすい女の子なんだ。だからあんな美しい唇の色をつくれたり、眉の形を考えることが出来るんだよ」

「その傷つきやすい女の子が、どうして年間六億もふんだくるのかしら」

あははと田代は声をたてて笑った。

「北村さんは現実的なことを急に言うから面白い。あなたは男を白けさせるのが実にうまいね」

沙美は息苦しくなる。田代が一歩こちらに近づいたのがわかったからだ。

「それって、誉《ほ》め言葉と思えませんけど」

「もちろん、誉め言葉だよ」

田代は沙美の手首をやわらかく握った。

「それは君の、男を避けようとする作戦だって知っているからね。だけど僕はちゃんとした大人の男だから、そのテには乗らないよ」

肩を抱かれた。大きな罠《わな》にはまったような気がする。けれども大人の男と女がふたり、出来心でこんなことをするのも自然かもしれないと沙美は考える。しかしこれだけは口に出して言ってみた。

「私、瀬沼さんみたいになりたくないんです」

「彼女のことは関係ないだろ。僕と君だけのことだ」

田代は怒りを込めた声を出し、沙美はそれを大きな誠意と受け止める。もうそんなことはどうでもよかった。沙美の唇の上に、男の唇が重ねられる。

春がもうすぐそこまで来ているというのに、京の街は底意地の悪い寒さを、じんわりとあたりに漂わせている。

祇園歌舞練場のあたりは、夜遅いこととて観光客の姿も消えている。玄関で見送る舞妓《まいこ》や芸妓の声が、場違いなほど華やかであった。

「ほな、気をつけて」

「オリビエはん、ボン・ニュイ」

「オーボワ」

十代と二十歳という舞妓たちは、さっき座敷で教えてもらったフランス語で別れの挨拶をする。それに上機嫌で応えるオリビエであった。

詩仙堂、円山公園と、普通の観光コースの後は「嵐山吉兆」で食事をし、その後はお茶屋へ繰り出した。ここでも田代の顔の広さに、沙美は驚いてしまう。一見客《いちげんきゃく》はお断わりという格式を誇る料亭の女将《おかみ》と顔馴《な》じみであるどころか、田代は舞妓や芸妓たちからも気安く話しかけられる。

「田代はん、お久しぶりどした。このごろは、ちっとも京都に来はらへんのどすな」

「そんなことはないけど、仕事で素通りっていうことが多いかな。ここに来る時間と金はなかなか無いよ」

「まあ、いけずばっかり言って。田代はんなら、うちのおかあさんかて、大歓迎や」

田代が解説するには、京都には学生時代からの親友が住んでいる。もともとは西陣の旦那になるはずであったのだが、それだけでは飽き足らず、京都市内に幾つかのレストランやクラブを経営しているという。この彼が名うての遊び人で、祇園や先斗町《ぽんとちょう》というところの遊び方をじっくりと指南してくれたという。

「バブルのころは、東京の不動産業者たちがやってきて、祇園でさんざん遊んだもんだけど、僕の友だちは年季が違う。何たって彼のじいさんやお父さんたちが、さんざん金を遣ってくれていたんだからね。だから僕らは、この年になっても学生料金で遊ばせてもらえるわけですよ」

さりげなくそんなことを語る田代の横顔から視線をはずすことが出来ず、そのたびに沙美は、いけないと思ってしまう。二日前のあの夜のことは一度きりのこと。大人の男と女の間に起こった、ちょっとした事件と自分に言いきかせている。それなのに帰りしな田代がささやいた、

「遊びでも、これっきりのことでもないよ。もちろんわかっているだろうと思うけれど」

という言葉を何度思い返したことだろう。その言葉を自分の記憶から消せないのは、決して愛情からではない。誇りを守ろうとする心の動きのせいなのだ。そのくらい沙美にはわかっている。それなのに沙美の視線は、いつのまにか田代の姿をとらえている。橙色《だいだい》に暗く沈んだお茶屋の照明の下で、田代の顔はぼんやりとセピア色の写真から脱け出してきた人のように見える。その彼が、明瞭なフランス語を喋《しゃべ》っているのを、沙美は冷静に聞くことが出来ない。

男と寝るということは、こういうことなのだと思う。ただの一度肌を触れ合わせただけだというのに、男の声が姿が違うものになっているのがわかる。田代の声はさらに低く心地よいものになり、彼の深い眼窩《がんか》は、甘やかな企みを潜《ひそ》ませて見える。結局のところどれほど否定しようとも、沙美は今、田代にぐっと引き寄せられているのだ。

オリビエは白塗りの舞妓の化粧や、彼女たちの置屋代々に伝わる貴重な帯〆に、大変な興味を示した。マネージャー兼恋人のイヴに命じ、何枚か写真を撮らせたほどだ。よほど楽しかったのだろう、祇園のお茶屋を出た後も、ハイヤーの中で彼はもう一軒どこかへ寄りたいと言い出した。

「OK、それならば八坂神社の裏に、ちょっと面白い店がある。目もさめるような美しい男の子が五人、袴姿でもてなしてくれるところがあるんだ」

運転席の隣りに座っていた田代は、いったん日本語で言った後、後ろの席のオリビエに向かって説明を始めた。

「ケ・ス・ク・セ・ハカマ」

袴というのは何なのだとオリビエが説明を求めている。

「えーと、北村君、どう言って説明したらいいだろうか」

「キモノコスチュームのひとつでしょう。とてもフォーマルで綺麗《きれい》なものだわ。弓道や剣道のときにも身につけます」

田代は振り向いたままにっこりと笑った。そうだね、よく出来たねという教師のような彼のこんな笑いを、沙美は今まで見たことがなかった。

ところが田代がこれを訳したとたん、イヴが露骨に不快な表情を浮かべ、フランス語で何かをまくしたてた。

「オリビエは明日の朝早い。このままホテルに帰してくれって言ってる」

嵯峨野に仏像を撮るカメラマンがいる。彼の写真集はフランスでも何冊か出版されているそうで、オリビエは彼の大ファンなのだそうだ。今回の来日に際し、そのカメラマンに会うことをリクエストしてきた。コリーヌ化粧品日本支社は、いろいろなつてを頼って、カメラマンに訪問の許しをとったのであるが、むこうが指定してきた時間が朝の九時であった。なんでもその後すぐ奈良へ行かなくてはならないという。

「オリビエは、夜ふざけ過ぎて朝起きられないことがある。だから早く帰して欲しい」

エルメスのオーダー品とひと目でわかる革コートを着たイヴが、今度は沙美にもわかるゆっくりとしたフランス語で言った。

「このまままっすぐホテルへ行ってくれ」

そんなイヴにオリビエは逆らわない。二日前のあの激しい争いは、どうやらイヴに主導権というものを渡す結果となったようだ。オリビエはむしろいそいそと、恋人の言葉に従っている。

ふたりの男にはさまれ、シートの真中に座っている沙美は奇妙な気持ちにとらわれた。最初は二台のハイヤーに分乗していたのであるが、フランス語が出来る田代に常に同乗して欲しいとオリビエが言い出し、それならばと沙美も乗ることになった。それも四人だから出来たことだ。

同じように接待担当になっていた由利子は、疲れのために悪阻《つわり》がいっそうひどくなり、この京都行きを直前で降りたのだ。

いくら大型のハイヤーといっても、三人が座るとかなり窮屈であった。しかも両脇のふたりは恋人同士なのである。真中にはさまれているとよくわかるのであるが、このふたりの男はそれぞれ違った体臭を持っている。けれども抱き合い、愛し合うことにより、このふたつの体臭は混ざり合うのだ。

そして前のシートには、沙美とつい先日寝たばかりの男が座っている。田代には白人のような体臭はないが、外国生活の長い男のみだしなみとして、ごく少量コロンをつけている。酔いのせいか、車の中の香りは少々濃くなっているようだ。沙美の鼻をひっかくように刺激している。沙美はフレグランスの魅力を初めて知った。香りこそ官能というものにたどりつく近道なのだ。香りに興奮するのは男だけではない。女とて呼吸がせつなくなることがある。記憶というものと結びついていればの話であるが……。

ハイヤーは街中にある巨大なホテルに到着した。スイートルームの客は、ベルボーイも憶えているのだろうか、すぐさま近寄ってきてオリビエの紙袋を持とうとする。彼は今日、新京極の専門店で舞妓や芸妓たちが使う刷毛《はけ》や京紅の類《たぐい》を大量に買い込んだのだ。

ボーイも含めて五人でエレベーターに乗り込み、十八階に到着した。ここにはオリビエが泊まっている京都中で一番豪華といわれているジャグジー付きのスイートルームがあるのだ。

「オヤスミナサイ…」

なぜか日本語で言って、オリビエとイヴは、体をドアの向こうにすべり込ませた。

もちろんイヴの部屋は別に用意してあるのだが、今夜も使われるはずはないに違いない。スイートルームのあかりはことさらに豪奢《ごうしゃ》で、明るいオレンジ色がドアの間から廊下にも射してくる。けれどもその向こうに既に濃密な闇が用意されているかのようであった。

従業員用出口に進むボーイとそこで別れ、ふたりはエレベーターホールへと向かった。

真夜中のホテルはまるで森のようだ。しんとして音ひとつしない。それでいてたくさんの動物たちの気配が漂ってくる。エレベーターの扉が開いた。ごく自然に沙美は先に乗り込む。後から田代が足を踏み入れたとき、コロンのにおいがはっきりとした。彼がぴったりと体を寄せてきたからだ。

沙美は指を伸ばし、8と5という数字を押した。八階は沙美の泊まっている階、五階は田代の部屋のある階だ。

「駄目だよ」

　不意に彼が言った。

「はぐらかしちゃ駄目だ。君のよくない癖だよ」

　最新のエレベーターのスピードはおそろしく早く、チンという音がして、表示は八階を指している。扉が開く。降りようとする沙美の手首を、田代がとらえた。

　万引きして補導される女学生のように、沙美は田代にひかれていく。手首をずっと握られたままだ。抗議なら部屋の中でしようと沙美は考えている。

「私、こういうの嫌なんです」

「このあいだのことは忘れてください。本当に魔がさした、としか思えないんです」

「お互いに若くて独身ならともかく、ひとつの会社の中でつき合うって、私の趣味じゃないんです」

「瀬沼さんのこと聞きました。私、彼女の二代目になるなんて考えただけでもイヤッ」

　けれどもドアが閉まり田代に抱きすくめられたとたん、これらの言葉はすべて沙美の喉の奥に遠ざかってしまった。何度か反復し、練習していた多くの言葉は情事の際の香辛料に過ぎないのだ。自分は田代に謝罪させ、言い訳させたいだけなのだ。そう、自分はこの男に抱かれたかっただけなのだと沙美は思う。

「早くふたりっきりになりたかったよ…」

やっと唇を離した田代が言った。

「君だってそうだろう。イヴのやつ、五人の美青年っていう言葉に嫉妬《しっと》して、早くホテルへ帰りたがった。僕は別の意味で一刻も早くホテルへ帰りたかった。君も気づいているだろ…」

でも、という代わりに沙美は大きく頷《うなず》いていた。今の田代のキスの巧みさが、体全体を大きく波打たせているのだ。仕方ない、二日前の記憶に対して、沙美の心より体はずっと正直であった。

ベッドのうえでの田代は、到底直樹の敵ではなかった。ヨーロッパ仕込みというのであろうか、ひとつひとつの手間を惜しまない。沙美はたっぷり時間をかけて、足の指をしゃぶられるということを初めて経験した。

「君は…」

あのとき、田代は感嘆したようにつぶやいたものだ。

「君は踵《かかと》の皮膚までやわらかくて綺麗なんだね」

あたり前だ、眠る間を削って沙美は月に一回ネイルサロンに通っている。ここで手はもちろん、ペディキュアと足のケアも充分にやってもらうのだ。女も三十歳を過ぎたら、体中の角《かど》の部分を徹底的に綺麗にしなければいけないと言ったのは誰だったろうか、首のつけね、肘《ひじ》、踵などにこそ金をかけるべきだというのだ。沙美は二年ほど前から、プロにマニキュアとペディキュアをしてもらうようにしている。エステティシャンは、鉋《かんな》のような器具を使って、するすると足の裏の皮をむいていく。それを見るのは快感であった。自分の〝おんな〟が見る見るうちに磨かれ、やすりをかけられていくような気がしたものだ。そして後にはシンプルで美しい自分が残る。

そしてその甲斐《かい》はあった。直樹は気づいてくれなかったのであるが、老練な田代はちゃんと沙美の努力を讃《たた》えてくれたのである。

今も田代は、沙美のブラウスを脱がせながら鎖骨の美しさを誉め、そこに舌を這《は》わせた。まるでそこにひと雫《しずく》の蜜《みつ》がたまっているかのようであった。

「こういうのって、私の趣味じゃないけど…」

言おうとしてついに舌にのせなかった抗《あらが》いの言葉を、自分の胸の中でつぶやいてみる。

「会社の上司とこういうことするって、絶対に私の趣味じゃない。でも、でも…」

田代の指が沙美の下着にかかったところだ。この男は、どうしてこれほどゆっくりとことを運ぶことが出来るのだろう。若い直樹の欲望は、もっと性急で清潔であった。

「でも私は、その直樹と別れてしまった。私は今、淋しい。セックスしたい気もないわけじゃない。それだったら田代さんはいい相手かもしれない。奥さんも子どももいるから後腐れもないだろう。それに何より、こんなにうまいんだもの……」

沙美のたどたどしい思考もそれまでであった。田代が沙美の下着をすっかり剝《は》ぎとったからである。


春が近づくと、どこのメーカーも口紅の新色を発表する。それに伴って今シーズンのメイクの方針も各マスコミに向けて発信するのだ。長いナチュラルメイクの時代も変わりつつあって、今年はどのメーカーもぐっとつくり込んだ顔が多くなった。

この春の話題は何といっても、ボーテ・ドゥ・フラネルの顔として、フランソワ・ピルチャーが起用されたことである。数々の映画賞に輝く彼女は、三十二歳という若さでフランスを代表する女優となった。貴族の血を引いているというノーブルな顔立ちに、自ら映画のプロデュースをするという知性が加わり、日本での人気も非常に高い。それにしてもこのあいだのスーパーモデルの起用といい、今度の大女優との契約といい、ボーテ・ドゥ・フラネルというのはよっぽど業績がいいのだというのが、沙美たちの一致した意見だ。

それにひきかえ、コリーヌ化粧品本社から送られてきた今シーズンの商品は、これといって決定打がない。

ボーテ・ドゥ・フラネルが今春のテーマをずばり「女優の夜」と銘うって、紫のドラマティックカラーを中心に据《す》えているのに比べ、コリーヌ化粧品はピンクが展開されている。ピンクといっても、先シーズンのような淡い愛らしいものではなく、青味がかったピンクである。この色を使って華やかでドラマティックなメイクを提案と、本社からの資料には書いてあるのだが、ボーテ・ドゥ・フラネルに比べ、魅力と訴求《そきゅう》力に欠けるのはどうしても否めない。

「新製品発表についてですが、今回は手づくり風の素朴さが、案外効果的じゃないかと思っています」

会議の席上、沙美は企画書を配った。ガーデンパーティを行なうことの出来る会場と、その写真をカラーコピーして添えてある。

「ボーテ・ドゥ・フラネルさんの方は、きっとフランソワを来日させて大パーティをするはずです。そういうときこそ、こちらはしゃれた小さなパーティをしましょうよ。今はガーデニングが大流行しています。それにひっかけた庭でのパーティ。お土産は小さなハーブの鉢植えも一緒に、っていうのも気がきいていますよね」

「なるほどね」

ボードの前に陣どった部長が、まんざらでもない声を出す。気に入った企画ほど、彼はのってこないということを、沙美はさんざん知らされている。

「たとえばさ、この日仏会館の庭にあるとかいう店でパーティをしたとしたら、どのくらいかかるの」

「それは最後に書いてある数字を見てください。私が候補に上げた会場の予算が出ています」

そのとき、椅子が激しく動く音がした。傍《そば》の由利子が大慌てで立ち上がるところであった。ハンカチで口元を押さえているところを見ると、また吐き気が込み上げてきたらしい。

「イメージ的にも、このホテルでのガーデンパーティが一番いいと思いますけれど、やっぱりかかりますね」

「仕方ないだろうなあ」

部長はしんから哀し気な声を出した。

「うちが春からそうみみっちいことは出来ないだろう。ここの会場で決定しよう」

「わかりました。それではすぐに詰めていきます」

部長はふた言目には、

「金をかけぬように。それでいてみみっちく思われないように」

という矛盾したことを言う。そうは言っても新しいファンデーションの売り上げが、このところまた伸びているのだ。薄づきでいてカバー力がある、そして綺麗な光沢がつくという口コミが拡がって、各女性誌の「今月のコスメベストテン」に、どこも入っていた。

コリーヌ化粧品では、自社製品の雑誌記事をすべてフランス本社に提出する。本社ではその記事の大きさを計り、PR部員たちを評価するわけだ。が、コリーヌ化粧品はまだ甘い方で、フランスに本社がある他の化粧品メーカーは大きさではなく点数制だという。その雑誌の実売部数にクオリティというものも加味される複雑な計算だというのだ。

それはともあれコリーヌ化粧品のファンデーション「マジ・ドゥ・ペルル」の記事の大きさと多さに、フランス本社はかなり気をよくしているらしい。日本支社の部長はしぶいことを言っているが、かなり予算は潤沢《じゅんたく》になっている、というのが沙美たちの推察である。

今度の口紅のキャンペーンにしても、すんなりと会場を決めることが出来た。

資料をいったん机の上に置き、沙美は洗面所のドアを開けた。由利子はまだ鏡の前にいて、口をすすいでいるところであった。わずかの間にすっかり窶《やつ》れている。外国人の夫を持つ女の証《あかし》のようなきつめの香水も、妊娠以来由利子はすっかりやめていた。

「大丈夫ですか。顔色、ものすごく悪いですよ」

「やっぱり三十代後半の妊娠はつらいわよねぇ」

由利子は微笑《ほほえ》もうと口角を上げたが、それがとても痛々しかった。本人もあっけにとられるほど悪阻がひどく、オリビエの京都観光のお伴もやめたくらいなのだ。けれどもそれがきっかけで、沙美と田代との関係は一層深くなったと知ったら、由利子はどう思うだろうか。本人が気づかないまま、誰かの人生の鍵を握っていることがある。

由利子の場合がそうだ。

「もうじき産休をとれると思うのよね」

ハンカチで拭《ぬぐ》っても、顎のあたりに水滴がついている。きっと何度も水ですすいでいたのだろう。

「うちの会社って、どのくらい産休をとれるんですか」

「外資系っていうのは、意外なほど冷たいのよ。六ヶ月って言っているけれども、今まで本当にそれをとった人っていないのよ」

「そうですね。考えてみると、私たちって組合も何にもないんですものね」

「よく外資系っていうのは実力主義っていうけれど、本人がミスをしないことも実力のうちに入るの。私みたいにこの年になって妊娠するっていうのも、もしかしたらミスということかもしれないわ」

由利子の疲れた笑顔をいつしか沙美はまっすぐに見られないでいる。おとといの田代との会話を思い出したからである。新宿にあるシティホテルの一室で、沙美は田代と会っていた。彼とのセックスも好きだったが、その前の会話も沙美にとって重要なものになっている。実は今日会議に提出した企画書に、さまざまなアドバイスをしてくれたのは田代なのだ。

「もしかすると、これは君にとってすごくいいチャンスかもしれない」

バスルームに向かいながら、ネクタイをゆるめていた田代が不意に言った。

「えっ、それってどういうこと」

「君がコリーヌ化粧品の顔になるチャンスだっていうことさ。いいかい、今うちのPRは、小泉由利子が前面に立っている。マスコミのインタビューに答えるのもいつも由利子さんだ。彼女はなにしろフランス人の外交官夫人だ。コリーヌのイメージにいいから、みんな大切にしている。が、彼女はハンディを負った…」

まだ意味がわからず、沙美は田代の唇を見つめている。なにかとてつもなく恐ろしい言葉がそこから漏れてきそうだ。

「彼女は妊娠したんだよ。しばらくは職場を離れる。そうしたら、沙美、君のチャンスが来るんだ」

「でも由利子さんはまた職場に戻ってくるわ。すぐに元どおりになるわ」

「馬鹿だなあ、それをうまくやるんだ。いいかい、どんなことがあっても、君はコリーヌの顔にならなきゃいけないんだ。世間の人から〝コリーヌ化粧品の北村沙美〟と認知されてみろ。すごい宝を手にしたのと同じことなんだ。そうしたら、この業界、びっくりするような年俸で引き抜かれる。次はもっと地位が上がる。今のままだったら、ずっと由利子さんのアシスタントで終わるんだ。君は頭のいい女だ。そのくらいのこと、わからないわけじゃないだろう」

沙美は由利子の口元を見つめている。口紅がとれているけれど、形のよいぷっくりとした唇だ。入社してから、由利子には本当に世話になった。仕事のやり方をいちから教えてくれたのも彼女だ。その由利子をどうして裏切ることが出来るだろうか。

けれどもうまく言えないが、直樹と別れ、田代と結ばれてから、自分は違う道を歩き始めているような気がする。

沙美は声に出して言ってみた。

「由利子さん、さぁ行きましょう。気分が悪くなったらいつでも言って。私、何でもするわ」

産休は臨月に入ってからと、ずっと言い続けていた由利子であったが、五月になる前に休暇を宣言した。悪阻《つわり》に苦しむ体は、どうやら梅雨を持ちこたえられそうもないと判断したようなのだ。

「さあ、いよいよ君の出番だよ」

田代がささやく。

「今まではコリーヌの小泉由利子だった。小泉君がうちの顔だった。だけど君はあと二ヶ月のうちに、コリーヌの北村沙美にしなけりゃいけないんだよ」

「そんなことが出来るのかしら」

「僕の言うとおりにすれば出来るさ」

いつものホテルの部屋であった。前の恋人、直樹と違い、田代との情事はいつもホテルで行なわれる。田代は沙美の部屋に行こうなどとは考えもしないようであったし、沙美も誘うつもりはなかった。直樹とのセックスが、恋愛の延長上にあるものだとしたら、田代とのそれはまさしく情事であった。情事という名のいかがわしさ、やましさをたっぷりと含んでいる。

田代には妻子がいて、沙美の上司であった。それよりも何よりも、ふたりは愛し合ってはいない。沙美にはわかっている。恋をする切実さが田代にも自分にもまるでないのだ。もしそれがあったとしたら、抱き合った後、シーツにくるまれてこんな会話をするものだろうか。いつのまにか、仕事についてあれこれ言葉を交わすのがふたりの後戯となっているのである。首すじにキスをされたり、よかったよと、乳首をなぞられる代わりに、沙美は田代からレクチャーを受ける。それで不満を感じたことのない自分を、沙美はときどき奇妙にもいとおしくも思うことがある。

「私って、まるでアメリカ映画に出てくる女みたいだ」

ひとりつぶやく。

「主人公じゃなくて、傍役《わきやく》クラスによくこういう女がいる。バリバリのキャリアウーマンで、仕事のためには男と寝てしまう女だ。いつも映画館の中で、私はそういう女たちに対し、嫌悪とちょっぴりのシンパシーを感じながら見ていたっけ。自分は絶対に、いや多分あんなことは出来ないと思っていた。だけどしてみるとどうっていうこともない」

沙美はスタンドに浮かび上がる、田代の裸の胸を見つめる。顔と同じようにその肌も浅黒い。胸毛とはいえないほどの細い毛が密集していることを沙美は知っている。なぜなら何度もそこに唇を這わせたからだ。

「映画の中の女優もそうだったけれど…」

沙美は姿勢を変え、シーツを胸元までさらに引き上げる。

「嫌いな男の人とセックスしたわけじゃない。そんなことが出来るのは、娼婦か最低の女たちだ。愛情とはいえないかもしれないけれど、好意や尊敬、憧れっていった気持ちは持っているのだもの、それで寝たとしたって何も悪いことはないわ」

よく世間の人たちは、ことが露見したときに、女のことを非難する。仕事のために男とベッドを共にしたというのだ。が、それはあまりにも一方的な見方だとこのごろの沙美は思う。好きになった男が、たまたま権力を持った男だった、などという綺麗ごとを言うつもりはまるでない。が、そうした男女の間にも、ちゃんとした感情は育っているのだ。愛情によく似た甘やかなものが存在しているのである。

だから何も非難されることはない。今までの恋人とは違った感情を育て、それによって自分が多くのものを身につければいいのだ。そしてそうしている間に、本物の恋人となるべき男が現れたら、再び本物の恋愛を始めるのだ…。

「どうかしたの」

沙美の視線がしばらく別のところにあったせいか、田代が問うてくる。彼の歯の間から、さっき飲んだ赤ワインのにおいがする。そういえば、この男からたくさんのワインの知識を授けられたと沙美は思い出す。

「いいえ、何でもない。ただ、私と田代さん、まるで先生と生徒みたいだなあと思って」

「先生なら、こんなに優しくしやしないさ」

田代は苦笑いする。

「いいかい、これから君は各出版社を、歩いて歩いて歩きまくるんだ。アポイントメントなんか取らなくたっていい。近くまで来ましたからちょっと寄りましたと言って、編集部の片隅で世間話をしてくればいい」

「生命保険のおばさんね」

言いかけてハッとした。コリーヌ化粧品に入社してすぐのころ、まったく同じことを由利子から聞いた記憶がある。社内の仲間をもライバル視する化粧品業界の中で、由利子は優しかった。新人の沙美にさまざまなことを教えてくれたものだ。その先輩を、もしかすると自分は蹴落とそうとしているのかもしれない。由利子が半年間休んでいる間に、彼女に代わってコリーヌの顔になるのだと田代は言う。

「君はそこで、気さくで話のわかるPR担当者にならなくてはならない。一流の化粧品会社だったら、大いばりで要求出来ることがうちは出来ない。口惜しいが、コリーヌ化粧品は一流半といったところだろう。一流どこが一ページ載せてもらうところをコリーヌは半ページでもいい、とにかく載っけてもらうんだ」

「わかってるわ。コリーヌ化粧品の紹介記事は、全部切り取られ、大きさを計られる。その多いか少ないかで、私たちPR担当の力が判断されるっていうことでしょう」

「そうだとも。君も知ってるとおり、記事はパリの本社にも送られ、あっちの連中も大きさを計る…」

「日本語も読めない人たちが、本当に面白いわ」

「読めないからこそ、大きなカラーグラビアでどーんと出なければいけないんだ」

田代はさらに続ける。ヨーロッパの女たちのほとんどは、マスカラくらいしかつけない。そこへいくと、日本の女たちの化粧にかける情熱といったらすごい。どんな薄化粧といっても、ファンデーションをきちんと塗り、チークを入れる。アイシャドウの入れ方といったら、これはもう芸術の域に達していると言ってもいい。女性誌は化粧品やメイクの特集をすると必ずあたると言われている。特にこの三、四年、日本の女たちは何かに取り憑《つ》かれたように、化粧品に夢中になり始めたのだ。骨格がしっかりしている欧米の女たちは、生まれたときから美醜がはっきりしている。が、平べったい顔で肌の綺麗な日本の女は、自分の顔をキャンバスに見立て、自由に絵を描くことが出来る。その出来具合、色の加減、線のひき方ひとつで個性という新しい美を手に入れることが可能なのだ。だから日本の女たちはこれほど化粧品に夢中になっていくのである。

「僕たちはこのまっただ中で生きている。それどころか、今のこの日本の空気を動かしていると言ってもいい。それはとっても面白いことだと思わないか」

沙美は大きく頷く。本当にそうだと思った。

「とにかく五ミリでも一センチでも、コリーヌのことを載せてもらう。それで君の価値が決まってしまうんだからね。そうだ、大切なことを忘れていた。うちはまだ『ルージュ』にまるっきり喰い込んでいないね」

「『ルージュ』ですか」

この二月、化粧品業界の大きな話題をさらったのは、何と言っても『ルージュ』の創刊であろう。日本で初めての本格的コスメティックマガジンと銘うった雑誌である。

今までもこうしたものがなかったことはないのであるが、季刊であったり、地味な出版社から出されていたりと、どうも成功とは言い難かった。今回日本での化粧品ブームを見て、アメリカの大手レコード会社と通販の会社とが手を結んだ。創刊にあたって、ビューティ記事で定評がある女性誌『プチーネ』から編集長とデスククラスが三人引き抜かれたのである。

『ルージュ』での編集長の年俸が、三千万円という噂は、すぐさま沙美のところにも伝わってきた。

「創刊号は四十万いったらしい。これは広告代理店経由で調べた、取り継ぎ会社の調査だから間違いはないだろう。四十万っていっても、普通の読者の四十万じゃない。コスメフリークっていう、日本にしかいない人種の四十万なんだ。これがどんなにすごいことか君にだってわかるだろ。今、狙うのは『ルージュ』なんだ。ねえ、うちはどのくらいあそこに喰い込んでいるんだ」

「創刊パーティ後、森山《もりやま》編集長にはご挨拶しました。編集者とは二度ほど食事をしています。編集長ともぜひ、とお願いしているんですけれど、とにかく今は忙しいから待っていてくれっていう一点張りなんです」

「森山は手強《てごわ》いぞ」

　四年前に創刊したものの、部数がまったく伸びなかった『プチーネ』を、すっかりつくり変えたのは森山であった。大半を占めていた読み物やインタビュー記事をなくし、その分ファッションと化粧品のグラビアにした。

「女性雑誌がカタログ化したハシリ」

と悪口を言う者もいるが、とにかく日本でも有数の売れている女性誌に成長させたのだ。特に『プチーネ』の呼び物は、人気美容ライターを何人も擁《よう》していたことで、ここでの座談会の評価で、売り上げが三割増しになるとさえ言われていたぐらいだ。『ルージュ』に移る際、この美容ライターたちも森山に従っていった。

「ごホウビも駄目か」

「忙しいと断わられました」

　ごホウビというのは、コリーヌ化粧品内でよく使われる言葉で、編集者の招待旅行のことである。パリコレクションや、フランスでの新製品発表会に、ビューティ担当の編集者を招待する。往復の飛行機はビジネスクラス、ホテルもリッツ、ブリストル級の一流ホテルという豪華さだ。最近の長びく不況で、どこの出版社も昔のように経費が使えない。海外出張はエコノミークラスが当然のこととなったこのご時世に、この化粧品会社の招待旅行というのは、編集者にとってまさしくご褒美である。森山編集長ぐらいになれば、バブルの時代を経て、それこそ数えきれないほどの招待旅行に行っていることであろう。

コリーヌ化粧品もそこのところを配慮して、飛行機はファーストクラス、ベルギーの新工場視察という名目の小旅行もほのめかした。けれども彼の食欲をそそらないようなのだ。

「『ルージュ』の巻頭カラーグラビアを、うちの製品で飾りたい。大物美容ライターの大絶賛付きのやつだ。そのためにも森山をどんなことをしても、こっち側にとり込まなきゃいけない」

「わかりました。何とかしてみます」

いつのまにか沙美の肌も、体の奥深いところもすっかり乾いていた。ホテルの部屋の空調のせいではない。これがセックスの後の会話だろうかと、沙美は肩をすくめる。

『ルージュ』編集部は、五反田のひどく不便なところにある。通販の会社の一角を間借りしているためだ。味もそっけもない茶色のビルで、裏口からしょっちゅうトラックが出入りするため、一層殺風景な印象を与える。

「こんにちは」

初夏らしく麻のジャケットを羽織った沙美は、編集部の机の間をするりと抜けていく。全員が机に座っている雑誌の編集部などまずあり得ないが、『ルージュ』も半分といったところだろうか。が、今は木曜日の午後四時、一番のんびりとした日と時間帯を、沙美は計算してきたのである。

「あ、いらっしゃい」

坂口美穂《さかぐちみほ》が親し気に笑いかけてきた。『ルージュ』を攻めるにあたって、沙美が狙いを定めたのはこの美穂である。『ルージュ』は、十四人の編集者と何人かのフリーランスの記者とで構成されているが、みな他の雑誌社からスカウトされた強者《つわもの》ばかりだ。化粧品PR担当との駆け引きもすっかり慣れている。

そこへいくと二十四歳の美穂のうぶさは、痛々しく見えるほどだ。彼女は最近まで親会社である通販会社で雑誌をつくっていたのだ。といっても編集の方はプロダクションの方にすべて任せていたから、彼女は連絡係のようなものだったかもしれない。今回新雑誌をつくるにあたり、親会社からの人数合わせとして彼女も編集部に配属されたのだ。

「美穂ちゃん、元気そうね」

彼女のデスクの傍に、沙美はすばやく身を滑らせた。なれなれしく呼びかけるのがこの娘には効果的だ。

「それに肌がすっごく綺麗。ねえ、このあいだのうちの新製品どうだった。足りないようだったらいつでも言ってちょうだい」

コリーヌ化粧品は先月、ヒーリング効果のある美容液を発売したばかりだ。「アン《森》ジェ《の》・ドゥ《天》・フォ《使》レ」と名づけられたこの製品は、今期の市場調査でも目立つ動きを見せている。これに口コミと派手な記事が加われば、おそらく大ヒットするのは間違いないだろうというのが沙美の読みだ。そのためにも『ルージュ』で見開きカラーページの分量は、どうしても欲しいところだ。

他の雑誌だったら、こうした主力商品はこちらで費用を出しタイアップ広告をつくることも出来る。が、『ルージュ』は、タイアップ広告をいっさいしない方針で、すべての評価は編集者によるものということになる。中でも森山編集長の判断が、巻頭グラビアを決めるというのがもっぱらの噂だ。彼に当然のことながら女装趣味はない。まわりの美容ライターや編集者たちの意見を聞きながら記事を構成していくということであるが、その勘は確かであった。

『ルージュ』は創刊四号目で、じわじわと部数を伸ばしているのである。

「ねえ、美穂ちゃん、ちょっとお茶を飲まない」

「いいですよ」

美穂は嬉《うれ》しそうに立ち上がる。どう見ても『ルージュ』編集部の味噌っカスである彼女は、沙美の好意を素直に受け止めるたったひとりの人物だ。髪も着ているものも野暮ったい彼女は、どう見てもコスメ雑誌の編集者には見えない。が、おそらく後二ヶ月もたてば、みるみるうちに磨かれていくことだろう。華やかな環境に影響されていくし、何よりも各社のPR担当者たちが、彼女にふんだんに化粧品を与えていくはずだ。ふつう雑誌のビューティ担当の編集者は、毎月ダンボール二個分の化粧品を貰うという。数が多過ぎて一万五千円する美容液を、足の裏に塗る者もいるほどだ。今でこそ美穂は、心細げに沙美になついてくるが、そのうちに弱い立場のPR担当者に皮肉のひとつも言える編集者になることだろう。

強い女が弱い女をいたぶる、というのがこの世界の図式なのである。

美穂はおとなしのプラダのバッグを持ち、沙美の後に従《つ》いてきた。といっても、このあたりにしゃれたカフェなどあるはずもなく、ふたりは道路の向こう側のファミリーレストランへ入った。沙美はいつ淹《い》れたかわからぬような、不味《まず》いコーヒーを飲むのはまっぴらだったので紅茶を頼んだ。美穂はコーラフロートと言った。今どきこんなものを飲む若い女は珍しい。おそらく後数年もしないうちに、ぶくぶく太ってくるだろう。そういえば、美穂は食べっぷりもとてもよい。以前に誘ったイタリアンレストランでのことを沙美は思い出した。

「あのときはとっても楽しかったわ。またお食事に行きましょうね」

沙美は言う。PR担当者たちにとって、〝お食事会〟というのは大切な行事である。雑誌や編集者のランクに合わせて、店に誘い出す。親睦《しんぼく》を図るためと情報収集が目的である。美穂の場合も、他の若手編集とふたり、店に誘い出す。表参道にオープンしたばかりの話題の店に招待した。それにもかかわらず、おととい発売の『ルージュ』のグラビアは、ボーテ・ドゥ・フラネルがメインである。またしても瀬沼弥生にやられたと沙美は思った。

弥生が引き抜かれたことによって、沙美がコリーヌ化粧品に就職したのだから、ふたりのそれぞれの在社日数はほぼ同じだ。それなのに弥生は、

「フラネルの瀬沼さん」

という呼び名が定着している。沙美の方は、

「コリーヌの小泉さんのところの北村さん」

という感覚であろう。弥生のことを恋のライバルと思ったことはほとんどないと言っていい。田代にも詳しく聞き糺《ただ》したこともなかった。ただ弥生にだけは負けたくな

いという気持ちは、日いち日と強くなっていく。

弥生もおそらく、田代にさまざまなことを教わったに違いない。セックスが終わったベッドの上でだ。沙美が一週間前に受けた授業と同じことを、弥生も経験したはずである。それならば自分が一番優秀な生徒でありたいと沙美は思う。もう弥生は転校したのであるから、その栄誉は沙美が当然貰うべきなのである。

「ねえ、今月のおたくの記事すごかったわ。『ボーテ・ドゥ・フラネル、奇跡という名のコスメ』なんて、タイアップでもちょっとやらない企画よ。どうしてあんないい記事を書いてもらえるのかしら」

「もうあのくらいになると、編集長の判断なんですよ。あの人が、今月これでいこーっていうことになると、そういうことになるんです」

「でもね、ヘンな話よね、森山さんは男で乳液ひとつつけないわけでしょう。それなのにどうしてコスメの記事をつくれるのかしら。どうやったら、こっちのものはいい、こっちのものはよくない、なんて決められるのかしらね」

最後はやや非難がましい口調になったが、それも美穂から情報を得る誘導尋問である。案の定、彼女は無邪気に喋り出した。

「いつも、ライターの人たちから意見を聞いたりしていますけどもね。会社のテーブルの上にいろいろ並べてやってますよ。それからこれ、本当かどうかわかりませんけど、編集長って休みの日はうちにいて、いろいろ試してみるそうです。基礎化粧品をつけることもあるし、メイクをすることもあるそうだけれど」

「ええー、森山さんが」

ふたり同時に噴き出した。やり手という評判が高いが、森山は丸顔で小太りの男だ、額がかなり後退しかかっているという、典型的な中年男だ。その彼が鏡に向かって口紅をひいている光景を想像すると、沙美はうすら寒くなりアハハと声をたてて笑った。

「でもこのごろ、ボーテ・ドゥ・フラネルと仲がいいわよね。担当者が熱心なのね」

「瀬沼さんのことですか」

美穂は屈託なくその名前を発音した。

「編集長のデスクへ行って、ふたりでこしょこしょ話していることが多いですね。あのグラビア企画もそこから出たんじゃないかなあ」

自分がこんな若い女とお茶を飲んでいる間に、弥生は編集長クラスを既に操っているのかと、沙美は気が気ではない。

「ねえ、美穂ちゃん、うちの美容液、フラネルのものと比べても、絶対劣ってないはずよ。美穂ちゃんは使ってみてわかったでしょう。朝起きると肌がぴぃんと張っている感じわかるでしょう。愛用者カードを一度見てもらいたいんだけど、すごく評判がいいの。私ね、この五年間のベストコスメだと思ってる。それなのに、どうしておたくの編集長はわかってくれないんだろ」

「本当にそうですよねぇー、私も会議のときにそう言っているんですけどもねぇ」

美穂のような立場の人間に同情されるのは、内心そう嬉しくはなかった。

「今、森山さんってそんなに忙しいのかしら。うちでお食事にご招待したくても、まるっきり時間をつくってくれないのよ」

「そうでもないですよ」

またしても美穂は無造作に言葉を放つ。

「結構いろんなとことお食事会をしていますよ。中でも一番お気に入りの場所はですね、麻布《か》の――でしょうか」

舌を嚙みそうな名前のレストランであった。

「あら、森山さんは和食ばっかりだと思っていたけれど」

「私もよく知らないけれど、森山さんは昔から痛風《つうふう》の気があったんですって。お医者さまから止められて、ワインを長年控えていたけれど、もう我慢出来ない、どうせいつかは死ぬからにはもっと飲む、もっと食うを実践してやるとか言ってこのところずっと——なんですよ。ここはいいワインをカーヴいっぱい持っているって、編集長は大のお気に入りなんです」

「ねえ、森山編集長ってワインがお好きなのね」

「好きどころじゃありませんよ、ワインのためには命を縮めてもいいとさえ思ってるんですよ」

「ちょっと失礼」

沙美は店を出て、携帯電話のボタンを押した。間髪を入れず、という感じで田代の声が聞こえた。おかげでそう逡巡《しゅんじゅん》することもなかった。

「もしもし」

「ねえ、田代さん、私です」

「ああ、お久しぶりですね」

いささか硬くなっている口調で、沙美はまわりに誰かいるのだろうと見当をつける。

「今、ちょっとよろしいですか」

「もちろんだよ」

「あの、人にご馳走したいんですけれど、おいしいワインを教えてください」

「そんなこと急に言われても…。予算とか好みはどうなっているの」

「詳しいことは後で話しますけれど、今日本で手に入る中で最高のワインを…」

「だったら八二年のシャトー・ペトリュスが最高だよ」

携帯電話の向こうはとたんに饒舌《じょうぜつ》になった。

「ロマネ・コンティとかシャトー・マルゴーは、有名になりすぎてすっかりおかしくなってしまった。あんなものを買ってもおしゃれじゃないよ」

「わかりました、八二年のシャトー・ペトリュスですね」

「そう簡単に言うけどね、東京の酒屋でこれを置いているところ探すの大変だよ」

「それでも探しますよ」

沙美はその夜手紙を書いた。

「一度森山さんと一緒にお食事したいと思っております。八二年のシャトー・ペトリュスが手に入りましたので、その栓を抜く小さな集まりにいかがですか」

最後に自分のサインをした。

ワインはこれから探すつもりだ。どうにかなるだろう。

第六章　切った張ったの女

沙美は小さな秘密を持っている。それは秘密とは言えないほど小さなものであるが、出来たら人に知られない方がいい。

基礎化粧品からメイクアップ製品まで、沙美はすべて自社のものを使っているが、コンシーラだけは違う会社のものだ。学生時代から、沙美は目の下にくすみが出やすい。そのために薄くコンシーラを塗るようにしているのだが、メーカーが決まっていた。コリーヌからも似たようなものが発売されているが、この会社のものにはかなわない。

口紅やケーキファンデーションといった目立つものならば、やはりコリーヌ化粧品のものにすべきだろう。けれどもコンシーラは、自分の化粧ポーチの中にこっそりとしまわれているものである。だから沙美はずっとこの製品を使っていて、買うところもたいていは銀座のデパートだ。沙美がよく洋服を買うセレクトショップの近くにあるから、ついでに寄ることが多い。コンシーラは使いでがあるから、年に一本買うかどうかだ。最後にこのデパートに来たのは、昨年の秋ぐらいだったかもしれなかった。

そして一年足らずの間の変化に沙美はそれこそ驚いた。沙美がコンシーラを買う化粧品メーカーの売り場は一階から撤退していたのである。化粧品各社の売り場がひしめく華やかな階からひとつ上がって、二階のエレベーター前にもうひとつの国産メーカーとカウンターを並べている。

なんてみじめなんだろうと沙美は思った。このブランドは、アメリカ式のシンプルな化粧品としてひところは大層人気があった。簡素な容器に、本当に肌に必要なライン、というコンセプトは八〇年代を風靡《ふうび》したものである。この化粧品は知的でものごとのよしあしが本当にわかっている女性が使うものだとされ、まずスチュワーデスたちが人気に火をつけた。ある時期など雑誌やテレビで、現代風の女性の寝室のシーンとなると、必ずといっていいぐらいこのメーカーの化粧品のボトルが鏡の前に並んでいたものだ。

ところが八〇年代の豊かさの中で、あれほどもてはやされていたシンプルという思想は、衰退する九〇年代においてはどういうわけか受け容《い》れられなくなっている。このメーカーの売り上げの激減ぶりは、業界でも話題になっているほどだ。そうして著しく売り上げを落とした化粧品会社は、こうして最良の土地を追われ、ハンドバッグやストッキング売り場にぽつんと置かれてしまうらしい。これほどわかりやすい地位の墜落というものはなかった。

「私は絶対にこんなことはさせない」

沙美は下唇を噛《か》む。自分の会社をこのような屈辱的なめに遭わせるものかと心に誓った。

沙美は売り場に近づきコンシーラを注文する。ワンピースの制服を着た販売員がとても感じよく問うた。

「あのお名前いただいていますでしょうか」

顧客リストに記しているかどうか質問しているのだ。

「めったにこちらには来ないから結構よ」

若い店員はちょっと不服そうな顔をして会計へ向かったが、帰ってきてからサンプルをふたつくれた。

「また何かあったら、おっしゃってくださいね」

売り上げは落ちたというものの、とても社員教育がいき届いている。沙美はときどきコリーヌ化粧品の売り場へ行って買い物をするが、中には大層接客態度の悪い販売員がいる。こんなとき、PR担当者の権限を超えていると思うものの、沙美は営業にレポートを書くことがある。

「私たちが必死でやっていることが、末端の売り場において無にされてしまうのです」

データによると、コリーヌ化粧品は売り上げ先月比十二パーセント増になっている。これは例の美容液によるところが大きい。雑誌で幾つも取り上げられた上に、口コミが効いているらしいのだ。

ここからもっと飛躍させたい、コスメティック専門雑誌『ルージュ』で大々的に取り上げられたら、ブームというところまでいくかもしれない。そのためにも、今夜の森山編集長の接待はどうしても成功させたいのだ…。

「ねえ、この口紅ちょっと試させてもらってもいいかしら」

お釣りを受け取った後、沙美はガラスケースの上のディスプレイを指さした。

「どうぞ、どうぞ、お試しください」

たいていの女は、ものも言わずケースの上のディスプレイ化粧品をいじり始めるが、それはとても失礼なことだと沙美は思う。何か万引きでもするように、店員が目を離した隙《すき》に女たちは口紅やアイシャドウの見本に手を伸ばす。何かお探しでしょうか、という販売員の言葉も無視する。沙美もこの業界に入り、それがとても感じの悪いことだということがよくわかった。

「ちょっと試させてもらっていいかしら」

と声をかければ済むことなのだ。今の販売員たちは、昔と違ってしつこく売りつけようとしない。だから心ゆくまでディスプレイ見本を試せばよいのだ。

沙美は深みのあるブラウンの口紅を取り出し眺めた。もう初夏になろうとしているのに、こうしたブラウンを商品の最前線に送り出してくるのはいささか遅れているような気がした。今年の口紅は、もっと個性的な色が流行である。二月にボーテ・ドゥ・フラネルが新色を出したときの驚きといったらなかった。

「妖精《フェアリー》たち」と名づけられた口紅は、鮮やかなグリーン、黄色をしていたからだ。ボーテ・ドゥ・フラネルともあろうものが、日本のマーケティング調査をしなかったのだろうか、こんな口紅が日本人に合うわけがないと、さんざん陰口を叩かれたものであるが、今やフラネルの名物PR担当と言われる瀬沼弥生が、この難局をうまく乗り切った。タイアップ広告をつくり、女装で有名なロックバンドにこの口紅をほどこしたのである。おかげで東京の一部の高校生の間で、唇の色を果実のようにすることが流行《はや》り出した。爆発的とは言えないまでも、このシリーズはぼちぼちと売れているという。

沙美は小指で口紅をとり、それを唇にのせた。濃いベージュだと思っていたのに、こうして塗ってみるとローズピンクのような色に変わった。肌のくすみが消え、顔全体がぱっと明るくなったようだ。決して悪い口紅ではない。質もいいし、誰にでも似合う綺麗《きれい》な色を揃えている。が、それだけでは化粧品は売れない。複雑にさまざまな要素がからみ合い、それがぴったりとはまったときにヒット商品というのは生まれてくるのだ。化粧品というのは不思議なもので、女たちはシビアな目で選んでいると思いきや、そこに曖昧《あいまい》でぼんやりとした理由も横たわっている。ボトルが可愛い。何となく母が使っていたから——などという意見が幾つもあるはずだ。

人の心というこの世で一番あやふやなものに左右され、〝何となく〟という言葉に脅《おびや》かされたくないと沙美は思う。いずれにしても、わずか一年足らずでこの化粧品会社の売り場はさびれた場所に追いやられてしまったのである。人気というものの不可解さ、恐ろしさに、沙美は肩をすくませる。けれども逃げる気はまるでなかった。

「自分ならばきっとうまくやってみせる」

働く女の誇りを賭けて、自分はきっとコリーヌ化粧品をこんな風なめに遭わすまいと思う。

そのためにも、今日の夕食会はうまくやらなければならなかった。日本で初めての本格的コスメティック専門誌と銘うった『ルージュ』の編集長を、広尾のフランス料理店に招待している。ここのオーナーシェフと田代とは親友と言ってもよい間柄なのだそうだ。田代がパリに留学していた昔、彼もまた料理店に留学していた。派手にマスコミに出ることがないオーナーシェフであるが、オーソドックスなフランス料理をつくらせたら日本一だと田代は断言した。

それにと、田代はやや声を潜めるようにして言ったものだ。あそこのワインカーヴのすごさといったら…二十年以上貯め込んでいるのだから、昨日今日の成り上がりレストランとわけが違う。何しろ奴ときたら、今から十年近く前、田舎の父親が死んで遺産が入ったとたん、それとばかりに金を持ってパリに飛び、ワインの買い付けに走ったんだからね。

沙美が東京中のめぼしい酒屋に電話をしたが、ついに手に入れることの出来なかった八二年のシャトー・ペトリュスはそこにあった。最後の最後に田代に泣きついたところ、彼がオーナーシェフに電話をかけてくれたのである。しぶしぶとであったらしいが、彼はペトリュスを出すことを承諾した。それもほぼ仕入れ値段でよいと言ったのだ。

「この年のペトリュスは、ワインバーで一本開けたとして三十五万円ぐらいだろう。彼が好意で頒《わ》けてくれたとしても、二十数万は覚悟しておくように」

と田代は言ったが、彼は管轄が違うために今日の食事会には参加しない。コリーヌ側からは沙美、そして部長の田辺が出席することとなった。田辺はペトリュスの件では目をむいたが、日ごろ接待に応じない森山編集長が、いそいそとやって来るということでやっと承認してくれた。それに以前は商社マンで海外勤務の長かった彼は、やはりワインには目がないのだ。

『ルージュ』編集部側からは、森山編集長ともうひとりということであったが、おそらく副編集長クラスになることであろう。いずれにしても普段の編集者たちとする〝お食事会〟よりは、はるかに金のかかった緊張するものであることには間違いがない。沙美はもう一度、鏡の中の自分の顔を確かめる。コスメティック専門の雑誌の編集長と会うからには、やはりメイクに手落ちがあってはならなかった。

約束の時間十分前に店に到着したのであるが、ウェイティングルームに既に森山はいた。紺色のスーツに地味めのタイという、まるで銀行マンのようないでたちは、とてもやり手の編集者には見えない。けれどもよく見るとタイはエルメスであったし、ぴかぴかに磨かれた靴はイタリアものであろうことはひと目でわかった。革の艶《つや》が国産のものとまるで違う。森山編集長が『ルージュ』創刊にあたって、大手の出版社から年俸三千万円という契約で引き抜かれたという噂《うわさ》を、沙美はちらっと思い出した。

「ご紹介しましょう」

森山の傍《そば》に背の高い男が立っていた。薄いベージュのジャケットというのは、日本の男にはなかなか着こなせないものであるが、肩幅のがっちりとある彼にはよく似合っている。

「装丁家の竹崎純一郎《たけさきじゅんいちろう》さんですよ」

どこかで聞いたことのある名前であるが、沙美の中で憤然とした気持ちがわき起こってくる。今日のフレンチレストランは超高級、というわけではないが、それでもひとり軽く二万円はする。それに今日はペトリュスと、もう二本ぐらい別のワインの料金が加算されるのだ。コリーヌ側にしたら、非常に気張った〝お食事会〟なのである。それなのに編集部以外の人間を連れてくるというのは、あきらかに森山編集長のルール違反というものだ。

沙美は出来るだけにこやかに応対したつもりであるが、もしかするとその気配を察したのかもしれない。森山が急に下手《したて》に出てとりなすように言った。

「竹崎さんはね、ものすごいワイン通なんですよ。僕たちは編集者とか、洋酒メーカーの広報部の人たちと、月に一度ワインの集いをしてるんですけれどもね、竹崎さんにかなう人は誰もいない。ブラインドテストをしても、彼のひとり勝ちなんですよ。今日ペトリュスを飲ませてくれるっていうんで、まわりを見渡してみたけど、それに値するようなのはいやしない。うちの編集部はウィスキーや焼酎しか飲まないような連中です。あんな奴らに飲ませるぐらいだったら、竹崎さんをお誘いした方がずっといいと思って…」

そこに席が出来たとウェイターが告げにきて皆は歩き始めた。田代が電話しておいてくれたと見え、奥まった窓際のよい席である。一番奥の上座に森山編集長が座り、その前に田辺部長ということになり、森山の隣りに座った竹崎と沙美は向かい合うような形となった。

シェフにコースを任せたところ、前菜にキャビアを使った軽やかなサラダが出た。竹崎がワインリストを見て、メインのペトリュスの前にもう一本ワインを選んだ。

「モンラッシェにしようかと思いましたが、面白いスペインワインがあったんで頼んでみました。ウニコを置いてある店はなかなかありません。これはちょっとやみつきになる味ですよ」

「ウニコなんて面白い名前ですね」

沙美は言った。

「クチコとかスジコみたいな、日本の珍味みたい」

「なるほどね、そう言われればそうですね」

竹崎は微笑《ほほえ》んだ。いったい幾つになるのだろうか。四十代半ばの森山編集長よりもずっと若いのは確かだが、落ち着いたものごしのためにうまく年齢をあてられない。

沙美は少々苛立《いらだ》った気分になってきた。そこでこんな質問をしてみる。

「竹崎さんって、昔からワインがお好きだったんですか」

「この人はさ、十五のときから飲んでるんだから、もう二十年以上前になるんじゃないのかなあ」

森山が質問をひきとって答える。ということは三十五歳ということになる。自分より年が上だということに、沙美はなぜか安堵《あんど》していた。

「彼の実家はさ、水天宮の近くの、江戸時代から続く酒屋なんですよ」

「へえー、そりゃいい」

大げさに頷《うなず》いてみせたのは、呑《の》んべえの田辺部長だ。

「それならば子どものときから好きに飲めたでしょう」

「うちの祖父というのはハイカラ好きで、日本で何番目かにワインの輸入を始めたんですよ。けれども当時はまるっきり儲《もう》かりませんでした。うちが傾いたのは祖父の道楽のせいだなんて言われています」

みながいっせいに遠慮がちなしのび笑いをしたが、それで座が急になごんだ。

「どうしてこんなうまい酒をみんな飲まないんだろうって、中学生の僕にワインを飲ましてました。今思うと、かなりのものがありましたけど、あのころはビールの方がずっとよかったですよね。ワインなんて渋いだけでしたよ」

「中学生のくせに生意気な意見だな」

森山が口をはさみ、みな再び笑った。栓を抜かれたウニコはすぐ飲み干され、もう一本飲もうということになったが、それを拒否したのは竹崎であった。

「もうこんなところでやめておきましょう。ペトリュスがもうそこに来ているんですから」

メインの料理が始まる少し前にそれは運ばれてきた。野暮ったいラベルの、どうということのないボルドーワインだと沙美は思ったが、三人の男たちはどよめきを上げる。

「竹崎君」

森山はいつのまにか彼のことを〝君〟付けしている。

「四年ぶりのご対面だよな」

「そうですね、あのころは僕らも金を出し合って何とか飲めましたけど、今はもう無理だと思ってました」

「そんなに高くなっているんですか」

恩着せがましく聞こえないようにして沙美は尋ねた。

「この二、三年ワインの値上がりは凄まじいものですよ。アジアの国々が力をつけてきたとき彼らがワインを飲み始めました。高級ワインが香港や台湾にどどーっと流れましたからね」

「ふうーん」

沙美は自分の顔が入りそうなほど大きなグラスに、鼻を近づけてみた。ぷうーんとワイン独特の芳香がきた。男たちは八二年のペトリュスについて、それぞれ感想を口にし始めたが、竹崎は不思議なほどうんちくめいたことを言わない。沙美は今までワイン好きの男と同席したことがあるが、その知識の披露ぶりにいささかうんざりすることがあった。頭の中に貯めてあるものをいっきに吐き出してしまわなければ苦しい、といった風に早口で喋《しゃべ》り始める。田代もそうであった。

けれども竹崎は、

「やっぱりいいですね」

と言葉少なに頷くだけであった。

「八二年という年はやっぱり違いますよ」

かすかに首を前に傾け、ワインの香りを確かめているが、それが少しも嫌味ではなかった。男にしては長く綺麗な指が、ワイングラスの華奢《きゃしゃ》な長く細い柄を支えている。

そのとき、ふとひらめいたものがあった。

「ねえ、森山さん、聞いてください」

沙美は小さく叫び、この提案は頭の中でこねくりまわして言葉にするよりも、たった今思いついた言葉として相手にぶつけた方がずっと有効だと判断した。

「このあいだの『ルージュ』では、宝石とメイクという特集をグラビアでなさってましたよね」

「ええ」

「それならば、ワインとメイクの特集が出来ないわけがないでしょう。今、若い女性の間でワインが大ブームですよね。竹崎さんに何本かのワインを選んでもらい、その解説を書いてもらう。うちの方でそのワインをイメージしたメイクを何点かご用意します。メイクとワイン、女の人の大好物をふたつ合わせれば、きっと面白いものが出来ると思うんですけれども」

森山はふうんとごくつまらなそうに頷いたが、その目が光ったのを沙美は見逃さなかった。今のところ部数を伸ばしている『ルージュ』であるが、コスメティック専門誌だけに企画がいつも同じようになってしまう。そのために幾つかの連載読物を計画しているというのが、森山の部下から得た情報であった。

「ワインとメイクねえ……」

森山は首を何度かかしげ、そして竹崎の方に顔を向けた。

「うちはちょっと検討してもいいけれど、竹崎君がどうかなあ。君、今まで頼まれてもワインのエッセイひとつ書かない人だからなあ」

「死んだじいちゃんに言われました。男が自分の女と自分の飲む酒について喋るのは一番みっともないって」

「そんなの、もったいないわ」

沙美は思わず大声を上げ、隣りのテーブルの若いカップルなどこちらを見たほどだ。

「今、ワインのことをあちこちでいろんな人が書いてますけどもね、みんなおじさんのソムリエとか評論家じゃないですか。竹崎さんみたいな若くてハンサムな方は、もっとどしどしお書きになるべきだわ。特に若い女性向けの雑誌には、竹崎さんみたいな人がぴったりだと思いますけどもね」

しばらく沈黙があり、ややあってから竹崎が口を開いた。

「北村さんって、随分ものをはっきり言う女の人なんですね」

「こういう仕事をしていますとね……」

田辺部長が口をはさんだ。

「当然、口八丁、手八丁になってきます。そうでなければ化粧品会社のPR担当なんていう仕事は出来ませんよ」

「ねえ、竹崎さん、お願いしますよ、森山編集長もお願いします。何でしたら私、明日にでも企画書を書いてお送りします」

「いや、それは編集者の仕事ですから」

森山はいささかたしなめるような口調になった。けれども目は相変わらず強い光をたたえている。こういう目を沙美は何度か見ている。編集者と言われる人たちが、強い興味や関心を持ったときに現れる光だ。

「北村さんのプランは、なかなか面白いと思いますよ。来月号から秋のメイク特集を始めなくてはならないところでしたから、ワインとの組み合わせはとても面白いと思います。ですけどもね、その企画、各社競作でやらせてくれませんか。有力なところ五社に秋のメイクをやってもらう。うちは雑誌をつくっているところだから、コリーヌだけというよりも、たくさんのところにやってもらいたい。その方がずっと面白くなるのはわかってますからね」

「競作ですか……」

有力五社というと、あそこのメーカーともう見当がつく。フラネルも当然入ってくることであろう。

「それは構いません」

沙美ははっきりと言った。

「その代わり、この企画を思いついたのはうちです。コリーヌを巻頭に持ってきてください。それと見開き二ページで三ページはくださいね」

「まあ、ペトリュスを飲ましてもらったから仕方ないかな」

森山が苦笑いしている。

「いいえ、これはペトリュス料じゃありませんの。私の企画料っていうことでよろしくお願いします」

「驚いたなあ……」

やや目を移すと、目を大きく見張った竹崎の顔があった。しんから彼は仰天しているらしい。

「こんなにはっきりとものを言う女の人って、僕は初めて見ましたよ」

「だって竹崎さん、本の装丁をしていたら、女性の編集者とも会うでしょう」

「僕は詩集や歌集、純文学系の本が多いですから、切った張ったの女の人ってあまり見たことはありませんよ」

「それは失礼いたしました」

沙美はほんのわずかではあるが後悔し始めている。今日は森山編集長と友好を育てるための単純な〝お食事会〟だったはずで、普通こういうときに、露骨な仕事の話はしない。それなのについ浮かんだアイデアで、どんどん仕事をすすめていってしまったのだ。

竹崎はさぞかし呆《あき》れていることだろう。初めて会う男にさえ、自分は奇異に映るのだと思うと沙美は淋しくなる。このあいだまで自分はそうでなかった。確かに広告代理店のAEという、ちょっと変わった職についていたものの、ちゃんとした恋人がいて結婚の予定もあった。週末はふたりでレストランで食事をしたものだ。こんな風に見知らぬ男と食事をし、「変わっている女だね」と言われるような夜は過ごしてはいなかった…。

沙美は自分の感傷をふりはらうように言った。

「うちのメイクのイメージは、シャトー・ペトリュスにしましょう。ワインの女王ということですものね、巻頭ページにはぴったりですよね」

バブルのころにつくられた撮影スタジオは吹き抜けになっており、二階はメイクアップルームとシャワー室がもうけられていた。今そこでモデルに化粧が施されている最中である。

リサというアイルランド人のモデルは、ギャラのランクでいうとB級の上というところであろうか。一流のファッション雑誌と違い、コスメティック専門誌『ルージュ』は、モデルはいささか安手を使うという評判があった。が、その代わり巻頭グラビアに登場するヘアメイクアーティストたちは、日本で一流とされる連中ばかりだ。

リサの頰に仕上げの粉をはたいている桑田《くわた》康彦《やすひこ》は、中でも売れっ子のひとりである。街のサロンのいち美容師から出発して、ロンドンで修業して帰国したというあたりはよくある話であるが、彼の成功の鍵は有名なカメラマンと愛人関係になったことである。普通この業界で、ヘアメイクアーティストの男性はかなりの確率でホモセクシュアルといってもいい。それとは反対にカメラマンというのはたいていい女好きだったから、利害の一致するホモカップルというのはなかなか誕生しないのであるが、桑田の場合どういうわけか幸運にもそれが起こった。

このカメラマンはかなり長いこと、自分が撮っている女性誌の表紙に桑田を使い、それは彼がニューヨークで客死するまで続いた。カメラマンの死はエイズと噂され、ちょっとした週刊誌ネタにもなったものだ。このとき桑田も感染しているのではないかという中傷がとんだが、彼は既にこうしたものにびくともしないほどの大物になっていたのである。今回の撮影に関しても、コリーヌ化粧品内部の美容部員を使うという案もあったのであるが、沙美はあえて外部の一流アーティストを要請した。コリーヌ化粧品にとって初めての大きな記事である。おまけに五社競作という奇妙なことになり、どんなことがあっても失敗は許されなかった。

桑田は仕上げのブラシの手を止めた。

「どうかな…」

自信あり気に沙美の方を見る。最高級のワインをイメージした秋のメイクということになっているが、あえてパープルは使わない。アイシャドウもチークもオレンジ色を基調に艶っぽく仕上げる。これは今秋のコリーヌ化粧品の提案ということで、さまざまなパンフレットや印刷物で展開されている。桑田はこれに独自のアイラインを提案している。黒とオレンジを混ぜた水溶きでややオリエンタルに仕上げるのだ。このラインのひき方はグラビア写真になった場合とても映えそうである。

「うちは巻頭を飾るんだもの、やっぱりこのくらいインパクトがなければね」

「そりゃそうだよ、チークは後でポラを見ながら調節してみるから」

桑田はアシスタントを促して、リサの後頭部についていたカーラーをはずさせた。ラインがいまひとつ気に入らないといって、ほぼ仕上がった髪にふたつほどホットカーラーを巻いたのである。前髪もさんざん直した揚句《あげく》、リサの了解を得て何ミリかカットした。彼のこういうねちっこさが今の成功を招いたのである。もっともいいかげんで大雑把な性格のヘアメイクアーティストなどいやしない。万が一いたとしても、こういう場所には出てこられないはずである。たまに立ち会う沙美が苛立ってくるほど、彼らは0・1ミリのライン、ほんのわずかな色調の差といったものにこだわる。世の中にコスメフリークという女たちがいて、化粧に努力と手間を惜しまないが、とても彼らにはかなわないだろう。普通の女たちが化粧に力を注いだ褒賞《ほうしょう》というのは、自分の美しさ、というただひとつのものであるがプロは違う。その才能と努力に対して、名声と金といったものが支払われるのだ。一流アーティストになると、CMのギヤラに数百万というとんでもない額が支払われる。海外ロケにはファーストクラス、五ツ星ホテルといったものを当然のことのように要求してくる。そこいらのカメラマンやディレクターよりもはるかに力を持つヘアメイクアーティストがいることも事実なのだ。が、おそらく世の中の多くの人々、特に男性はこんなことは知りはすまい。

「たかが女の化粧」と思っているに違いない。

けれども沙美はこの業界に入って多くのことを知った。「たかが女の化粧」が数百億のビジネスであり、膨大な数の人々がかかわっている。金だけでなくアートの要素も加わる複雑で巨大な産業なのである。だからこそ自分はこれほどのめり込んでいくのだと沙美は思う。特に今度はどんなことがあっても負けられない。予想していたことであったが、競作の五社の中にはボーテ・ドゥ・フラネルが入っている。〝やり手〟という評価が定着した瀬沼弥生が、この企画にどう乗ってくるのか気にかかるところだ。

「そろそろよろしいでしょうか…」

『ルージュ』の若い編集者が顔をのぞかせた。階下では既にカメラのセッティングが終わっているらしい。

「あと十分待ってください」

桑田はドライヤーを使い、髪を手早くブロウし始める。彼はホモセクシュアルだということをまったく隠し立てしないが、決しておネエ言葉は使わない。語尾に独特のやわらかさがかすかにあるというものの、断定的な男っぽいもの言いをする。

「本当にヨシダちゃんはせっかちなんだから」

編集者にも聞こえない小さな声でつぶやいた。ヨシダちゃんというのは、今日のカメラマンのことである。三十はじめの中堅どころで、こんな言葉の使いようにもふたりの力関係が現れている。

やがてヘアも完璧に終えたリサを先頭に、皆ぞろぞろとらせん階段を降りていく。パシャパシャッとシャッターを切る音がする。カメラマンの吉田《よしだ》が、自分のアシスタントをモデル代わりにして試しに撮っている最中である。

今日はメイクの特集ということで、モデルの顔は極めてアップの位置で撮らなければならない。白い布を敷いたデスクが用意され、モデルはその前に座る格好になる。リサの椅子の高さが整えられる間も、彼女の髪は再び桑田によって神経質に直されていく。

「それじゃ、よろしくー」

吉田の声を合図に、桑田やカメラアシスタントたちはいったん退《ひ》き下がる。そしてポラロイド写真が何枚か撮られた。

「ポラ待ちでーす」

その場の緊張をやわらげようと、吉田がひょうきんな声を出す。ポラ待ちというのは、ポラロイド写真の映像が浮かび上がってくるまで、しばし待機してくださいという意味である。皆の見守る中、吉田のアシスタントの若い男の子が気の毒になるぐらい焦《あせ》って、両手ではさんでポラロイドのフィルムを温めている。たとえ一秒でも、画が浮かび上がってくるのを早くしようと必死なのである。

こうして出来上がった写真は、立ち会いの人々の中、まっ先に編集者に渡される。これがCMの場合は当然のことながらスポンサーの人間である。驚くほどこういう順位ははっきりと決められていた。編集者はポラを眺めながら、ふんふんと頷いた。次にそれを見るのは沙美であるべきなのに、先に桑田が手を出した。

「綺麗だね」

洋服ではなく、メイクが主役のグラビア写真において、その言葉はあきらかに自画自賛というものであった。そしてやっと沙美の手にポラロイド写真が渡される。少しライトをとばし過ぎているような気がしたが、それは編集者とカメラマンの管轄というものであろう。そんなことより気になったのはリップの塗り方である。

今日のメイクは当然のことながら、すべてコリーヌ化粧品を使用しているのであるが、隠し味といおうかちょっとした仕上げにアーティストたちは私物を使うことがある。これは商品解説にも明記されない公然の秘密という類《たぐい》のものだ。沙美はコリーヌ化粧品秋の新色63番の上に、桑田がケースから取り出したグロスをのせたのを見た。それは構わないとしても、このグロスがかなり厚い。ライトを浴びると不自然にぬらぬらと光っているようだ。

「桑田さん」

沙美はポラを指さした。

「このリップ、すっごく気になるんだけど、どうかしら…」

かなり気を遣って言ったつもりであるが、桑田はたちまち機嫌を悪くした。

「どうかしらって…どうかなってるかな」

「グロスがきつ過ぎるわ。今年のうちの口紅はマットが特徴なの。こういう風にぬらぬらしていたらうちのコンセプトと違ってくるのよ」

「そんな、コリーヌさんのコンセプトどおりやっていたら今年らしさが出やしない。それにさ、これはポラだよ、僕もプロだからね、8《エイト》バイ10《テン》で撮っているときのことをちゃんと計算してるよ」

8《エイト》バイ10《テン》は大きなレンズを使い、どっしりとした質感を撮る。

「そんなことはわかってるわ。でもね、もうちょっとグロスを薄くしてくれないかしら」

「北村さん、ヤダなあ…」

桑田はむっと唇を曲げたが、こうするとホモセクシュアルの男独特の、屈折した負けん気の強さがむき出しになる。

「僕はプロですよ。今日のこれ、僕のイメージでやらせてもらってるんだ。編集者側が何か言うならともかく、化粧品会社の人があれこれ言うのは、ちょっと見当違いなんじゃないの」

ふたりは睨《にら》み合った。沙美は相手の目の中に、あきらかに自分に対する敵意と反ぱつを見た。どうして――沙美は考える。どうしてこの私が、これほど憎しみに充《み》ちた目で他人から睨まれなくてはいけないんだろう。もし自分が普通の主婦や、あるいはこんな仕事をしていないOLだったとしたら、おそらくこんな風な視線に遭うことはあるまい。

しかし怯《ひる》んではならなかった。どれほど激しく憎まれようとも、どれほど強く睨まれようとも目をそらしたら駄目だ。迎合したりしたら最後、沙美は完璧な敗者になってしまう。そして沙美は学びつつある。敗者にならずに、相手の憎しみをやわらげ、そしていつしか勝者になっていく方法をだ。

「じゃ、こうしましょう」

明るく自然に、しかも相手にノーと言わせない威厳を持つ。そういう話し方を今自分はしているだろうかと沙美は一瞬問うてみる。

「こうしてくださいよ。最初何カットかこのリップのまま撮って、何カットかはグロスを薄くして撮ってください。この企画はうちが言い出したことですし責任があるんですよ。後で写真を比べて編集部とうちとで選ばせてもらいますから」

スタジオに沈黙が走る。が、その中に不承不承ながら肯定が含まれていることに沙美は気づいている。

「それじゃよろしくお願いします。私もコリーヌを代表してここに立ち会っていますから」

そのとき、不意にひとりの男の言葉が甦《よみがえ》ってきた。

「こんなにはっきりとものを言う女の人って、僕は初めて見ましたよ」

「切った張ったの女の人ってあまり見たことはありませんよ」

あれは先月食事を共にした、竹崎という男の驚きの声だった。自分はどこか違う場所へ足を踏み入れてしまったのか、それとも大きく成長しようとしているのだろうか。その答えを知ろうと沙美は顔を上にあげる。ただただライトが眩《まぶ》しく、沙美はあっと小さな悲鳴を上げた。


「それなのにこの写真を見てよ」

『ルージュ』の見開きページを、沙美は何度指で叩いたことだろうか。

「うちは確かに見開きでいい扱いだわ。だけどね、蓋を開けてみたら、ボーテ・ドゥ・フラネルの方がずっと引き立っているじゃないの」

〝シャトー・ラトゥール〟をイメージに持ってきたボーテ・ドゥ・フラネルはごくナチュラルなあっさりとしたメイクである。アイシャドウはブラウンを使っている。それはとても自然であるが、ぼかし方にテクニックを駆使したのがわかる。普通の女性雑誌ならややもの足りないと思われたかもしれないが、化粧の通が見る『ルージュ』ではかえって新鮮に見える。新しさを狙《ねら》った桑田のメイクが野暮ったく見えるから不思議であった。

「どうしてこんなことになったのかしら。ヘアメイクだって、うちの方が一流を使ったわ。ケンカをしてまでやり直してもらった。それなのに雑誌になると、思いもかけないことが起こるのよ」

「これはもう君の責任じゃないよ」

答えたのは田代であった。ことが終わった後、小腹が空《す》いたということでルームサービスでとり寄せたリゾットを食べている。ネクタイもはずしたままだらしない格好でスプーンを動かしているさまはいかにも寛《くつろ》いでいて、沙美はふたりがこんな風な関係になってからの長さを思った。

「フラネルは、ほら、今年の春に黄緑や黄色のとんでもない色のリップを売り出して大変だったじゃないか。いくら本国の方針だっていっても、あれを日本で売らなきゃいけない苦労は大変なものだったと思うよ。その反動で秋のフラネルはぐっと落ち着いてきたんだ。これはもう商品の違いっていうもので、君や瀬沼君の手腕の差っていうもんじゃない」

田代の唇の端にリゾットの脂が浮いている。重要な話をこんな風な唇で語られるのかと、沙美はむっとしてしまう。

「でも私は口惜しいの。やっと『ルージュ』に喰い込んで大きなページを貰《もら》った。それなのに初仕事がこんなだなんて…。ねえ、私が『ルージュ』の読者だったら、どっちのメイクをすると思う。コリーヌとフラネル、どっちの売り場へ行くかしらね。それを考えると、私とっても口惜しいのよ」

沙美は奇妙な視線を感じてふと顔を上げる。リゾットを食べ終わった田代がこちらを見ている。その目に何ともいえないいとおしさと、同時に困惑とが混じっている。

「どうしたの…」

「いや、君のそんなところ、瀬沼君にそっくりだと思って」

怒りのあまり沙美はしばらく言葉が出てこない。田代はいつからこんな無神経な男になったのだろうか。いくらかのウィスキーとリゾットとが、彼の何かを緩めてしまったというのか。

「そうね…」

自分でも別人かと思うほど低い声が出た。

「そうね、私の前は瀬沼さんとこうしていたんですものね。懐かしいわよね。ホテルに来てセックスして、その後に田代さんからいろんなことを教えてもらう。瀬沼さんは言ってみれば田代学校の卒業生。そして私は在学生っていうわけよね」

「君って、よく次から次へと皮肉が出てくるよなあ」

田代は呆れたようにナプキンで口をぬぐった。そうするとかすかな皺《しわ》が唇の上に放射状に発生しているのがわかる。

「君がそんなに怒るなんて、ちょっとびっくりしたよ」

「なぜ。怒らない人がいるかしら。前の女に似ているなんて言われて、あらそう、なんて喜ぶ女がこの世の中にいるんだったらお目にかかりたいわ。しかもこんな風にベッドのある部屋でね」

沙美は隣りのダブルベッドに目をやる。さっきシーツを整えておいたというものの、その痕跡ははっきりと残っている。ああ、どうしてこんな屈辱を受けなければいけないんだろうかと沙美は呆然としている。

そんな沙美の気持ちを見透かしたように田代が言葉を続ける。

「いや、僕がちょっと意外だったのは、君が嫉妬したりしたからだよ」

「どうして。私が嫉妬をしないとでも思ったの」

「いや、その…、僕が言いたいのはさ。君は僕とのこと、もっとドライに割り切っててさ、瀬沼君とのことを持ち出しても、まるっきり気になんかしないと思ってたんだ…」

沙美の頭の奥で何かがぱしっとはじけた。

「わかったわ」

指が勝手に動き出してスーツのボタンをとめ、ハンドバッグを持った。

「田代さんって私のこと、そういう女だと思ってたのね。自分の仕事に有利になるように、上司とも平気で寝ちゃう女。そんな女ならどんなことを言っても構わないと思ってるのよね」

「そんなことはないよ。僕は何だかふっと懐かしいような嬉しいような気持ちになって…」

「そんな気持ち、ひとりで楽しめばいいじゃないのッ」

スリッパを靴に履《は》き替えた。怒りのために体が震えているが、それでも同時にたくさんのことを計算している。

この部屋に持ってきたのは確かハンドバッグひとつのはずだ。洗面所に残したものはない。リングもはめているし、ストッキングもちゃんと穿《は》いている。

髪はちょっと乱れているかもしれないが、このままホテルのロビーに出ても差しつかえない程度だ。

そして沙美はやっと安心して大股でドアへ向かった。思いきり強くドアを閉める。

「ちょっと待ってくれよ」

という田代の声ごと封じ込めた。とにかく早足で歩く。夜十時過ぎのホテルの廊下はひっそりとしている。かすかにテレビの音がするぐらいだ。今夜、このシティホテルの何割の部屋で情事が行なわれたかは知らないが、怒って飛び出してきた女は、おそらく自分ぐらいだろう。

今までいた部屋はエレベーターホールから遠く、幾つかの部屋の前を通り過ぎなくてはならなかった。左に曲がりやっとホールへたどりついた。下りのボタンを押し、沙美は何気なく後ろを振り返った。

「まあ…」

何と田代が追いかけてきているではないか。さすがに靴は履いているがワイシャツはさっきソファに座っていたままの姿、だらしなく外に出ている。もちろんタイはしていない。

「悪かったよ」

田代は言った。足音がカーペットで聞こえなかったが、よほど急いで追いかけてきたのだろう、荒い息遣いをしている。

「ちょっと部屋に戻ろう。君にちゃんと謝りたいんだよ」

「もういい。今日はこのまま帰らせてください」

「いや、僕がどうかしてたんだ。君にとっても失礼なことを言ってしまった」

田代が沙美の肘を摑《つか》んだのと、音がしてエレベーターの扉が開いたのは同時であった。そこには男がひとり立っていた。

「どうしますか…下にいきますよ」

ふたりのやり取りが見えないわけでもないだろうに、ひどくのんびりとした声で問うてくる。おそらく黙っていられたら、沙美はそのエレベーターに乗らなかっただろう。

「あ、乗ります、乗ります。ちょっと待ってください」

男の手前もあってか、田代は沙美の肘を放した。沙美は逃げ込むようにエレベーターに乗り込んだ。

「ロビーでいいですね」

「お願いします」

やけにお節介な男だ。おそらく今の場面を見て面白がっているのだろう。

「このあいだはご馳走さまでした」

男の声に驚いてそちらを見た。竹崎が立っていた。

「竹崎さん、どうしてここにいるんですか」

思わず咎《とが》めるような声になった。

「どうして、って言われても困っちゃいますよ。仕事がたて込んでいるときは、ホテルに入ることがあるんですよ。今日で四日ですよ」

「そうですか…」

大変なところを見られてしまった。竹崎は『ルージュ』の編集者と仲がいいし、分野が違うとはいえマスコミ業界に属している。沙美がホテルのエレベーターホールで、男ともみ合っていたなどというのが誰かに伝わるかもしれない。田代とのことは噂になっているというものの、まだ決定的なところは見られてはいなかったのに、もうこれで終わりになってしまう。

「僕はこれからバーに行きますけど、よろしかったらいかがですか」

「はい、行きます」

沙美がとっさに考えたのは、時間稼ぎをしてその間に口封じの策を考えようということであった。

ふたりでロビー階のバーへ行く。考えてみるとこのホテルはしょっちゅう利用しているのに、バーやレストランに入ったことはなかった。人目につくからといって、まず田代が先にチェック・インして部屋に入る。そして館内電話で部屋番号を聞き、後から沙美が入る仕組みだ。食事はルームサービスでとり、帰るときももちろん別々であった。

フロントの傍に、こんなシックで落ち着いたバーがあるとは知らなかった。

「ここはね、ワインも結構いいのがあるんですけれど、カクテルを飲んでくださいよ。ここのカクテルは東京一といっても間違いない」

竹崎の言葉に初老のバーテンダーが微笑んだ。

「僕はマルガリータにします。北村さんは」

「私は…、ミモザにします」

スツールの上で足を組み替えようとして、しまったと思った。さっきあまりにも急いで身づくろいしたのでストッキングが伝線してしまっていた。

まったく何というところを見られてしまったのだ。今までホテルを使うときは、何のミスもしてこなかったのに、よりによって知人に痴話《ちわ》喧嘩を見られてしまうなんて。

美しいグラスがふたつ、ふたりの前に置かれた。竹崎が言った。

「さあ、乾杯しましょう」

「何のためにですか」

「再会を祝ってですよ。それにふつうお酒を飲むときは、何もなくても乾杯をするものでしょう」

繊細なグラスだったので、縁を合わせることなく目線だけで乾杯をした。

「竹崎さん」

沙美は自分をもっといじめてみたい気分になった。

「さっきのこと、聞かないんですか」

「男の人ともみ合ってたことですよ」

「ああ……」

竹崎は本当に遠い夏の日を思い出すような表情になった。

「そんなことを聞くほど、僕は北村さんと親しくはない。せいぜいがお酒に誘うぐらいですよ」

それはとても冷たい言葉のようにも温かい言葉のようにも思えて、沙美は男の横顔を見つめる。

第七章　陰謀

夜が更けるにしたがって、ホテルのバーの客たちは席をたっていく。沙美と竹崎以外には、白人のグループがテーブル席に陣どっているだけになった。カクテルを二杯ほど飲んだ後、竹崎はスコッチウィスキーを注文した。氷も入れず、舌でなめるように飲んでいく。

「ワインは飲まないんですか」

「こういうところでは飲みません」

「こういうところって…」

「ホテルのバーのカウンターというのは、ワインの瓶が一番似合わないところじゃないでしょうか。やはりワインは、ふたりか四人がけのテーブルで、人の間に置きたいと僕は思っていますけれどもね」

「そうですか…」

それで会話は終わりであった。普通だったら気詰まりでたまらないところであるが、竹崎といると平気であった。沈黙が怖くないのだ。

働いている女の常として、沙美はいつも先まわりして相手に気を遣い、しゃれた会話をしようと身構えているところがある。ところが今はそうではない。ただ黙って目の前のグラス棚を眺めているのも苦にならなかった。

さっきまでは恐怖心が沙美の心を占めていた。ここの席を立つやいなや、竹崎は自分の醜聞《しゅうぶん》をすぐに誰かに話し始めるのではないかという思いであった。が、そんなことは本当に杞憂《きゆう》に過ぎないのだということが次第にわかってくる。この寡黙な男はゆっくりとウィスキーを飲み、何ごともなかったように部屋に戻るだろう。そしてすべてのことを忘れてしまうに違いなかった。

安堵《あんど》はやがて沙美をもの哀しくさせていく。さっき竹崎はこう言ったものだ。

「そんなことを聞くほど、僕はあなたと親しくはない」

確かにそうではあるが、沙美はほんの少し傍《そば》の男に近づいていきたいと思う。口を開く。

「私もワインのことを勉強しようかしら」

「ワインをですか」

「ええ、ご存知のようにうちの本社はフランスなんで、あちらから人が来るときはよくワインを飲むんです。ですけれども銘柄も何もかもちんぷんかんぷんで、うまく受け答えが出来ないの。だからちょっとラベルを見てわかるくらいにはなりたいなあって……」

「今から勉強しよう、なんて僕はお勧めしませんね。いいワインはとにかくすごい勢いで値上がりしている。今から舌に憶《おぼ》えさせようと思ったら、ものすごい金がいりますよ」

「もちろんお金をたくさん持っているわけじゃありませんけれども、自分の楽しみのためにに少しはお金を使えます」

「それに今からワインを勉強しようなんて言い出すと、ブームにのっかったミーちゃんハーちゃんに思われますよ」

「ミーハーでいいんです。私、こういう仕事をやっているんですもの、ミーハーと言われるぐらい時代に流されなきゃいけないと思ってるんです」

「ふうーん」

竹崎は沙美の顔を覗《のぞ》き込む。息がかかるほどの近さに。その目の中にかすかな憐憫《れんびん》があった。初めて会ったとき、いつもこんな風にずけずけものを言うのかと驚いたときと同じ顔だ。

「北村さんって、朝から晩までそんなことを考えてるんですか。自分はこういう仕事をしているから、こういう風に生きなきゃいけないって」

突然の質問に沙美はうろたえる。

「私の言い方、えらそうだったかしら」

「いや、そうじゃなくて、面白い回答の仕方をしたからですよ。ワインが好きだから飲んでみたいっていうんじゃなくて、こういう仕事をしてるから飲まなきゃいけないって。キャリアウーマンって、こういう考え方をするんだってちょっと新鮮でした」

「そうですかね」

沙美は憮然《ぶぜん》とする。どうやらこの男は、自分に大きな偏見を持っているらしい。

「竹崎さんのところにだって、いろんな女性が来るでしょう。女性編集者っていったら、キャリアウーマンの代表のような人たちじゃありませんか」

「いやあ、彼女たちはもっと気楽にやってますよ。北村さんみたいな人は珍しいかもしれません」

私が、どうして、と言いかける沙美に、急に竹崎は優しい口調になる。

「ねえ、北村さん、勉強なんて言葉を使わないで、今度おいしいワインを飲みに行きましょうよ。いきつけの店が何軒かあります。ワインブームなんて言われるずっと前から、マスターが買い集めていたような店です。料理もなかなかいけるし、決して押しつけがましいことを言わない店ですよ」

「ぜひ連れていってください」

沙美は上半身を再びグラスの方に戻しながら言った。

「ご負担をかけるようなことはしないわ。割り勘でいきましょうね」

「あなたっていつもそうなんだなあ」

ため息とも苦笑ともつかぬ声が出た。

「そんなにいろんなことを瞬時に考えることはないんですよ。もっと気楽にやればいいじゃないですか」

竹崎は目で合図してバーテンダーを呼んだ。右手を動かし、サインをする振りをする。

「部屋につけておくから」

「あ、竹崎さん、ここは私が」

「いいですよ、いいですよ」

竹崎の唇に不可解な微笑が残っている。

「女性が払うと接待の場になってしまいます。バーのカウンターで飲んだら、絶対に男が払うものですよ」

ロビーを通り、出口のタクシー乗場まで竹崎は送ってくれた。

「それじゃ、またご連絡します」

「今日はどうもご馳走さまでした」

乗り込みながら頭を下げて、何て奇妙なシーンなんだろうと沙美は思う。タクシー乗場のベルボーイが、無関心を装いながらもこちらに視線を走らせている。おそらくさっきまでこのホテルでひとときを過ごした恋人同士と思っているに違いない。沙美は確かに密室にいた。が、その情事の相手は別の男である。沙美はその男と喧嘩別れをした後、違う男とバーで酒を飲んでいたのだ。

こういうことをふしだらと言うのだろうか。

自分はもしかすると、とんでもない常識はずれの女なのだろうか……。

ふと思いついて、バッグの中のケイタイを取り出す。ホテルに到着したときから、ずっと電源を切っていたのだ。留守番電話が入っていることを示すマークがついていた。考えるより前に指がボタンを押す。耳にあてると予想していたとおり田代の声がした。

「もし、もし、沙美ちゃん…。まだ家に戻っていないみたいだね。また電話する」
「あ、僕です。いったいどこにいるんだ。さっきのことは反省している。また連絡するよ…」

いつのまにか沙美は、タクシーの窓に顔を押しあてている。「緊急事態」という言葉がふと思い浮かんだ。今起こっているさまざまな出来ごとは、自分の人生においてほんのいっときに過ぎない。この仕事を軌道にのせるために、自分は今がむしゃらにやるしかないのだ。いずれ結婚をするだろう。もしかすると子どもも産むかもしれない。仕事も安定して、きっと沙美は心穏やかな日々をおくっているに違いない。今生きている日々は特別な時間なのだと思う。何かを摑《つか》むために、とにかく手がかりを得るために必死で前進するしかないだろう。そのためにそう欲してはいない男と関係を結ぶこともあるかもしれない。知り合ったばかりの男から、強気でがさつな女と見られることもあるだろう。けれどそれが何だろう。自分はおそらく人生の中で一番濃い時間を生きているのだから。

「もう少したてば…」

沙美は口の粘膜の中でだけつぶやく。もう少したてば、努力したものの成果は必ず沙美のものになるのだ。そしてきっと今のようなみじめな気持ちになることもないだろう。

ふと熱いココアを飲みたいと思った。男と一緒に飲むルームサービスのビールや、バーでのウィスキーではなく、舌が火傷《やけど》しそうなほど熱いココアだ。よそで夜、男と飲むものは、たいてい冷たい飲み物だ。だから体がこんなに冷えてしまうのだと沙美は思う。

タクシーは紅葉の散り始めた公園の脇を走っていく。

特別の会議がない限り、午後の二時から三時を沙美は「電話の時間」と決めている。この時間だと、出社が遅い編集者たちもたいてい会社にいるし、午後の寛《くつろ》いだ空気が流れ始めるころだ。それを見計らって電話をかける。ご機嫌伺いから始まり、コリーヌ化粧品のPRにつとめるのだ。よほど忙しいときは別だが、編集者たちもそう沙美のことを邪険にはしない。彼らにとって化粧品会社のPR担当者から「しつこくされる」ということも、これまた自慢のひとつなのである。

一流大学を出て、何百倍もの競争を勝ち抜いてきた編集者たちは本当にプライドが高い。しかしそれを悟られるのを恥と思う美意識は身につけている。その複雑さは、広告代理店時代につき合ってきた企業の宣伝部の人間たちの比ではなかった。食事会や飲み会を何度もして、相当親しくなったと思い込むと突然ぴしゃりとやられる。そうかといって連絡がまばらになると「何を考えているのか」と非難された。また奇妙なほどになれなれしくしてくることもある。この仕事に就《つ》いてからの一年半は、編集者と呼ばれる人種にさんざん振りまわされた年月であった。

が、これはコリーヌ化粧品というレベルの会社の話であって、その商品の広告が出るか出ないかで女性雑誌の格が違ってくると言われる、人気絶頂のブランド品のPR担当者は大層強気に出ているという話だ。

しかしそんなことを考えても仕方ないので、沙美は小さなメモを片手に番号を押す。相手の編集者と約束めいたことをかわしたら、すぐに記しておくためだ。

「このあいだの記事、とってもよかった。本当にありがとうございました。やっぱり化粧品のこと、一番わかってるのは『フレール』さんだってうちのボスとも話してたんですよ。新製品いくらでもお送りしますから、いつでもおっしゃってくださいね。そうそう、ご自宅の方にも至急お送りしときました…。えー、そうなの。ねっ、またお食事しましょうね。なんでも代官山にすごくおいしいイタリアンの店が出来たんですって。そうなの、武村《たけむら》さんもぜひ誘ってくださいね。十二月にあの方が副編になってから、私、一度もお会いしていないんですもの。ぜひセッティングしてくださいね……」

これは大手の出版社から出ている人気の女性誌だ。それよりもツーランク落ちる雑誌で、しかもコリーヌ化粧品がスポンサーとして広告を出している場合、沙美の口調はかなり変わる。これもPR担当者として自然に身についたことのひとつだ。

「ねえ、ねえ、あのライターの人、新人なのかしら。美容ライターっていう名刺くれたけれど、化粧品のこと何もわかってないじゃないですか。うちの春夏用のファンデーション、あんな風な記事にするって、ちょっと見当はずれなのよね。それにカラーの方じゃなくてモノクロにするなんて、こちらはちっとも聞いてませんでしたよ。こういうことばっかりあると、ちょっとがっかりしちゃいますよね…。そうそう今度発売する美容液のこと、もうご存知よね。あれをおたくの『今週のイチオシ』に出していただけないかしら。私、ぴったりの商品だと思っているんですけどもね」

この電話の最中、ほかからの電話を告げられた。

「それじゃよろしくお願いします。近いうちにお食事でもしましょうよ。外苑前においしい無国籍のお店が出来たの。絶対においしいから今度お誘いするわ」

急いでもうひとつの受話器をとる。

「もし、もし、北村です」

「沙美ちゃん、久しぶりだね」

低い男の声が誰なのか、すぐには思いつかなかった。が、沙美ちゃんと呼びかけてくる人間はそう何人もいない。

「倉島《くらしま》だよ。元気かな」

「あ〜、倉島さんじゃないの」

彼は広告代理店時代の先輩である。会社を辞めるとき、セクションのそれとは別に若い世代だけで送別会をしてくれたのであるが、確かそのパーティにも参加していたはずであった。けれども退社してからは一度も会っていない。

「すごい活躍ぶりじゃないか。沙美ちゃんの噂《うわさ》はいろんなところから聞いているよ」

「冗談でしょう。鬼ババみたいな顔つきで使いっ走りやっている身分よ」

「そんなことはないだろう。沙美ちゃんはうちにいるときから評判よかったもの。君の後釜はてんで使いものにならなくて、僕たちはさんざんなめに遭ったよ」

「三井《みつい》さんね、そんなことないわよ。あの人だって一生懸命やってるわよ」

「とんでもないよ。クライアントからもさ、北村さんどうした、北村さんを連れ戻してくれって大ブーイングが起こっちゃってさ」

「よく言うわよ」

すべて本気にしているわけではないが、こういう誉《ほ》め言葉は大層耳に心地よい。沙美の後任となった男のことが好きでなかったからなおさらだ。

「それでさ、沙美ちゃん、今すっごく忙しいんだろ」

「忙しいっていえば本当に忙しいけれど、時間をつくれないことはないわ」

「それだったら、時間をつくってくれないかな」

ここで倉島は、急に声のトーンを変えた。

「あのね、どうしても沙美ちゃんに会いたいっていう人がいるんだよ。実はさ、僕は昨年からラ・ルッシュ化粧品の担当をしているんだよ」

ラ・ルッシュ化粧品というのは、老舗《しにせ》の化粧品会社である。知名度は高いのであるが、中高年向けのイメージが強く、若い女性向けの雑誌に取り上げられることは少ない。沙美の頭の中で、ラ・ルッシュ化粧品の昨年の売り上げ額が大きく浮かぶ。

「そこの部長さんにさ、沙美ちゃんに会いたい、いっぺん機会をつくってくれって頼まれているんだ」

やっと実感がわいた。沙美は今、引き抜きの誘いを受けようとしているのだ。化粧品のPR担当者たちは、ひとつの会社にとどまっていることが少ない。優秀な人材であればあるほど、次々と会社を変わる。〝ヘッド・ハンティング〟と呼ばれるほど会社での地位は高くないのであるが、とにかく業界内での評判が上がると、すぐに誘いの手は伸びてくる。先月までA化粧品の看板PR担当だった女性が、今月からB化粧品のPRをしている、などということは決して珍しくない。それにしてもこの業界に入ってまだ一年半の自分に、こんな話が舞い込むとは思ってみなかった。

「もしもし、沙美ちゃん聞いてる」

沙美の沈黙を拒否と受け取ったらしい。向こうで倉島が突然呼びかけてくる。

「聞いてるわ…」

「あのさ、気楽に考えてよ。ちょっと話を聞くだけだと思ってさ」

「わかった…」

食事を断わる理由は何もなかった。承諾するかしないかは会った後に決めればいいことで、この誘いによって沙美は「有能なPR担当」というお墨付きを貰《もら》ったようなものなのだ。

「それじゃ、今沙美ちゃんの都合のいい日を教えてよ。向こうはいくらでも君に合わせるって言ってるよ」

いかにも広告マンらしく、倉島はてきぱきと日にちを決めた。それは四日後という早さであった。場所は新橋の料理屋の個室となったが、それは賢い選択といっていい。

化粧品会社やマスコミの人たちが来る店ではないことは、土地柄と店の名前からでもわかる。

十分前に店に着くと、相手の男たちはもう到着していた。沙美は上座の床の間の前に座らされる。いつもだったら雑誌の編集長が座るところだ。男たちは倉島を入れて三人いた。中のひとりを沙美は知っている。出版社のパーティで何度が会い、名刺を交したことがあるからだ。ラ・ルッシュ化粧品PRチーフディレクター、といった肩書だったはずだ。沙美の前にとてもよい生地のスーツを着た男が座り、PR部部長の東田《ひがしだ》と名乗った。コリーヌ化粧品の部長と同じように、この男も海外生活の長い元商社マンか何かに違いなかった。

乾杯の後、急な用事があるからと言って、倉島は席を立った。三人になったとたん、東田は沙美のグラスに再びなみなみとビールを注いだ。

「単刀直入に言いましょう。北村さん、今の会社を移るお気持ちはありませんか」

これとそっくり同じシチュエーションがあった。パリで知り合った田代から、化粧品会社でPRの仕事をしないかと言われたときだが、あのときの沙美と今の沙美とはまるで違う。自信もつき、こうした話にうまく対応するすべも身につけている。

「さあ、突然言われましても。私、今の会社でとってもよくしてもらってるんですよ。

そんなに大きな不満を持っているわけでもないんです」

「でもね、北村さん、もうじき小泉さんが職場に復帰してくるんじゃないですか」

東田が唐突に由利子の名前を出したので沙美は驚いた。が、狭い業界のことだ。彼女が出産・育児休暇を取っていることを知っていたとしても何の不思議もない。

「こう申し上げると何ですけれども、コリーヌ化粧品の顔は小泉由利子さんです。あの方は外交官夫人でフランス語が出来る。マスコミ受けする方だから、やっぱりコリーヌ化粧品さんは大切にする。ご存知のように、PRの看板はひとりでいいんですよ。北村さん、つまらないと思いませんか。あなたのように仕事が出来る方が、ずうっと小泉さんのアシスタントのままでいるなんて…」

本当にそのとおりだと沙美は思った。昨年由利子は三番目の子どもを出産したのだ。出来るだけ早く仕事に戻りたいという意志はあるものの、高齢出産のツケは大きく、休暇はずっと長引いている。

「チャンスだよ」

以前田代は言ったものだ。由利子がいない間に、沙美がコリーヌ化粧品のメインのPR担当になるのだと彼は言った。けれどもそれがどれほどむずかしいことか沙美は知っている。八年近くコリーヌ化粧品のPRを担当している由利子には確かな実績があった。その間つくり上げてきた人脈というのは生半可なものではない。

沙美がどれほど頑張っても、まわりの人々が由利子のサブと見ているのは確かだ。編集部まわりをしていても、

「小泉さんがいなくって大変ね」

「由利子さんによろしく言って」

と声をかけられることが多い。田代が励ましてくれたとしても、

「留守の間に主導権を握る」

ということは不可能であった。

「うちの松本《まつもと》をご存知ですね」

沙美は頷いた。会社が地味な割には、松本映子《えいこ》はよくマスコミに登場する。つい最近は、

「第一線キャリアウーマンに聞く手帳活用法」

というグラビアで笑顔を見せていたと記憶している。松本映子はフランス大使館で広報をしていたという経歴もさることながら、その派手な容姿からもマスコミ受けしていた。実家が相当な資産家らしく、常に流行のブランド品を身につけ、新作のケリーバッグやバーキンを雑誌で披露している。女子大生の間で、化粧品会社のＰＲ担当

を志願する者が増えているというのも、この松本映子が大いに貢献しているはずだ。

「彼女も長年頑張ってくれていたのですが、本社のフランス人との結婚が急に決まりましてね、後任が決まり次第あちらに発つことになりました」

「そうなんですか」

映子は幾つなのだろうかと沙美は思いをめぐらす。二、三度お茶を飲んだ程度の仲だが、三十代後半といったところであろうか。いずれにしても外資系のPR担当者が、本社の人間と結婚するというのは、極めて幸福なコースといってもいいだろう。

「それで僕らは北村さんに白羽の矢を立てたんです。いろんな人に聞いてみても、北村さんの評判はとてもいい。あなたが入社してから、コリーヌ化粧品さんのマスコミの扱いが違うというのはもっぱらの評判です」

東田は畳みかけるように言う。

「うちは北村さんにディレクターという地位を用意するつもりです」

役職の地位や立場は会社によって違うが、ラ・ルッシュ化粧品でディレクターといったら課長級のことで、対マスコミの代表窓口を意味する。各化粧品会社にも存在する〝看板娘〟の役割を果たすわけだ。

この仕事はマスコミの対応がうまいだけでも駄目で、自分自身もタレント的な魅力を持たなければならない。必ずしも美人である必要はないが、おしゃれでセンスがよく、雑誌に出てファッションリーダーのような役割を果たせるかどうかが、重要なポイントになる。

　たとえば編集者の中には怠惰なものがいて、コメント取材を知り合いの人間だけで手間をかけずに済まそうとする。ファッションはもちろんインテリアや料理、読んでいる本や揚句《あげく》の果てはペットのことまで、仲間うちのスタイリストやＰＲ担当者の話でまとめようとするのだ。こうした場合、何でも答えられる知識やセンスを常に持っているＰＲ担当者は、やはりマスコミの中でも人気が出ていく。松本映子はそうした女のひとりであった。

「私が、松本さんの後任になるのですか」

　口に出した後で、自分に今、素晴らしい幸運が訪れようとしているのかもしれないという思いで胸がざわつく。

「そうです。給与に関しても出来る限りのことはします。うちもコリーヌさんのように年俸契約制です。このくらいはお約束出来ると思います」

　東田はシステム手帳の一ページに、ほぼ正確な沙美の年収を書き、その上に別の数字を書き入れた。五十万円ほど多かった。

「どうでしょう、北村さん。考えてくれませんかね」

手帳の数字のように、沙美の頭の中にふたつの会社の名前が並ぶ。ラ・ルッシュ化粧品とコリーヌ化粧品。若い女性の人気度からいえばコリーヌ化粧品の方がずっと上だ。が、こちらの方は沙美を会社の顔にすると約束しているのである。

「今すぐ、お返事しなきゃいけませんか」

言った後で、自分の口調が媚《こ》びているようで不安になる。

「今すぐにとは言いませんが、出来るだけ急いでください」

「ちょっと考えたいし……」

相談したい人もいるしと言いそうになる。沙美は田代のことをまったく忘れていた。

代官山のそのバーは、田代と初めてふたりきりで待ち合わせをしたところである。その後もよく利用した。

普通の一軒家のような外観が入りづらいらしく、代官山という土地柄には珍しくマスコミ人種がいない。

企業のPR担当という立場になって沙美は初めてわかったのであるが、この仕事は人を〝ミニ有名人〟にしてしまう。こちらは知らなくても相手がこちらを知っているということが信じられないほど多いのだ。したがって行くレストランやバーも注意しなくてはならないし、込み入った話をするときは個室をとるようにした。情報交換と称して、編集者と食事をするときもあたりを見渡す癖がついた。

よくしたもので、企業の宣伝部、広告代理店、編集者、スタイリストといった人々は、みんなそれぞれ独特の臭みを身につけている。スーツを着ていても、マスコミの男というのはすぐにわかった。スーツのラインやネクタイの好みが、お堅い企業のそれとはかなり違っているからだ。

そういう人々が近くのテーブルにいないか見渡し、ときどきは声を潜《ひそ》めて固有名詞を出す、知り合いの編集者の噂話をしたりする。こういうとき沙美は、いつも奇妙な充実感を持つ自分に気づく。俗っぽいといえばこのうえなく俗っぽい世界なのであるが、自分は今、確かに生きているという張りが、体中にみなぎってくる瞬間だ。それは他の女にしても同じだったかもしれない。一回でも編集者やライター、スタイリストといった職業を経験した女は、必ずといっていいほど仕事に戻ってくる。いったんは結婚し子どもに溺れていたとしても、やがて麻薬のようにあのひとときを欲しがる。が、あわただしいマスコミの世界は、女の職場復帰を容易なものにしない。よほど保障がいきとどいた一流出版社にいるか実力のある女でない限り、元の世界に帰るのは大層むずかしいはずだ。

いずれにしても代官山の小さなバーは、あたりを気にする必要がなかった。サラリーマンというよりも〝勤め人〟という言葉の方がぴったりする初老の男か、近くの商店主が常連である。バーテンダーも決してなれなれしくしない。このごろはホテルのバーで会うことが多いけれど、つき合い始めたころはここで待ち合わせた。上司とつき合っているというひけめと怯《おび》え、そしてかなりの得意さは沙美に今まで味わったことのないような感情を味わわせた。同じ年ごろの男と恋愛するというシステムにはあるなめらかさがある。婚約までしたのは去年別れた直樹が初めてであったが、それでも、

「こんなこと昔もあったっけ」

というシーンに何度か出くわしたものだ。何パーセントぐらい自分を出していけば相手の男に愛されるか。このあたりは退《ひ》くべきか、それとももっと我儘《わがまま》になるべきだろうか。手順というにはあまりにも即物的であるが、それでもある程度のことはわかった。駆け引きということをそれほどせず、のびのびと接していればお互いの愛情は保てた。結婚という結論に向かってふたりの関係をまとめようとしたのが裏目に出た

が、あのままでいればふたりは仲のいい恋人同士でいられたはずだ。

けれども田代の場合はまるで違う。これ以上は好きになってはいけないという線を引き、そこから少しでも出ようとするとあわてて自分を引き戻す。そうかといって自分の気持ちがまったく線に達していないと感じたときは淋しかった。仕事のために男と寝る、そういう女のひとりになってしまったのかと唇を噛《か》みしめたこともある。が、そうした自虐《じぎゃく》的な思いをつきつめていくと、かつて味わったことのないような快感にいきあたるのだ。聡明だとか、知的といわれた自分の中に、実は淫蕩《いんとう》な実が隠されているのではないかと考える喜び…。そんな複雑な自分の感情や田代の存在に、さんざん振りまわされたこの一年間だったのではないかと思う。

その田代がドアを開けて入ってきた。今日の彼は茶色のスーツに、プラダの光るこげ茶のタイを合わせている。茶色のスーツが似合う日本人の男はめったにいないが、田代はその数少ないひとりだ。これを着るときは、紺のスーツのときの倍ぐらいのセンスを持たなければならないが田代はそれに成功していた。照れを捨てやや気障《きざ》に、しかもさりげなく着こなしているのだ。

彼のよく磨かれた茶色の靴が、スツールの金属の上できゅっととまる。

彼が格好よい男だと思える自分が、沙美には嬉《うれ》しい。自分の中で決めているあの

〝線〟に自分の心がちょうどぴったりと合っている。

「忙しいところ、呼び出しちゃってごめんなさい」

「いや、ちょうど出張が延びてよかったよ。パリは今、すごい雨で地下鉄まで水が入ったそうだ。こんなときに出張じゃなくてよかった…」

田代はちょっと疲れているのかもしれない。いや、こうしたバーの照明で見る好きな男の横顔というのはたいてい疲れて見えるものだ。自分はまだこの男にかなり魅《ひ》かれていると沙美は思う。ホテルで喧嘩した一件以来、多少気まずくなっていたのは本当であるが、それでも田代の横顔に視線を留める自分がいる。この男から離れようとしている自分。

ああ、なんて楽しいんだろう。これはもしかすると復讐というものかもしれなかった。

「相談があるの」

「だろうと思ったよ」

田代は正面を向いたまま笑い、バーテンダーにスコッチの銘柄を告げた。何度聞いても憶えられない名前だ。

「君がこんな風に僕を呼び出すなんてないからね」

〝こんな風〟というのは、人目がある場所にということだろう。ホテルの一室でなく、バーに呼び出したということで、沙美は自分の決心を既に告げているのであるが、それに気づかない田代ではなかったようだ。

「多分、どこかへ移りたい、っていうことなんだろう」

沙美は顔を上げた。これほど早く手の内を読まれるとは思ってもみなかった。彼の驚く顔を見たいという当初の目的が台無しになってしまったではないか。

「どうしてそんなことがわかるの」

「わかるさ。君のような優秀なPR担当は、いろんなところが目をつけるだろう。そろそろ引き抜きが始まるころだなあと思っていた」

「驚いたわ…」

「僕はそういう事態を何度か見ているからね。何となくそわそわしてくるからすぐにわかるさ」

おそらく瀬沼弥生のことを言っているのだろう。かつて沙美は自分のことを〝田代学校〟の生徒と自嘲《じちょう》したことがある。若いPR担当者たちは、彼の恋人となっていろいろなことを教えてもらうのだと。それは本当にそのとおりだった。自分もまた瀬沼と同じような卒業の仕方をしようとしているのだと沙美は苛立《いらだ》ちのあまり、目の前のカクテルを飲み干した。

「おおかたラ・ルッシュから引き合いが来ているんだろう」

沙美は声も出ない。どうやら田代はもうすべてを知っているらしい。

「あそこの看板娘の松本映子が、今度結婚してパリへ行くらしいじゃないか。その後釜を探してるって聞いて、たぶん君のところへ来るんじゃないかって思ってたよ。あそこは老舗だが、これといった売れ筋もなくパッとしない。こういうときはそこらを渡り歩いたスレッからしじゃなくて、若手を欲しがってるだろうなあと思ってた。そうしたらやっぱり来たか」

「そこまで知ってるならはっきり言うわ」

観念する、ということはこういうことだろうか。開き直るという行為を沙美は日ごろ好きではなかったが、今はこうするしかなかった。

「私、いろいろ考えたんだけど、決めようと思っているの」

「なるほど」

田代は深く頷く。納得した、という風でもない深い角度であった。

「コリーヌ化粧品はやっぱり由利子さんのものだもの。由利子さんが戻ってきたら、私はやっぱりサブ扱いになってしまう。それよりも新しい場所で私が前面に立ってやってみたいの。あの化粧品会社と言ったら、北村沙美の名前が挙がる。せっかくPRっていう仕事をしてるんだから、そのポジションまではどうしてもいきたいのよ」

「そりゃそうだ」

田代の声は唐突で明るく、一瞬沙美は自分が馬鹿にされたのではないかと思ったほどだ。

「君がそう思ってるんなら仕方ないさ。だけどね、ちょっと冷静になってあそことうちとを比べてごらん。どの雑誌を拡げたって、ラ・ルッシュ化粧品の記事なんか出ていやしない。もっともおばさん雑誌だったら別だがね。君がPRという仕事をしていくうえで、どっちの方がやり甲斐《がい》があるか、すぐにわかりそうなもんじゃないか」

「そんなもの、私が変えてみせるわ」

自分でも驚くほど低く太い声が出た。人が決意をするときはこんな声が出るのだということがわかる。

「あのね、私みたいに勝ち気な女に、責任あるポジションを与えてくれたら、死にものぐるいで頑張るものなのよ。私、今に女性誌のビューティ特集を、ラ・ルッシュ化粧品の記事でいっぱいにしてみせるわ」

田代の唇にうっすらとした微笑が漂う。いとおしげにこちらを見る優しさは、沙美の中で屈辱へと変わっていく。

「私のこと笑っているのね。なんて青くさい女だろうって。でもいいの、転職するときこのぐらいの青くささがなくって、どうして希望を持てるのかしら」

田代の曖昧《あいまい》な微笑はやがてはっきりとした形となった。彼はにっこりと笑う。このように混ざり気のない、晴れやかな顔を見たのは初めてだと沙美は思った。

「ま、仕方ないか。そこまで張り切っている君を引き止めることはもう出来やしない」

「来週にでも部長に話すつもりです。でもその前に田代さんにちゃんと報告しようと思って。私をこの世界に誘ってくれたのは田代さんですから」

「その恩義も忘れちゃ困るよ」

不意に田代の掌《てのひら》が沙美の太ももに触れた。その内側の奥深いところを知っている者だけが出来る、図々しく軽い接触だ。

「たとえ君が会社を辞《や》めたとしても、僕たちの仲は終わらないんだからね」

「そうかしら…」

けれども田代のこの口調は、沙美の最も望んでいたものであった。君と僕との仲は、じゃこれで解消ということだね、と言われたとしたら、沙美は大層侮辱されたと思ったに違いない。

「世間の奴らはどう思っているか知らないが、僕たちは利害だけで結びついていたわけじゃないじゃないか」

「そうだったかなあ…」

皮肉と媚《こび》を思い切り込めて沙美はつぶやいた。

「そりゃそうさ。今だって僕は君に魅かれているし、君だってそう割り切っているわけじゃないだろう。たとえ君が別の会社に移ったとしても、僕はこれからも君の役に立つと思うよ」

田代はそう言った後、すばやく時計を見た。顔を上げる。目が沙美の大好きな色に光っていた。

「さあ、出よう。これから部屋を予約するよ。食事はルームサービスでいいだろう」

「田代さん…」

沙美は顔を寄せる。さっきよりもずっと強く田代のコロンの香りがした。

「どうして私が断わらないと思うの」

「そりゃあ思うさ、なぜなら君は狡《ずる》い女じゃないからね」

さあ行こうと、田代はスツールから降りた。

ラ・ルッシュ化粧品に沙美が移ってから二ヶ月がたった。沙美はこのところ各編集部への挨拶まわりに追われている。過去の新製品配送先のリストや発表会の資料を見たところ、この化粧品会社は噂どおりおっとりとしたPRをしていることがわかった。ミセス向けの雑誌に年に数回タイアップ広告をうつ以外は、これといった仕掛けをしていない。

新製品が出た場合、マスコミや関係者に対しコリーヌ化粧品が発送する数は二百を超えている。が、ラ・ルッシュ化粧品の場合はせいぜいが百四十といったところであろうか。これは何年か前までPRの最高責任者だった男性が関西出身で、

「タダでそこらにばらまくことはない」

と言い続けたことによるところが大きいという。その考え方が何とはなしに、代々のPR担当に引き継がれているということだった。

馬鹿馬鹿しいと沙美はアシスタント級の女性たちに言った。

「そりゃ私たちは何百個っていう化粧品を、編集者や有名人にばらまくわよ。でもね、こちらの懐《ふところ》が痛むわけでもないじゃないの。PR担当がケチケチしてどうするのよ」

沙美は美容液を管理部門から百個出させた。美白効果を狙ったこれは三ヶ月前に発

売されたものであるがなかなか評判がよい。一万二千円という値段は若い人には手が出しづらいであろうが、キャリアウーマンを対象にした雑誌で取り上げてくれれば大きな動きを生み出すことが出来るはずだ。

ここで沙美が思い浮かべるのは、美容液ブームをつくったというある外資系会社の製品である。徹底的に働く女性をターゲットにし、露出する媒体を絞り込んでいった。仕事疲れの肌にたちまち効く、責任ある仕事についている女性ほどそのよさがわかる、とライターたちも書きたて、たちまち口コミで拡がっていった。一週間で売り上げ三百万ケースという伝説は未だにどこも超すことが出来ない数字だ。あのようなブームをつくることは、すべてのPR担当者の夢といってもよい。

自分にそんな奇跡を起こす力があるとは思えないが、とにかく沙美はやるしかないのだ。沙美はパッケージをひとつひとつ包装した。それもありきたりの会社のものではない。浅草の問屋街で見つけた天使の模様のペーパーを使う。そして結び目に小さな天使の羽をつけた。

「もう一度お知らせさせてください。発売以来、大変な反響を呼んでいるのがラ・ルッシュ化粧品のドゥスール。お使いいただけば今までの美白効果とまったく違うということがおわかりいただけると思います。あなたの肌に天使が舞い降りて、小さな奇跡を起こします」

今まで宣伝用コピーは、本社から送られてきたものを翻訳したものだった。コリーヌ化粧品の場合もそうだったがこなれていない日本語になることもある。だから沙美は自分でコピーをつくった。決してうまいとも思えないが、ただの説明文よりはずっといいだろう。

入社して日が浅い沙美は、まだ大きなイベントを企画することも出来ず、予算を勝ち取るすべも知らない。こうして自分で包装した〝手土産〟を持ち、ひとつひとつ編集部をまわらなくてはいけないのだ。

ところが意外なことに、沙美は各編集部から驚くほど好意的に迎えられた。

「ええ、ラ・ルッシュに移ったんだって、本当にPRの人って、会社をコロコロ変わるんだから―」

と嫌味を言う者はいたにはいたが、たいていの編集者は歓迎してくれた。

「北村さんがやったら、ラ・ルッシュさんも変わるんじゃないの。よかった、よかった」

「これからも頑張ってよ。北村さんが担当になるんじゃ、うちの方も何か企画するよ」

どうやら彼らも敏感に感じとっているようだ。それは沙美が、いち化粧品会社を代表する立場になったことをだ。もはやコリーヌ化粧品で、小泉由利子のサブとして働く女ではない。ラ・ルッシュ化粧品の顔として最も表に出ていく人間なのである。

沙美は『フローラ』編集部でひとつ取材依頼を受けた。

「ねえ、ねえ、今月中に取材させてよ。『働く女の賢い靴選び』っていうテーマでさ、化粧品PRの人がひとり欲しいんだけれど」

コリーヌにいたときもこうした取材は何回かあったが、そのときとは感触が違う。もっと編集者たちは積極的に出てきている。沙美はあきらかに自分が変わってきていることがわかった。

「沙美さん、ちょっといいかしら」

沙美が編集部めぐりを始めて四日目のことだ。『ルージュ』の副編集長と会い、三十分ほど時間をとってもらった。その帰り、エレベーターホールで呼びとめられたのだ。

坂口美穂という若い編集者であった。彼女はまだ二十五歳という年齢で〝沙美のファン〟を自称している。そんな言い方が可愛くて、何度か食事やカラオケを一緒にしている。

「あの沙美さん、ちょっとお話ししたいことがあるんですけれど」

ふたりで近くのファミリーレストランへ入った。沙美はハンカチで額の汗を拭く。まだそんな季節ではないというのに、どこかに座ったとたん汗が何ヶ所からもにじみ出る。ひとりで紙袋に〝お土産〟を詰め込み、電車を使って幾つもの編集部をかけずりまわっている疲れが汗となって、シャツの脇のあたりに染み込んでいそうだ。美穂はアイスコーヒーを頼み、沙美は紅茶をオーダーした。長年の経験で、こういうときに冷たいものを頼むとさらに疲れることを沙美は知っていた。

「沙美さん、ラ・ルッシュに移られてから変わりましたね」

「そう、疲れておばさんになっているでしょう」

「そんなことありません。前よりも綺麗《きれい》になってるって皆言ってますよ。私も何だかシャープになったって思います」

「そう、でもそれって萎《しお》れたっていうことじゃないかしら」

美穂はそれから幾つかの噂話をした。ある有名雑誌の女性編集者が五十二歳で離婚したという話、それからこのあいだ創刊されたばかりの女性情報誌が、もうじき休刊になるという話などだ。

沙美は次第に苛立ってきた。美穂の話しぶりは告げたくないことがあって、それを少しでも引き伸ばそうとしているような口調なのだ。

「美穂ちゃん、私、そろそろ…」

沙美が言いかけると、美穂は必死で追い縋《すが》るような目になった。

「あの、沙美さん、私がこんなこと言うからって、私のこと嫌いにならないでくださいね」

美穂の幼さがかえってさらに苛立たせる原因となった。

「別に何を言われたって、あなたのことを嫌いになりゃしないわよ」

「じゃ言います。うちの編集部あてに、沙美さんのことについて変なファックスが送られてきてるんです」

いっぺんに汗がひいていくのがわかった。それはまさしく恐怖であった。こんな恐怖を味わうことを予感していたような自分に沙美は驚く。

「私、『マリーネ』編集部とか、『レディス画報』にも友だちがいるんで聞いてみたら、やっぱり同じようなものがきてるって…」

「美穂ちゃん、それ、持っているんでしょう。見せてくれない」

美穂はこっくりと頷いて、プラダのバッグから紙片を取り出した。ごくあたり前のファックス用紙であるが、沙美はそこに書かれてあったものほど凶々《まがまが》しい悪意に充ちたものを見たことはなかった。

「北村沙美さんニュース

コリーヌ化粧品で活躍し、短い期間ながら〝やり手〟という評判をとった北村沙美さん。今回ラ・ルッシュ化粧品に転職の運びと相なった。年俸アップとディレクターの座が条件だったというからたいした出世ぶり。

ところで北村女史といえば〝させ子〟として業界一の呼び声が高い。コリーヌ化粧品での上司、田代部長との件はあまりにも有名だ。田代部長の愛人という地位を利用してやりたい放題してきた北村女史が、ラ・ルッシュに移ったらどうなるかということに関心が集まっている。が、誰とでも寝ることでは定評ある北村女史のこと、既にラ・ルッシュ化粧品の東田部長とは男と女の仲だ、という説もあり、今後ますます目が離せない」

沙美はこれほど下品な文章を見たことがないと思った。無機質なワープロの文字が、ますます不気味さをつのらせる。

「ひどいわ…」

それだけ言うのがやっとだった。美穂の手前、少し冷静さを取り戻そうとするのであるが、指の先が急に冷えていくのがわかる。あまりの怒りに、血がいっぺんにどこかへ流れていったらしい。

「こんな出鱈目《でたらめ》よく書けるもんだわ」

「でしょう」

美穂の口調には無邪気な同情があり、それも沙美をカッとさせる。こんな若い娘にそうした感情を持たれるということ自体、沙美の敗北であった。

「差し出し人のファックス番号を見たけど表示されてないの。本当に悪質だわ」

「教えてくれてありがとう」

沙美は紙片を丁寧に折り畳んだ。どんなことをしても犯人をつきとめるつもりだ。決して泣き寝入りはしない。

その夜沙美は、その紙をテーブルの上に拡げた。本当ならば破り捨てたいものであるが、そんなことをしたらそれで終わりだ。沙美は女探偵のように注意深く何度も何度も読み返す。肉筆と違って何の手がかりもないようであるが、沙美は幾つかのことに気づいた。

田代の役職が間違っている。彼の肩書はチーフ・ディレクターであり、部長ではないのだ。ということは、これを書いた犯人は内部のことを中途半端に知っている人物ということになる。他社のＰＲ担当者か、それとも沙美のことをよく思わない編集者であろうか…。

いずれにしてもこのファックスは各編集部に送られたらしい。沙美は昨日会った人気女性誌のデスクの顔を思い出した。北村さんは本当に張り切っているからと彼はにこっと笑った。好意の笑いだとばかり思っていたが、あれはまったく違う意味を持っていたのか。卑猥《ひわい》さと軽蔑、そして沙美の大嫌いな同情の混じった笑顔だったのか。

「おお、嫌だ…」

口にしたとたん初めて涙が出た。が、決して泣くまいと沙美は歯を喰いしばる。こんなみじめなことで泣いてたまるものか。泣くということは、目に見えない敵に負けることだ。既に敵は自分のまわりにいっぱいいる。沙美にはわかっている。その中でも一番卑怯《ひきょう》な者のために泣くことはなかった。

第八章　都合のいい女

編集部に足を踏み入れるとき、沙美はことさら胸を張るようになった。この仕事に就《つ》いたばかりのころ、先輩に言われたことがある。

「化粧品のPRっていうのはね、保険のおばさんと同じなのよ。嫌がられても、うるさがられても、とにかくこまめに顔を出す。そのうちにちょっと行かないとあの人、どうしたのかなあっていう感じに馴《な》じんでくれるのよ」

保険のおばさんとはまったくうまいことを言ったものだ。図々しさと紙ひと重のところで、編集部に足繁く通う。キャラバンと呼ばれる商品説明に出向くときもあったし、

「ちょっと近くまで来たから」

という名目で寄り、お茶を飲みながら情報交換をすることもある。沙美は各雑誌のビューティ担当の編集者の人柄を、既に把握しているといってもよい。親し気に振る

まったかと思えば、次の日にはほとんどこちらを無視する気まぐれな若い女性編集者もいたし、すぐに一緒に酒やカラオケに行きたがる三十代の男性編集者もいる。彼や彼女らには、それぞれひまな時間帯や日時というものがあり、これを狙《ねら》って編集部を訪れるというのもなかなかの技がいることであった。

友情——などという気恥ずかしい言葉を使いたくもないし、そんなものが成立するほど甘っちょろい世界だと思ったこともないが、二年この仕事をしているうちには仲のいい編集者も何人か出来た。彼らの多くから好意を持ってもらっていると信じていたこともある。

人にはもちろん言わなかったが沙美には自信があった。沙美のような短いキャリアで、他の会社から引き抜きが来たというのは、編集者の評判がいいということに他ならないではないか。PR担当者の財産であり武器なのは、編集者たちにどれほど人気があるかということだ。それがその化粧品会社のためにどれほどの誌面をさいてやろうかということに通じているのだ。

けれどもあの怪文書の一件以来、沙美はかなりナーバスになっている。

「あ、北村さん、ひさしぶり」

「いつも張り切ってるよね」

……などという彼らの笑顔が決して単純なものではないと思う。なにしろ〝業界一のさせ子〟と書かれた文書が、各編集部にファックスで送られたのだ。おそらくビューティやファッション担当の編集者だったら、みんな手にとって読んだことであろう。それはまるで、自分の全裸を見られたようなものだ。多くの人々は、沙美のぜい肉のつき加減や黒子《ほくろ》の位置まで知ってしまった。少なくともここ当分、彼らの記憶から完璧に怪文書の記憶が無くならないうちは、沙美は彼らから尊敬という感情を得ることは出来ない。切れっ端のような好意を貰《もら》ったとしても、沙美の一番欲しいものは得られないはずだ。

それを悲しいとか、口惜しいと思うときはもう過ぎ去った。今の沙美が一番力を入れていることは、あんなことにまったく傷ついていない人間のふりをすることだ。編集者の中には心ない者もいて、同情を装いながら沙美の反応を知ろうと舌なめずりしていたこともあった。

「北村さんも大変だったわね。私がもしあんなことされたら夜逃げしちゃうわ」

などと言った若い女がいた。どうしてもっと苦しまないのか、と言わんばかりの口調だ。そんなとき、沙美は苦笑というもので応えることにした。

「うちの上司から言われましたけど、PR担当が会社を移るときって、よくああいうものが出るそうですね。私もこれで大物になったっていうことだとからかわれちゃいました」

それにしても何て卑《いや》しい人間だろうかと、沙美は目の前の女を見つめた。こういう事件に遭遇すると、どういう人が卑しいかがはっきりとわかる。相手の心に起こった変化を覗《のぞ》き込もうとする輩《やから》だ。こういう人間たちに負けるまいと奥歯を噛《か》みながら、同時に媚《こ》びてはしゃいだ声を出す。それが沙美の仕事というものであった。

その日沙美が訪ねていたのは、創刊されたばかりのビューティ専門誌であった。この不況の最中、各出版社が続々と新女性誌を世に出したが、その中にビューティ専門誌が二誌もあった。中でも一番金をかけたのは、『シンシア』という雑誌で、広告宣伝費三億という数字はまんざら嘘でもないらしい。人気絶頂の男性アイドルを女装させ、最新のメイクを施したポスターやテレビスポットは大きな話題となったものだ。それにもかかわらず『シンシア』は実売成績三割というていたらくであった。いっぺんに女性誌が幾つも創刊されたため読者が分かれたというのだけれども別のささやきが業界を覆《おお》った。

「三号先まで広告が満広で、広告収入だけで毎号一億二千万は固い」

というのである。ビューティ専門誌ということで、各化粧品会社が広告をたっぷり出している。だから雑誌が売れなくても充分に元は取れる、ということだ。今のこの時代、化粧品業界にも翳《かげ》りが生まれている。ほんのちょっと前まで、化粧品の世界だけは出せば売れる、と言われたものだ。けれども女性たちが、洋服の次に節約し始めたものはどうやら化粧品だったらしい。最近はどの会社も〝低迷〟という言葉を使い出している。だからこそ、新しいビューティ専門誌に活路を見出そうとするのであろう。各化粧品会社は気前のよい広告出稿状況である。といっても、どこもバーターとして自分のところの商品の記事を望んでいるわけで、沙美も次号の特集にどうにかラ・ルッシュの商品を入れてもらおうと必死だ。

「これってモニター調査でも本当に評判がいいんですよ。私もね、コリーヌからラ・ルッシユに移るとき、ちょっとおばさんっぽいかナア、なんて心配してたんですよ」

ここで相手をちょっと笑わせることを忘れない。

「でもね、ラ・ルッシユに来て本当にわかったの。ここは商売がヘタだなあって。研究を繰り返してとってもいいものをつくっているのに、そのPRの仕方がよくわからないんですよ…」

ここで沙美のバッグのケイタイが鳴り出した。

「すいません、ちょっと失礼」

たいした相手でなければすぐ切るつもりだった。やり手と評判のデスクの女性が、三十分だけということで時間をつくってくれたのだ。相手を一分でもしらけさせるようなことはしてはならなかった。

「もし、もし、北村さんですか」

聞き慣れない男の声がした。

「はい、北村ですけれども…」

比較的気軽にケイタイ番号を教える自分の習慣を一瞬恨んだ。何もこんなときにかかってこなくてもいいのに。

「竹崎ですけれども、ご無沙汰しています」

「あっ、竹崎さんですか。こんにちは」

思いがけない相手であった。彼とは田代とホテルの廊下で争っているのを見られて以来、電話で話したことはあっても一度も会っていない。

「今、ちょっといいですか」

「ええ、どうぞ」

また後でかけます、とはどうしても言えなかった。そんなことをしたら竹崎は二度と電話をかけてくれないような気がした。

「来週の十三日はお誕生日ですよね」

「ええ、そうです」

「万が一、何も予定が入っていなかったら一緒に食事をしませんか」

「本当ですか」

「前に約束したじゃないですか。今度仕事の話抜きでご飯を食べようって」

「ありがとうございます。誘っていただくなんて嬉《うれ》しいです」

「お店は任せてくれますね」

「もちろんです」

「それじゃ、お店と時間は追って連絡します。またここに電話かけていいですか」

「はい、お待ちしています」

「それじゃ」

電話を切ったとたん、目の前の女性編集者が「あーあ」と大きなため息をついた。

沙美をからかって拗《す》ねたふりをしているのだ。

「いいわね、デイトの申し込みがばんばんケイタイにかかってくるんだもの」

「そんなんじゃありませんよ。仕事がらみの食事のお誘いです」

けれどもまだ腑《ふ》に落ちない。どうして竹崎は突然自分に電話をかけてきたのだろうか。しかも誕生日を祝ってくれるという。自分はいつ誕生日を教えたのだろうか。全《まった》く不思議だ。けれども決して嫌な感じはしない。

自分の誕生日を忘れる女はいないけれど諦《あきら》める女はいる。三十歳を過ぎて、決まった恋人を持たない女は、誕生日のことなど考えないようにするものだ。憶《おぼ》えてくれている人などいるはずはない。祝ってくれる人などいるはずはないと先まわりして決めつけ、それで自分をみじめにしないようにするのだ。沙美は相手が席をはずした隙《すき》に手帳を見た。十三日の夜は小さな飲み会が入っていた。日常の流れのようなどうということのない集まりであった。明日にでもキャンセルしようと沙美は決心する。

こんな素直な気分になったのは久しぶりだった。男の心を推し測ったりするのではなく、沙美はただ嬉しいと思った。これが別の日のデイトの誘いだったら、沙美は自《うぬ》惚《ぼ》れという感情を持ったに違いない。

「何だ、あの男、やっぱり私に関心があったんじゃないの」

けれども誕生日の誘いはもっと厳粛なものだ。

清らかな癒しのにおいさえする。沙美はオフホワイトのパンツスーツにベージュのパンプスというでたちで約束の店に向かった。今年大流行の白のコーディネートは、着こなしが大層むずかしい。素材に統一性を持たせて、余計なアクセサリーをつけないことだ。といっても、沙美がそのスーツを着るのは初めてだった。昨シーズン終わりのバーゲンで買った一着だったからやっと出番になった。白を着るのに一番大切なものは、よく手入れされた髪と肌だろう。職場を変わる前からの疲れはずっと続いていて、目の下に悩みの隈《くま》が出来ていた。そこにコンシーラをつけながら、沙美は三十三歳という自分の年齢を思った。

まだ充分に若いような気もするし、もう何かが終わりかけているような気もする。いずれにしても、今日からはこの年齢と馴じんでいかなくてはいけないのだ。

竹崎が指定してきた店は、沙美も以前に行ったことのある麻布のイタリア料理店だ。地下にもぐった細長い店で、壁に沿ってひとつずつテーブルが置かれている。竹崎は既に来ていて、沙美を見るとやあと片手を上げた。タイはなしで、紺色のジャケットを着ている下は白のシャツだ。洗いたてのように真っ白なシャツをきちんとボタンをとめて着ている。しばらく見ない間に竹崎は少し陽に灼《や》けたようだと沙美はその喉《のど》仏《ぼとけ》のあたりを見て思った。

「今日はありがとうございます」

他人行儀に沙美は頭を下げた。急にはじらいがこみ上げてくる。この男はすべて知っているのだ。あの日ホテルの廊下で揉み合っていた自分と田代、偶然エレベーターに乗っていたこの男…。

「忙しいのに呼び出してすいませんでした」

けれども竹崎は何の屈託もなく笑いかける。そうすると田代とはまるで違った深さの皺《しわ》が目のまわりに出来た。

ふたりはまずフェッラーリ・ペルレというイタリアのスパークリングワインで乾杯をした。このとき沙美は初めて質問をした。

「竹崎さん、どうして今日が私の誕生日だって知っていたんですか」

「だって北村さん、前に僕に話したことがあるじゃないですか。誕生日が十三日だから、その日が金曜日にならないようにいつも祈っているんだって。それに男っていうのは、女性の誕生日はコンピュータ並みに記憶するものなんですよ」

沙美はちょっと不機嫌になる。自分が多くの女たちのひとりに数えられているような、一般論のように言われた気がしたからだ。

「北村さんから挨拶状をいただいたでしょう、会社を移ったっていう…」

「ああ、あれですね」

ありきたりのハガキにしたくなかったから、伊東屋に頼んで、自分の名を印刷したカードと封筒をつくってもらった。それに書いた挨拶状は、沙美自身が驚くほどの評判であった。とてもしゃれていると、皆が口々に誉《ほ》めてくれたものだ。特別製のカード類は高価で、もちろんこれは個人の支出となったが、沙美は満足していた。

「僕はあの手紙を見て、北村さんのことが心配になったんですよ」

前菜のスズキのマリネを頰張りながら、竹崎はそんなことを口にする。

「この人、こんなに頑張ってどうするんだろう。走って、走って、走り抜くんだろうかな、って」

「どうもご心配をかけてすいません」

沙美は頭を下げるふりをするが、これは皮肉というものであった。

「何回もお会いしていないのに、竹崎さんにそんなにご心配かけて申しわけないわ」

「いや、きっとあのことがひっかかっているからでしょう」

彼の言いたいことはすぐにわかった。ホテルで目撃された夜、沙美は竹崎に誘われて、バーに行った。そこでその夜のことを告白しようとする誘惑にかられた沙美に彼は言ったものだ。

「そんなことを聞くほど、僕は北村さんと親しくはない」

その言葉を後に沙美は何度も思い出したものだ。そうだ、自分の色ごとの相談などというものは、出逢って間もない男にするものではない。それなのに秘密隠匿を頼むことを兼ねて、自分の秘密を〝悩み〟というこしらえで竹崎に見せようとしたのだ。そんな自分を沙美はつくづくみっともないと思った。

「僕は決して優しい人間じゃない。他人のことに興味を持つようなタイプでももちろんありません。それなのにあの夜のことはずっとひっかかっていました。あのとき、あなたは確かに言葉を求めていましたね。慰めでも叱責でも、軽蔑でもよかったんです。あなたは誰か別の人間に何かを言ってもらいたがっていた。それなのに僕は、まったくあなたを無視しました」

「それはあたり前です。ねえ、お願いですからあんなことは忘れてください」

「いや、あれ以来、僕はずうっとひっかかってたんです。ちょうど僕が居合わせていたということは、僕に何らかの役割が与えられていたっていうことなんじゃないか。運命なんていう言葉は信じませんが、偶然にしてはあまりにも出来過ぎていた。そしてあなたが会社を辞めたことを聞いたんです」

「竹崎さん、そんなこと、まったく関係ありませんよ」

「でも僕はそう思わなかった。あの気の強い、がむしゃらな女の人が、あの夜はまるで補導された女子中学生みたいな目をしていたんですからね、忘れようとしても忘れられませんよ」

「あの、気が強くてがむしゃらな女の人、っていうのは私のことなんでしょうか」

「そりゃあ、そうですよ。他に誰がいるんですか」

ふたりはそこで初めて同時に微笑《ほほえ》み合った。この男は少し、自分のことを誤解していると思った。けれども傷つきやすくてやわな少女のように扱われるのはとてもいい気分だった。しかし沙美は何か言わずにはいられない。

「じゃ、今夜のお食事は、あのときの罪ほろぼしっていうことなのかしら」

「そんなミもフタもないような言い方はしないでくださいよ。ずっと前、おいしいワインを飲みましょう、って言いましたよね。それを実行したっていうことなんですから」

これは小さな告白というものなのだろうかと、沙美は男の顔を眺める。最初会ったときから、皮肉っぽい態度が気になったものの、外見はそう悪くないと思っていた。二十代のときだったら、すぐになびいたタイプかもしれない。けれども三十三歳になった一日目では、引き止めるものが多過ぎる。何しろこの男には、田代との現場を見られているのだ。情事の痕跡をたっぷりと残し、だらしなくワイシャツの裾を出した男が自分を追ってきた。腕を摑《つか》まれ、しばらく睨《にら》み合っていたあの情景が、まるで映画のように浮かぶ。第三者として映像を見ているようにだ。そして竹崎も同じシーンを見ているのである。おそらくこの男は、自分に同情してくれているに違いない、と沙美は思った。けれどもそれが今、あまり嫌な気分ではない。同性から受ける同情は決して我慢が出来なかった。女と女の場合、どちらかに大きな優越感がない限り、同情というものは起こらない。それなら憎しみというものの方がずっとよかった。

男から貰《もら》う同情には、純粋な甘さがある。自分が何もしてやれなかったという悔いが込められている。それだけを今は楽しめばいいのだ。

ふたりは既に二本目のワインを注文しようとしていた。

「こんなに飲んだの、初めてだわ」

「ごく軽いものを選んでいるから大丈夫。僕も今夜は、すいすい入っていきますよ」

「まるで学生時代のコンパみたい。あのころも、ビールがいったいどこへ入っていくんだろうって思っていたもの」

「チェッ、せっかくのバローロを、ビールと一緒にされたらたまらないなあ」

「けなしているわけじゃないわ。すごく楽しくておいしいっていう意味よ」

「それじゃ、二本目は北村さんを、あっと言わせるようなものを選んでみよう」

竹崎はなじみらしい黒服の男を呼び、ワインリストを拡げて相談を始めた。カジュアルというほどではないが、高級店とはいえないレベルの店だったから、その店はメートル《給仕長》がソムリエを兼ねているらしい。

「まいっちゃうなあ…」

男はつぶやいた。

「竹崎さんはうちのカーヴ、ちゃんと見てるからなあ」

「そうだよ。おたくはワインリストに裏表あり過ぎるよ。値段は良心的なんだけれど、客に飲ませたくないものはちょくちょく隠す」

ソムリエの男は笑って奥に引っ込んだ。竹崎は言う。

「ここのカーヴをこのあいだ見たばかりなんですよ。すっかり市場から消えてしまったサッシカイアの九三年がありましたからそれを持ってきてくれるように言いました」

「サッシカイアっておいしいんですか」

「イタリアワインのホープでしょうね。でもそんなこと憶える必要はありませんよ。日本人はワインでも何でもすぐに勉強にしてしまう。忘れるものは忘れていいんです。ややこしいフランス語やイタリア語の名前を憶えてる方が不思議なんです」

「私なんか記憶力が悪いから、そう言ってくれるとすごくラクになるわ」

「だってそうでしょう。本当に重要なことだったら人はちゃんと脳味噌に留《とど》めておくものです。脳にはそういう機能があるんです」

「だって竹崎さんは、いろんなワインの名前、すぐに出てくるじゃないですか」

「僕は呑《の》んべえだから酒の名前憶えるの得意なんですよ。ただそれだけのことです」

「あ、それから、人の誕生日を記憶するのもすごいわ」

「そりゃ、当然でしょう」

竹崎はばたんと音をたてて茶色の革のワインリストを閉じた。

「気になる女性の誕生日を憶えるのは、男だったら当然の行為でしょう」

沙美はしばらく言葉が出ない。これが他の男だったら、冗談にしてうまく言い返すことが出来るのだろうけれども、あまりにも唐突だったのと、竹崎がこんなことを言うとは考えもしなかったのでとまどいが先に立つ。

口説《くど》き文句には軽いジャブがあってしかるべきであるが、竹崎はまったく会話の流れを変えてしまったのだ。

ワインが運ばれてきた。新しいグラスも目の前に置かれる。ふたりはその日、何回目かの乾杯をした。

「誕生日、おめでとう」

「ありがとうございます」

こうしていると誰だってふたりを恋人同士と見るだろう。沙美は自分が多分、とても幸福な女に見えるだろうと思った。もし竹崎が今夜誘ってくれなかったとしたらと考える。知り合いの編集者とコーディネーターというメンバーの小さな飲み会。誰も沙美の誕生日など知っていないはずだ。もしかすると途中で、いくらか酔いのまわった沙美がそのことを言うかもしれない。

「いったい幾つになったの」

「言わないわ。三十過ぎた女に聞くなんてそんなのマナー違反よ」

皆が笑うはずだ。いったいいつから、沙美は自分の誕生日を茶化すようになったのだろう。それは間違っている。誕生日を茶化すというのは、自分の生き方まで茶化しているということだ。

「竹崎さん、ありがとう」

沙美は言った。酔ってはいない。体のあちこちにあった硬いものがいっきに崩れただけなのだ。

「こんな風に祝っていただくと、私の誕生日は本当に大切で、いいものなんだってちゃんとわかります」

「急に素直になりましたね」

竹崎は、いかにも楽し気に笑った。

「いつもそうしていればいいのに。今の表情と口調の北村さん、素敵ですよ」

「それが、世間がなかなかそうさせてくれないんですよ」

いつものつまらぬ言い方をしたと沙美はとっさに後悔する。

食後酒まで飲んでふたりは店を出た。道路に出るための小さな暗い階段がある。恋人たちがキスをするためのエアポケットのような場所。竹崎は立ち止まる。腕が伸びてくると思った瞬間に彼は声を発した。

「北村さん」

「はい」

「あの男の人とは別れられるんですか」

「ええ、大丈夫です」

「じゃ、そうしてください」

沙美は頷《うなず》き、触れ合うことをせずふたりは階段をゆっくりと上がり始める。

恋をするのは久しぶりだ、と沙美は思った。独身の男との健全なつき合いをしているときは、その平穏さが退屈に思えたこともある。ふたりの行方にはっきりと現れる〝結婚〟というふた文字を、わずらわしいと感じたことさえあった。

けれども妻子ある男と、情事と恋愛の境目が曖昧なつき合いをした後ならしみじみとわかる。

「恋っていうのは何ていいんだろう」

大学の先輩で有名な美人がいた。卒業後、とあるシンクタンクに勤めたのであるが、そこの所長と恋に陥《お》ちた。彼はときどきテレビに出て、経済問題を語る論客である。どちらかといえば醜男の部類に入る五十男なのであるが、カリスマ的な魅力がないこともない。彼女との仲はもう十四年も続いているという。

その先輩は、最近見るたびに萎《しお》れていくようだというのが沙美たちの一致した意見だ。キャリアウーマンの颯爽《さっそう》としたところも華やかなところもない。白い透きとおるような肌は、全体的に水分が抜けて乾いているのがわかる。

「自分の青春を家庭持ちの男に捧げてしまった愚かな女」

というのが今や彼女の形容詞となりつつある。

もしかすると自分もあの先輩の、二の舞いを演ずるところだったかもしれないと沙美は小さく肩をすくめる。二十代初めの若い女だったら、さまざまな冒険も許されることだろう。妻子ある男と身を灼くような恋をしたとしても、やり直す時間はたっぷりとある。軌道修正はいくらでも可能なのだ。

けれども三十代の女にはそんな余裕はない。結婚や子どもというものに向けて、効率よい直線コースをとることが大切だろう。

そしてゴールへ行かないにしても、その直線コースを歩いているという実感は、女にとって何という安らぎをもたらしてくれるのであろうか。

三十代の女は、二十代の女が持っているひたむきさをもうたっぷりと所持することは出来ない。その代わりプライドというものが心と体を占領していく。プライドは幾つもの疑問を生み出していくものだ。自分は利用されているのではないか。男の目的は自分の肉体なのではないだろうか…。家庭を持つ男とつき合うということは、自分の心の中で疑問をつくり上げ、それを打ち消す言葉が見つからずに当惑することである。自分の体がたとえようもなく価値を持つものに思え、その代価とは何だろうかと指を折って数えたりもする。

そんな自分の姿がはっきりと見えるのは、男と別れたずっと後のことになるけれども…。

竹崎とつき合うようになってから、沙美は清々《すがすが》しい気分に包まれる。

「好きだからつき合っているのだ」

この明快さの前に疑問のつくられる隙はなかった。たとえ結婚はしなくても損をさせられているという思いはない。

誕生日を一緒に祝ってから、毎日のように電話があった。ふたりでとりとめのないことをあれこれ話す。竹崎のこの素直さが沙美には意外であった。彼のことをもっとひと癖もふた癖もあるひねくれた男だと思っていたからだ。まさか高校生のように毎晩電話をくれるなどとは考えもしなかった。

竹崎は最初の誘いを除いて、ケイタイの方にかけてくることはなかった。いつでも沙美の自宅の方にかかってくる。おかげで夜の十一時前には帰るようになった。洋服を着替えていても、テレビドラマのビデオを見始めても、いつ電話が鳴るか気になって仕方がない。このあたりも恋の初歩のセオリーどおりである。

「三十歳を過ぎているのに、どうしてやり方が同じなんだろう」

考えるとおかしくなってくる。問題はいつキスやセックスをするかということであったが、これは難なくクリア出来た。二回目のデイトのときにキスをして、四回目の帰りに竹崎はごく自然に誘ってきたのである。

「ちょっと僕の部屋へ寄っていかないか。このまま別れるのは淋しいよ」

　余計な口説きや、まわりくどい酒や音楽のもてなしもなく、竹崎は部屋に着くなり沙美を抱いた。

「私のこと、好きだったんでしょう」

　ボタンを丁寧にはずされながら沙美は問うてみた。

「そりゃあそうだよ」

　竹崎は怒ったように言う。

「最初に会ったときから好きだったよ。なんて生意気で気の強い女だろうと思ったけれども、どうしても忘れられなくなった……」

　あまりにもあっけなく手にした勝利に、沙美はやや傲慢《ごうまん》になる。傲慢さは沙美の中で、露悪的な言葉に変わる。

「あのね、知っていると思うけれど、私、いろいろあったの。それでもいいのかしら」

「仕方ないさ」

　竹崎はボタンをはずす手を止めて、沙美の鼻の頭にキスをした。

「君はこんなに素敵なんだから」

　予想していたことであったが、竹崎のセックスは大層よかった。グラスの中のワインをいとおしむときとまったく同じ手つきで、彼は沙美の体の隅々を愛撫する。それは田代ととてもよく似ているようでもあり、どこか大きく違っているようでもある。

田代の年齢からくる巧緻《こうち》な技術の代わりに、竹崎はまだ若さを残した力強さがあった。田代の、こちらの反応をうかがう淫《みだ》らな狡猾《こうかつ》さの代わりに、竹崎には自分の欲望だけに殉じようとするいさぎよさがあった。いずれにしてもベッドの上でのふたりの男を比べるのは、あまり上品な行為ではないと沙美は反省する。けれども奇妙な幸福感にやがて包まれる。

フィアンセともいえる直樹と別れ、その後はすぐ田代の誘惑に負けた。そしてかなりごたついたと思ったら、今度は別の男に抱かれている。これは決してふしだらということではない。自分にはまだ充分な魅力がある何よりの証拠ではないか。

この感慨はおそらく三十三歳にならなければ起こらなかっただろうと沙美は思う。別れがあったとしても、自分にはすぐ言い寄ってくる男がいるという確信。これが幸福でなくて何だろうか。

けれども今、自分の肩をしっかりと抱き、かすかな寝息をたてている男をすぐに失いたくはなかった。男に抱かれたまま朝を迎えるのは久しぶりであった。妻子ある男とのそれはいつもホテルの一室で行なわれた。

経験ある女ならみな同意してくれるはずだが、夜が更けたホテルの廊下をひとり歩くときのせつなさといったらない。部屋のすべての人たちがドアのあちら側から耳を押しあて、こちらの動きを窺《うかが》っているようだ。

どんなに髪を直し、化粧をきちんと整えても、フロントの前を通るときはやはり怯《おび》えた。フロントマンたちはわざと目をそらしている。フロントの前を通るときはやはり怯え

田代はそのホテルに大層顔が利《き》き、信じられないほど安い値段で部屋を借りることが出来たようだ。それがますます沙美の心の負担になる。自分の顔や名前は、もうすっかり憶えられているのではないかという思いにとりつかれたことさえある。

けれども帰る必要のないベッドは何と気持ちよいのだろうか。竹崎の部屋はかなり広い三LDKであった。あきらかにイタリア製と思われるセミダブルのベッドに、茶色のシーツがきちんとメイキングされていた。後で知ったことだが、このマンションは契約すると、週に何回かベッドメイキングや掃除に人が来てくれるのだった。

金曜日の夜だったから、明日はたっぷりと寝坊を出来ることがわかっていた。沙美はうとうととまどろみ、明け方にはっきりと目を覚ました。竹崎はまだ寝入っている。彼の腋下《えきか》の繁みからはアーモンドを煎るような香ばしいにおいがした。

「この男を、とても好きになりそうな気がする」

顔も好き、声も話し方も好みだった。寝てみたらもっと好みなことがいろいろとわかってきた。男に気づかれないように沙美は小さな欠伸《あくび》をする。これから忙しくなりそうだ。この男と恋人としてのつき合いが始まるし、責任ある仕事にもついた。忙しさは今までの比ではないだろう。沙美は小さく伸びをする。爪先が男の裸の腿《もも》にあたった。自分の体が今、隅々まで活力に溢《あふ》れていくのを沙美は感じる。

どうやら沙美に本当にツキがまわってきたらしい。新製品の美容液が、なんと三つの女性誌にいっせいに特集されたのである。中でも社を挙げて喜びの声を上げたのは美容ライター中丸由美《なかまるゆみ》が書いた記事である。彼女は今や若い女性たちの教祖ともいっていい存在だ。彼女の筆さばきで、化粧品の売り上げの一割は違ってくるといわれている。

「中丸由美の今月のイチ押し」

で、彼女はラ・ルッシュ化粧品の美容液を取り上げているのだ。

「ラ・ルッシュというと、ちょっとマダム向きというイメージが強かったけれども、最近二十代の肌を意識したとてもいいものが登場して見直しています。特にこの美容液は、塗った次の日に、肌がふっくらと張りを持つのがわかります。私自身使ってみて驚いたぐらい」

ラ・ルッシュ化粧品での新製品配送先リストを見て、沙美は愕然《がくぜん》としたことがある。いったいいつつくられたリストだったのだろうか。新製品を送る相手がかなりずれているのである。

コリーヌ化粧品はこのリストのあて先が二百人であったが、ラ・ルッシュは百四十という少なさである。そればかりでない、送る相手がかなりずれているのだ。たとえば一時期ファッション記事でならしたものの、とうに六十歳を過ぎている評論家だったり、今は名前を聞くこともない元キャスターだったりする。どんな女性が今、影響力を持っているか、女性雑誌を調べればすぐにわかることではないか。

今、コスメティックの世界で、一番力を持っているのは何といっても中丸由美であろう。彼女は自分がモデルになってもよいほどの美貌に加えて、経歴も華やかであった。アメリカの大学でファッション工学を専攻した後、創刊されたばかりのアメリカと日本との提携女性雑誌に副編集長として招かれている。その後フリーとなったが、彼女の書く化粧品と美容に関してのエッセイは必ずといっていいほどベストセラーになる。

なんとラ・ルッシュ化粧品は、今まで彼女のところへほとんど商品を送っていなかったのだ。沙美はワープロを使わず、手書きで長い手紙を書いた。それより先にラ・ルッシュの製品をまとめて彼女のところへ送った。中丸由美が今日の地位を築いたのは、その潔癖さによるものだと多くの人は言う。彼女は特定の化粧品会社と深いつき合いを持とうとはしなかったし、プレゼントや接待攻撃にもぴくりともしない。ある化粧品会社がかなりの額のギャラと引き替えに、彼女をタイアップ広告に出そうとしたが頑として断わったという。

そういう性格を知っているからこそ、沙美は文面にさまざまな配慮をこらした。コリーヌからラ・ルッシュに移って以来、ずっと無沙汰が続いていることをわび、新しい職場がどれほど活気に充ちているかを説明した。

「私もラ・ルッシュに来るまでは、正直言ってパッとしないおばさん化粧品というイメージがありました。けれども実際に使ってみてまったく違うことがわかりました。これからは微力ながら何とかラ・ルッシュを新しい方向に持っていきたい。そしていつかは中丸さんに誉めていただけるような化粧品をつくりたい。それが今の私の一番の願いなのです」

中丸からは返事が来た。といってもカードにそっけなく、

「たくさんのラ・ルッシュの製品をお送りいただきありがとうございました。また近

いうちにどこかでおめにかかりましょう」

とだけ書かれてあった。けれども彼女は、沙美の送ったものを誠実に試してくれたのだ。その結果がこのコラムなのである。

「やったじゃないか」

部長から肩を叩かれた。記事が出た二日後、都内の主だったデパートの売り上げが出た。それによると美容液は目立った動きを見せているのである。報告によると、雑誌を片手に来店する若い女性の数が増え、彼女たちはリピーターではなく新規の客だと言う。

沙美はこの際、新製品の発表会のやり方を見直してくれるよう会議で発言した。夏に向けてのUV対策のファンデーションの発表会はとうに終わっている。あのとき、沙美はどれほど口惜しい思いをしたことだろうか。ちょうど引き継ぎのころだったので、発表会は前任者が計画したようなものだ。ホテルの一室を借り、説明会と小さなカクテルパーティを開いた。そのときの土産品の野暮ったさは、多くの編集者たちの苦笑の種になったと聞いた。UVカットの下地クリーム、ファンデーションの他に、ラ・ルッシュ化粧品が用意したのは夏にちなんでのビーチマットであった。これがどうしようもないほどの嵩《かさ》高さで、まるで田舎の結婚式の引出物のような紙袋になってしまったのである。梅雨にはまだ早いころであったが、長雨が続いているときであった。この日はやはり別の化粧品会社が、夏用化粧品の商品説明会を開いていたから、ハシゴをする編集者たちも多かった。

ホテルのフロントで、宅配便を頼んでくれた者たちはまだ好意的な方だろう。ホテルのトイレのくず箱には、化粧品を抜いたラ・ルッシュの紙袋がぎゅうぎゅうに押し込まれていたという。

この話を親しい編集者から聞いたとき、沙美は青ざめたものである。

「そんなに気にしなくてもいいよ。僕たちは昨年の〝リリック化粧品コート事件〟というのにも遭遇しているから」

同性愛と噂される男性編集者はくっくっと低く笑った。

昨年の暮れ、ニューヨークからリリック化粧品が日本の業界に参入した。ニューヨークのトップをいく、五人のヘア&メイクアップアーティストが力を合わせて開発したという商品は、まだ扱うデパートが都内で三つという小規模なものであったが話題性にはことかかなかった。スーパーモデルがこぞって愛用しているとか、日本人向けに特に開発されたカラーがこれまた素晴らしいなどと、女性誌はどこも書き立てたものである。ＰＲ担当には本社から大物の日本人女性が差し向けられると、これまた大きな記事になった。けれども彼女は、お披露目を兼ねた新製品パーティで大変な失態を演じてしまうのだ。

注目の化粧品会社の説明会ということもあり、その日たくさんの数の編集者が詰めかけた。受付には不慣れな女性がふたり立っていただけだと多くの者たちは証言している。

預けたコートと引き替えに彼女たちは番号札を渡したのであるが、そんなものは何の役にも立たなかった。ふたりの若い女は、衝立《ついたて》の陰のテーブルに、二百人のコートをばんばん積み重ねていったのである。

パーティを終えた後、受付は大混乱となった。いちばん不幸な人が、やっと自分のコートを手にすることが出来たのは、パーティが終わってから一時間半後のことだったという。

やれ『ミス・マリー』の女性編集者が、

「私のグッチの新品のコート、弁償してちょうだい」

と怒鳴ったとか、『ルージュ』の若い編集者が、急ぎの用事に間に合わずコートなしで帰っていったなどという多くの逸話が生まれた事件である。この後、リリック化粧品のPR担当者たちは、四日間かけてすべての編集部に謝ってまわったという。

「あのコート事件に比べれば、あのビーチマットなんかどうっていうことはありませんよ。持って帰ってくるのが嫌だったら、捨てればいいんだから」

彼の言葉は屈辱以外の何ものでもなかった。多くのパーティを開くのがPR担当者の仕事であるが、そこにはわずかな隙があってもならなかった。そのむずかしさときたら、大使夫人どころではないと沙美は思う。説明会のマイクの音量、パーティのカナッペのおいしさ、そして土産のセンスまで編集者たちは鋭い目で見ているのだ。彼らは決して悪い人間ではないが、みんな大層意地が悪かった。そして噂好きでもある。化粧品会社のパーティというのは、彼らの絶好の餌食《えじき》となる。昨年の失態が未だに話の種になるのだ。

完璧なまでのパーティにし、やっと彼らはその会社のことを認めてくれるのである。そこの家の女主人がパーティを取り仕切るように、説明会をとり行なうのはPR担当者である。招待状は上役の名前で出すが、会場の選定、土産のアイデアもすべてPR担当者だ。

コリーヌ化粧品のパーティは、おおむね好評だったといっていい。外交官夫人である小泉由利子は、やはり抜群の知識とセンスを持っていたのである。あのときの沙美は、女主人に付く女性秘書といった役割であった。が、ラ・ルッシュでは違う。沙美は女主人としてスカウトされたのである。沙美はラ・ルッシュに移ってから、テーブルコーディネートの本を読み、暇があると大きな花屋を見てまわった。ガーデニングブームの影響もあり、最近どのパーティでも凝ったフラワーアレンジメントをするのが常である。

いつか沙美は花屋に直接指示出来るぐらいの力を持ちたいと思っている。もっと時間があれば、テーブルセッティングやアレンジメントの勉強が出来るのにと残念でならない。その代わりレストランに入り、素晴らしいセッティングがしてあるとメモをとった。本当はポラを撮りたいところであるが、写真はたいていの店でいい顔をしない。

その日の夜も、沙美は次の皿が来る前に手帳にスケッチを描いた。イタリアンモダンというのだろうか、ブルーのテーブルクロスにオレンジの皿、そして黄色い花だけのコーディネートが新鮮だったからだ。

「君の仕事熱心には本当に感心しちゃうよ」

竹崎がこちらを見ている。けれども決して不快に思っていないことは、微笑をたたえた唇でわかる。

彼は直樹とはまるで違った愛し方をする。直樹は、優位に立った自分が女を護るというやり方が、一番女を愛することだというやや古風な考えの持ち主であった。竹崎は決して新しい思想を持っているというわけではないが、自分の恋人が自分以外のものに夢中になることに対してとても寛容である。それを見るのがむしろ楽し気でもある。といっても、皮肉なひと言を添えるのを忘れない。

「そのうちにパスタをいじくりまわして、肉の含有量とか調べるんじゃないのかな」

「そんなことはしないわ。ただこの配色がとってもいいから憶えておこうと思って」

「僕は色に関しては一応のプロだから言っておくけれども、オレンジ、青、なんて書いても決して頭の中には入っていかないよ」

「わかってるわ。でもね、いいな、と思ったことだけは忘れないと思うの。何月何日、どんな店で、どんなテーブルで嬉しい思いをしたか、ちゃんと書いておこうと思って」

その後、沙美は顔を近づけてそっとささやいた。

「こんなにカリカリ働いている私って嫌い？……」

「うーん、むずかしいとこだなあ」

「最初のころ、あなた言ったわよねえ。こんなに余裕がなくて、仕事一辺倒の女見るの嫌だって。ものすごく冷たい調子で言ったわ」

「いや、あのときは君のことをまだよく知らなかったんだろうな」

「今はよくわかってるってわけなの」

「そうじゃない。あのときの君は何か意地で頑張っているっていう感じがした。攻撃的で痛々しかったなあ…」

「今は違うっていうの」

「そうだなあ、この女は意地で頑張ってるんじゃない、っていうことがようやくわかってきた。子どもが水遊びするように、仕事に夢中になってる。仕事が楽しくてたまんないんだとわかった。正直言ってそんなことが出来るのは、男だけだと思ってたんだ」

「すごい偏見ね。でも本当に楽しいかって言われれば困るかもしれない。つらくて大変なこともいっぱいあるもの」

「つらくない仕事なんて、やったって仕方ないじゃないか。仕事なんて性悪女みたいなもんだ。魅入られるともう理屈は通らない」

「そうかもしれない。でもね…」

沙美はテーブルの向こうを見つめる。白いシャツを着た素敵な男が座っていた。

「私、いま気が遠くなりそうなぐらい幸せなの。仕事がこんなに楽しいこともない。

それは好きな人がいて毎日が楽しいから。私、女ってどっちかをあきらめるものだと思ってた。でも違うのね。すべてがうまくいって、こんなに幸せな気分、女でも味わえるのね」

「おやおや、急に正直になったね」

「あなたこそ…。最初に会ったときは意地悪ばっかりしてたわ」

「そっちこそ」

同時にふたりの手が伸びて、青いテーブルクロスの上で固く握り合った。


夏が近づいてきた。

恋人がいる夏といない夏とでは、まるで違う。

新しい恋人を手に入れた初めての夏は、無限の可能性ときらめきを持っているようであった。ふたりとも大人で、みじめではない経済力を持っていたらどんなことでも出来る。

南イタリアをまわらないかと竹崎は提案した。うまいワインを飲みながら、ふたりで小さな街を次々と泊まり歩くのだ。自分は車の運転が好きだから、レンタカーを借りるのもいい。

「素敵、素敵」

沙美は手を叩いた。昨年移ってきたばかりの職場で、どのくらいの休暇がとれるかはわからない。が、コリーヌ化粧品でもそうであったが、外資系企業のいいところは、まわりに気を遣うことなく長い休暇を申請出来るところだ。自分の役割さえ果たしていれば、長いバカンスも決して無理なことではない。

沙美の勘からすると、十日間は文句なしに大丈夫という気がする。ラ・ルッシュの美容液はその後も雑誌に次々と掲載され、確実に売り上げは伸びているのだ。沙美をスカウトしたことは大成功、というのが業界内に定着した評価である。

「そうよねえ、こういうときこそ自分にご褒美あげたっていいわよねえ。だって本当に頑張ったんだもの」

沙美はひとりごちたが、今までもこうした言葉を口にしたことがある。そうしながら高価なバッグや洋服を買った。今までの沙美にとって、自分への褒美というのはそうしたものだった。けれどもそれは女の子のやり方だ。大人の女だったら、自分への褒賞《ほうしょう》というのはやはりバカンスであろう。それも好きな男との、贅沢な旅でなければならなかった。

手始めに今度の旅はビジネスクラスを使うつもりだ。竹崎の知り合いに旅行代理店に勤めている男がいて、彼が格安の航空券をまわしてくれるというのだ。

「こんな景気だから、ビジネスに乗る奴が少なくなって余ってるんだよ。エコノミーの料金にちょっと上乗せするぐらいでいい」

三年前、パリ旅行の帰り、初めてビジネスクラスに乗った。

座席こそそう広くなかったものの、食事の内容といい、スチュワーデスの丁寧さといい、エコノミー席とはかなり違っていた。あの席に座り、好きな男とイタリア旅行に出かける。それは何と心はずむ出来事だろうか。

以前の恋人たちともときどき旅行に出かけたが、みんな国内旅行であった。長期の海外旅行は初めてだ。これはやはり大人でなくては出来ないことだろう。

三十三歳の沙美はしみじみと思う。独身の期間が二十代のときだけでないというのは、実はとてもついていることなのだ。

早く結婚した、大学時代の友人と比べてみるとよくわかる。彼女たちは今、子育ての真最中で、受験の話をし始めたりするともう止まらない。そういう話題をするとき、自分たちがどれだけ老けて見えるかということに気づかないかのようだ。それにひきかえ、沙美は同い年で、恋人と海外へ旅をするという幸福が用意されているのだ。三十代はじめの自分は充分若く魅力的だと思う日と、もう残り時間が少なくなっていると考える日とがある。今の沙美は前者だと考えることの方が多くなっている。これはいかに充ち足りた毎日をおくっているかという何よりの証拠であろう。

いずれにしても、夏が近づくにつれ、沙美の日々は一層輝かしくなっている。こういうときは、何をしてもなめらかにことは進んでいくものだ。

おとといは『ルージュ』の編集長と副編集長とを、鱧《はも》のうまい店に誘ったところ大層喜ばれた。

「どこもさ、イタリアンとかフレンチに招《よ》んでくれるけれど、やっぱり暑くなるとこういうものがうまいねー」

編集長は関西の出身だという。東京ではなかなかうまい鱧は食べることが出来ないが、この店はいけると何度も言った後、秋の号でラ・ルッシュ化粧品について、何か面白い記事をつくろうと約束してくれたものだ。彼は自分が、最初に沙美と竹崎とを引き合わせたことを面白がっていて、それ以来ラ・ルッシュ化粧品のことを何かと気にかけてくれているのである。

そして今日、沙美は『ミス・マリー』の若手編集者たちとカラオケに興じている。編集者とのつき合い方のコツを、沙美は最近ようやくわかってきたのであるが、彼らは本当に気まぐれなうえにプライドが高い。嫉《そね》んだり、ひがんだりする心、異様に

噂好きなところは普通の会社員以上であろう。編集長や副編集長クラスだけに近づいていくと、

「権力志向」

という悪評が立つ。管理職以上に、若い実戦部隊には心を配らねばならないのである。編集部での評判は、そのまま記事の多寡《たか》となり、PR担当者たちの実績に繋《つな》がっていくのだ。

だから沙美は、こうしてほぼ毎日のように、どこかで食事をしたり、歌を歌わなくてはならない。日本には九十誌におよぶ女性誌があるが、そのうち化粧品会社がつき合うのは五十誌ぐらいであろう。

その編集部ひとつひとつの中でも、管理職、中堅、若手と予《あらかじ》め細かく分けて接待しなければならない。どの層からも、

「ラ・ルッシュの北村さん」

と名指ししてもらえるようになったらしめたものだ。

その日沙美は若手の編集者たちとイタリアンを食べた。表参道にオープンしたばかりの店は、いかにも流行《はや》りそうなつくりと料理で、しかも値段はリーズナブルだ。こういう若手との会食の場合、二日前の鱧料理の約半分の予算を組む。

去年は化粧品の売り上げが、初めて前年を下まわった。どんな不景気でも、化粧品だけは大丈夫だとずっと言われ続けていただけに、業界のショックは大きかった。ラ・ルッシュ化粧品は売り上げこそ多少伸びているものの、締めつけは一層厳しくなっている。そもそも、日本式の接待というものを、フランスの本社はほとんど理解出来ていない。しぶしぶ認めているというのが現状だ。

限られた予算の中で、あれこれやりくりし、編集者たちから「ケチ」と言われないようにするのは、PR担当者たちの腕にかかっていると言ってもいい。

今日訪れた乃木坂のカラオケボックスは、つい最近出来たばかりだ。インテリアがしゃれているのと中で食事が出来るというので、芸能人たちもよく使うというところである。沙美が二次会用に見つけておいたところは、新しがり屋の編集者たちを大層喜ばせた。

「ここならゆっくり歌えていいですよねー」

若い編集者は、白い革張りのソファがすっかり気に入ったようだ。

「いいとこ教えてもらっちゃった。今度友だちと来ようっと」

入社して二年、美容のセクションに就いたばかりの彼女は肌がまだ汚い。学生時代のニキビの跡に、不規則な生活ゆえの毛穴の開きがある。が、もう一年もすれば見違えるようになるだろう。化粧品会社のプレゼント攻撃によって、新製品のものはたいてい手に入れることが出来る。自分でも気をつけるようになるから、たちまち肌が変わってくるはずだ。それと並行して、沙美との駆け引きもうまく狡《ずる》くなっていくはずである…。

「沙美さん、まずはいっちゃっていい？」

「もちろん、どうぞ、どうぞ」

沙美はソファに深く腰かけた。二十代の女性たちは、その合間にもせわしく歌詞カードをめくっていく。やがて勢いよくひとりが立ち上がって歌い始めた。アップテンポの英語混じりのこの歌詞は、今とても売れているシンガーのものだが、沙美はその名を憶えられない。もうちょっとしたら、アムロあたりを歌うつもりだが、そのあたりが沙美の限界であった。

よく友人と言うことであるが、カラオケに行くと、つくづく年の差を感じる…。

そのとき、不快な感覚に襲われて沙美は口を覆《おお》った。まさかと思ったが、奥の方からこみ上げてくるものは確かに吐き気であった。

「失礼」

さりげなく外に出て、トイレへ走った。部屋の新しさとは違い、掃除のいきとどいていない便器に沙美は身をかがめた。自分の口から、さっき食べたばかりのそら豆のパスタや、ミラノ風カツレツが、かなりの原形を保ったまま出てくるのを、沙美は気味悪く見つめる。

「まさか、まさか…」

そんなはずはないと沙美は思った。当然のことながら、竹崎とのことは避妊には気を遣っている。十五や十六の少女ではないのだから、それは自分の責任においてしっかりと注意してきたつもりだ。

けれども、もしやと一瞬息をとめてしまうような記憶はあったかもしれない。ふたりでしこたまワインを飲んで、ふざけ合ってベッドに倒れ込んだあの夜のことが、鮮やかな映像となって沙美の頭の中で光り始める。

「そんなはずはないわよ、絶対に」

けれども今月、まだ生理が来ないという事実が、その後の強い否定の言葉を消してしまった。沙美の生理はきっちりと二十八日周期でやってくる。どんな友人よりも律儀といっていいぐらいにだ。今まで遅れたことも早まったこともなかったのに、それが来る日から一週間たつというのに何の気配もない。

「だけど、もし、そうだったら」

沙美は洗面台で口をすすぎ、しばらくぼんやりとしていた。口紅がとれたままの女の顔は、蛍光灯の下、ひどく青ざめて見える。その異常さは、妊《みご》った女のそれのように思えないこともない。

「私が子どもを産む……。まさか」

いつか母親になることを考えたことがある。が、それは沙美にとってまだ遠い日のことであった。人生のプライオリティから言えば、それは三位以内にも入ってこない。まず仕事があり、恋があり、手ごたえのある日常があった。

あまり大きな声で言えたことではないけれど、沙美は早く結婚したがったり、むやみに子どもを欲しがる女というのを軽蔑していた。ああいうものは、がむしゃらに手に入れるのではなく、偶然や幸運というものが自然に重なって、ある日、ぽとりと掌《てのひら》の中に落ちてくるのが望ましい。

沙美のまわりにも、何人か未婚の母や、妊娠がきっかけで籍を入れたカップルがいるが、それも沙美の好みではなかった。突発性の出来事で、それまで歩いてきた生き方のコースを変えるというのは、あきらかに沙美の美学に反していた。

「まさかと思うけれども、もしそうだったら、いったいどうしたらいいんだろう」

沙美はポーチから口紅を取り出した。ラ・ルッシュ化粧品の今年の新色、52番だ。

これはとても評判がいい。濃いピンクなのだが、大人の女の唇に上手に馴じむ色である。この口紅を売り込むために、自分はどれほど苦労をしたことだろう。いろいろな編集部に通いつめ、彼らの機嫌をとった。

おかげで、この口紅は、いくつかの雑誌で大きく取り上げられたものだ。沙美は今ほど、自分の人生がうまく操れているときはないような気がしている。こうなりたいと憧れた自分に少しずつ近づいているのは確かだった。それを妊娠ということによって中断するのはまっぴらだった。

「あ、沙美さん」

トイレのドアが開いて、編集者の女性が入ってきた。コム・デ・ギャルソンの今年のブラウスの胸元が、少しだらしなくはだけていた。

「あんまり遅いから、心配して見に来たのよ」

「ごめんなさい。あのね、私、ちょっと酔っちゃったみたい。さっきワインを四人で五本も空けたから」

「沙美さんの飲みっぷりよかったもんね。さすがワインのオーソリティを恋人に持っているだけあるって、私たち、今言ってたんだ」

竹崎とのことは、この狭い世界でどうやら認知されつつあるようだ。

「ちょっと調子に乗り過ぎたみたい。悪いけどこのまま失礼させてもらっていいかしら。フロントに私の名刺置いて、後で請求書送ってもらうようにするから、ゆっくり遊んでいってちょうだい」

「嫌だわ、カラオケのお金ぐらい、自分たちで払っとくってば。そんなに気を遣わないでくださいよ。私、みんなに言っとくから、部屋に戻らずにこのまま帰った方がいいですよ」

親切な彼女は、表に出てタクシーを拾ってくれた。

「沙美さん、気をつけて。今日はどうもご馳走さまでした」

「こちらこそ、お時間をとっていただいてありがとうございました」

「また若いのだけで楽しくやりましょうね」

と言っても、やはり彼女も入社して三年目で沙美とは八歳も違うはずであった。じゃーまた、という声が沙美にはひどく若々しく感じられる。

「私はもしかすると、もう若くないのかもしれない……」

タクシーのドアに寄りかかりながら、沙美はつぶやいてみる。するとそれは、もはや動かしがたいほどの事実に思えた。

「もう若くない私にとって、子どもを産むということはすごいチャンスなのではないだろうか」

　竹崎は何と言うだろうか。沙美はいつのまにか恋人の返事をあれこれ推測している。彼は何度も愛していると言ってくれた。何もかも自分とぴったりと合う。こんな女を用意してくれるなんて、世の中捨てたもんじゃないなと、前戯の最中つぶやいたこともある。

　が、彼の口から結婚という言葉は一度も出ていない。それならば沙美はそれを言わせてみたいのかというと、とても微妙なところで、今の沙美にとってやはり結婚というのは困惑する選択なのである。前の恋人、直樹ともそのタイミングが摑めずに別れてしまった。竹崎といつかは結婚するかもしれないが、それを選ぶ権利は自分にあり、時期も沙美が決めたいのだ。

　いずれにしても大変なことになったと沙美はため息をつく。自分がついているのか、ついていないのかまるでわからない。

　カラオケの夜から三日たった。沙美は忙しいのを言いわけにして、まだ医者に行っていない。妊娠判定薬を買おうかと何度も薬局に行きかけたのだがやはりやめた。まだ自分以外の何ものかに、大きなことを決めて欲しくなかったのだ。

毎晩、アロマテラピーの効力がある入浴剤を入れて、ゆっくりとバスに入るのが沙美のならわしだ。浴槽の中に身を横たえて、沙美は自分の腹部に手をやる。もちろんそこには何の変化もないのだが、もしかするとひとつの生命が芽ばえている場所であった。

自分は何ものにも支配されたくないとずっと思っていたけれども、この皮膚の下にあるものは沙美に変化を起こすかもしれなかった。

「本当にどうしたらいいんだろう」

沙美はタオルで体を注意深く拭いた。竹崎と知り合ってからワインをよく飲むようになった分、食べ物を控えるようにしていた。だから体のどこにも余分な脂肪はついてはいない。新製品のボディローションで念入りにマッサージしてきたから、肘や膝も指が滑るようになめらかだ。この体が不用意に膨《ふく》れたりするのも嫌だと思った。

電話が鳴る。竹崎からだとすぐにわかる。先週末は、彼が九州に出かけていて会えなかった。今度の土曜日には遅くなっても行くからと電話があったばかりだ。

「いい土産があるよ。熊本の酪農家がつくっているうまいハムだ。スペインのものとそっくりの味がする。今からいいサンセールと一緒に持っていくからグラスを用意しといて」

「わかったわ」

軽く髪を乾かし、ジーンズとニットに着替えた。ジーンズのジッパーがすんなり上がるのが、なぜか不思議な気分がした。

十一時近くになってから竹崎がやってきた。ふたりでBS放送のバスケットを観ながらワインを飲んだ。

「八月のイタリア旅行のことだけど」

ハムを薄くそぎながら竹崎が言う。

「料理専門誌の編集者に言ったら、ぜひ取材させてくれっていうんだ。もちろんカメラマン同行なんて嫌だから写真を自分で撮って原稿を書けばいいんだけれど、取材ってことになれば、あっちの醸造元もちゃんと見せてもらえるし、わりといいんじゃないかと思うんだけど、君の意見はどうかな」

君の意見はどうかな、とこちらを向いたときの竹崎の目は、たとえようもなく優しく誠実であった。

沙美はふと恋人に甘えたくなった。この場合、甘えるということは相手の心を試すことになる。

「私、もしかすると、イタリアに行けないかもしれない」

「どうして、なぜ」

「私、妊娠してるかもしれないから」

赤ちゃんが出来たかもしれない、などという可憐な言い方は、夫婦にだけ許されるものだと沙美は本能的に知っていたのかもしれない。もう一度言う。

「私ね、もしかすると、妊娠したかもしれないのよ」

沙美は目の前の男の顔の変化を見つめた。そして彼が口を開いた瞬間、自分が望んでいたものが何だったかようやくわかった。しかし竹崎の反応は、沙美が望んでいたものとは正反対のものであった。

「そんなはず、ないと思うけどな…。僕は自信がある」

「でもね、生理がもう十日も遅れているのよ」

「ちゃんと確かめたわけじゃないんだろう」

竹崎はなじるように言った。

「ええ、まだお医者さんには行ってないんだけど…」

「じゃあ、おどかさないでくれよ」

彼はグラスをあおる。

「君も知ってのとおり、僕は一度結婚に失敗している。僕は妻だとか子どもだとかと一緒に暮らすのには、本当に向いていない人間なんだ。そこのところ、君はわかってくれていたと思うけどな」

「わかってるわ……」

反射的に沙美のプライドがそう答えさせていた。

「もちろん君のことは好きだよ。一緒にいると本当に楽しい。僕はね、今みたいな状態が一番好きなんだ。自立したふたりがお互いに部屋を持っていて会いたいときに会う。バカンスは一緒に出かける。今のこの状態が最高なんだ。君もそうだと思っていたよ」

いいえ違う、と沙美は思った。自分が竹崎に望んでいたものは、こんな理性的な冷ややかさではなかった。自分勝手な考えであるが、理性を持つのは沙美の方でなくてはならなかった。

沙美の妊娠を聞いて、竹崎の顔はぱっと歓喜に輝く。そしてこう言うのだ。

「素晴らしいじゃないか。僕たちの子どもが出来るんだ。絶対産んでくれよ。そうだよ、子どものために結婚しよう」

沙美は拒否するが、竹崎は許さない。そして沙美は渋々ながら自分の人生の流れを変えていく……。

けれども現実の竹崎は違っていた。自分の人生を変えたくないと、彼に先を越されて宣言されてしまった。

「僕は今、子どもを産むことが決していいことだと思わないよ。君の今着実に積まれているキャリアからいっても、僕たちの仲からいっても。僕はさ、子どもが出来たからといって、なし崩しに結婚するカップルぐらいみっともないものはないと思ってるんだ」

何から何まで沙美の考えとそっくり同じではないか。けれどもどうしてこんなに哀しいのか、どうしてこんなに聞いていてつらいのか。

「じゃ、子どもが出来ていたら、堕《お》ろせっていうことなのね」

ああ、何か安手のドラマのようだと沙美は思った。主人公ではなく、主人公の恋人を横恋慕する二流の女優の役どころだ。自分はこんなことを言うつもりはなかった。一時間前まで沙美は産む意思もなかったのだから。いつのまにか主導権は向こうにわたってしまった。

「ああ、申しわけないが、僕はそう考えている。女の人にとってつらいことだろうが、そうするしかないだろう」

「帰って」

乾いた声が喉の奇妙なところから出た。

「今はひとりになりたいの。だから帰ってよ」

「わかったよ」

竹崎の従順さが心から憎いと思った。どうしてもっと言葉を尽くそうとしてくれないのか。

「とにかくちゃんと医者に行って結果を教えてくれよ。相談するのはそれからでも遅くはないだろう」

「相談って、最初から中絶させる気なんでしょう。よく言うわよ」

うまいこと言って、いつもいつもうまいこと言って…。竹崎がドアを閉めた後、沙美は同じ言葉を繰り返している。

キャリアですって、自立したふたりですって、なんて空々しい言葉なんだろう。いったい竹崎は、田代とどう違っていたのだろうか。妻子がいるくせに自分と関係を持った田代を本当に狡いと思った。けれども結婚出来る状態でいながら、結婚は絶対にしないという竹崎は何といったらいいのだろうか。

自分は単に都合のいい女なのではないだろうか。

私は決して物欲し気な女じゃない、と沙美は声に出さず叫ぶ。ただ、自立だとかキヤリアだとか、それよりももっと強い言葉を言って欲しかっただけだ。自分をただただいとしく思って欲しかっただけだ。

沙美はいつのまにか床の上で号泣していた。

そして二日後に生理が来た。それは決して遅れたのではなく、とても早い流産だと沙美は思った。

第九章　空しさの向こう側

沙美は結局、イタリアに旅立つことはなかった。このままの気持ちで竹崎とふたり、何日間も過ごすということはとても出来ないと思った。

「正直に言うわ」

沙美は電話という手段で、竹崎に伝えた。

「私、どうしてもあなたと一緒にイタリアに行く気持ちになれないの」

「君って変わってる女《ひと》だよなあ…」

彼は受話器の向こう側でため息をついた。

「結局は妊娠していなかったんだろう。だったらどうってことないじゃないか」

「私が行く気になれないのは、あのこととまるっきり関係ないわ」

おそらく彼に話しても理解してもらえるはずはなかった。沙美は本当に、妊娠も結婚も少しも望んではいなかったのだ。妊娠を武器にして結婚を迫る女、などというのは沙美の最も軽蔑するもので、そんなひとりに思われるぐらいならば、自分ひとりで始末したことだろう。

ただ沙美が失望し、衝撃を受けたのは確かなのだ。

「僕は結婚に一度失敗している。僕は妻だとか子どもだとかと一緒に暮らすのには、本当に向いていない人間なんだ」

「今のこの状態が最高なんだ。君もそうだと思っていたよ」

といら竹崎の言葉は沙美を信じられぬほど深く傷つけた。そして自分が傷ついたという事実は、沙美の自尊心を揺さぶり、そのことでますます沙美は傷ついているのだ。

「とにかく行く気になれなくなったの。申しわけないわ。旅行会社には私からもう連絡しておいたから心配しないで。違約金も取られなかったわ」

しばらく沈黙があった。どうやら竹崎は沙美の感情に気づいたようだ。

「僕は行かないわけにはいかない」

彼は低い声で言う。

「もう向こうの醸造所にも連絡してしまった。仕事がからんできたから行かないわけにはいかないんだよ」

「わかってるわ。どうぞ私のことは心配しないでちょうだい」

再び沈黙があり、怒りを含んだような竹崎の声がした。

「まさか、これで終わりっていうわけじゃないだろう。イタリアから帰ってきたら、また僕たちは始められるだろう」

「そうだといいんだけれど…」

「嫌な言い方するなよ。たいしたことがあったわけじゃない」

本当にそうだと思った。ふたりの間にたいしたことなど何も起こらなかった。大きな喧嘩があったわけでもない。どちらかが不実なことをしたわけでもなかった。ただ沙美の心だけが冷えているのだ。

「イタリアにどうしても行くわけにはいかないの？」

今度は優しさを込めた竹崎の声だ。

「機嫌を直して一緒に行かないか。そうすれば君の気分も変わるかもしれない。思い切って行ってみれば、ああ、来てよかったって思うはずだよ。僕はあっちで君とゆっくり話をするのを本当に楽しみにしていたんだ」

沙美の前に、南イタリアの太陽と、どこまでも続く葡萄園が見える。それは半月前、どれほどきらめいていただろうか。目を凝らしてみる。が、あのときの光はもうどこにもなかった。

「私は気が進まないままに、何かをするっていうのが一番嫌いなの」

　沙美は言った。

「それから、なし崩しに何かするっていうのもね…」

「わかった。あっちから電話をするよ」

「待ってるわ…」

　どっちが先に受話器を置いただろうか。とにかく電話は切られた。

　八月はどこの編集部も長い休暇をとるため、沙美はこれといってすることがない。申請して受け容《い》れられた十日間の休暇を、沙美はもて余し始めていた。

　親しい女友だちはもうとうにバカンスの行く先を決めていたり、あるいは出発していた。それに混ぜてもらうことも出来たかもしれないが、そうすると竹崎とのいざこざを語らざるをえなくなってくるだろう。つき合って一年にもならない、熱愛中のふたりが別々に夏を過ごすなどということは考えられない。実家に戻る、というのもあるがこれは可能な限り避けたかった。母親は沙美の三十三歳という年齢に、最近とみに焦《あせ》りと怒りを感じているようなのである。

「もう諦《あきら》めて好きなようにさせている」

というポーズを親戚の手前とったりしているが、その反動が不意に訪れるときがある。ゴールデン・ウィークの最中、一晩だけ鹿沼の実家に泊まったが、その際はさんざん愚痴《ぐち》られたものだ。

「仕事を続けるのはもちろん構わないわよ。こういう世の中なんだもの。だけど世の中には、仕事をしながらちゃんと家庭を持っている人だっているじゃないの。子どもをしっかり育て、ダンナさんとうまくやってる人だっているわ。それがどうしてあなたに出来ないのよ」

もちろんそうした人もたくさんいるだろう、けれども自分はそういうタイプではない、と沙美は反論した。

「それに私の仕事は、家事や育児の片手間に出来るもんじゃないわ、絶対に。もう少ししたら要領もわかってくるかもしれないけれど、今はそれどころじゃないの」

「化粧品のPRっていうのが、そんなにご大層な仕事なのかしら。家庭や子どもを持つっていうことを犠牲にしてもやらなきゃいけない仕事なのかしらね」

母親との不毛な口争いがまた始まるかと思うと沙美はぞっとする。

いろいろ考えた揚句《あげく》、沙美は都内の一流ホテルに四泊ほどすることにした。「夏のレディスプラン」などというものはあまり好きでなかったし、もともとひとりの場合は適用されない。だからツインの部屋を、シングルユースで頼んだところ、二十万円近い金額になった。イタリアに行くために定期を崩しておいたから、その中から払うことになる。考えてみればハワイでもバリでも、行こうと思えば行ける金額だ。けれども今の自分にはパッケージツアーのにぎやかさよりも、都会のホテルの静けさの方が必要なのだと沙美は思った。

前から読みたかった本数冊と水着を持ち、沙美はホテルにチェック・インした。本を読みその合間にプールに行くつもりであったが、沙美は昼も夜もこんこんと眠り続けていた。これほど自分が疲れていたとは驚きだった。

「DON'T DISTURB（起こさないでください）」というカードをかけ、冷房がひんやりきいた部屋のベッドに横たわると、ミステリーを五ページも読まないうちにたわいなく眠りにおちていく。その瞬間、沙美はああと小さなため息をつく。

「私はいったい、どんな風に生きていきたいんだろうか…」

自分で発した質問に自分でとまどい、それを深く考えたくないために眠りの暗い穴へ身を投げかけていく。

そしてまどろみから目が覚める。またあの問いが悪夢のように甦《よみがえ》ってくる。

「本当に私は、いったいどんな風に生きていきたいんだろうか」

ほんの一ヶ月前まで、沙美はそんなことを考えたことがなかった。自分の好きな仕事があり、それは努力の甲斐《かい》あって大きな成果を得つつあった。週末を共に過ごす恋人のことを、本当に愛していると思っていたし、愛されていると思った。

そう、あの事件が起こるまで、沙美の生活は充実という表現がぴったりだった。自分はまだ若く、さまざまな可能性があると信じることさえ出来た。それがどうだろう、今、沙美は魔法にかかったようだ。どうあがいてみても一ヶ月前に戻ることは出来ない。

自分はもう若くもなく、空しい日々に時間だけが浪費されていくのではないだろうか……。

沙美は七月に行なった商品説明会のことをふと思い出す。

ラ・ルッシュ化粧品は、夏から秋にかけての主力商品として引き締め化粧品シリーズを発売することになった。引き締めといってもボディ用のものではない。ビタミンと特殊な植物エキスによって小顔を実現しようというものだ。ラ・ルッシュ化粧品本社では、これを加齢によるたるみ防止用として売り出そうとしていたのであるが、沙美たち日本支社のPR担当は、小顔をコンセプトにしようと決めた。他社の二百ケース完売という大成功のケースがあるからだ。

宣伝にあたって、沙美は今までのようなパーティ形式をやめ、少人数の説明会の形をとることにした。フレグランスやメイクアップ用品といったものと違い、この化粧品はじっくりと中身をPRした方がよいと沙美は力説した。

時間を決め、ホテルのスイートルームに四人から五人の編集部ビューティ担当者を呼ぶ。形式はティー・パーティとして、ホテル側にハイ・ティーのセットを頼むことにした。口うるさい編集者を呼ぶので、ケチくさいように思われてはならなかった。沙美はホテルの担当者と細かく打ち合わせをし、三段のトレイに、サンドイッチやケーキ、スコーンを綺麗《きれい》に飾ったものを用意した。

ところが沙美は、親しい女性編集者からこんな電話を貰《もら》ったのだ。

「ねえ、こんなこと言っちゃ悪いけど、おたくの今度の説明会、すごく評判が悪いわよ」

「え、どうして」

心臓が止まるかと思うほど驚いた。すべてに心をくだき、丁寧なインビテーションカードを送ったばかりだ。

「だってね、そっちで日にちを決めて、この三日間のうちの、どこかで来てくださいってあったでしょう。みんなあれにカチンときたみたいね。どこの編集部も、夏休み前に入稿しなくちゃいけなくてカリカリしてるのよ。この時間か、この時間のうちに来いって言われるとみんなぶうぶう言っちゃうのよね」

「だって、三日間も幅を持たせたのよ…」

「それでも編集者って、決められるのがイヤなのよ。パーティだったら別だけれども、少人数の説明会って強制的な感じがするじゃないの」

そんなつもりはまったくなかったのにと、沙美は唇を嚙《か》みしめた。こういう悪評というのは、ほんのささいなことでも業界をかけめぐり、ひとりのPR担当者の評価を左右してしまうのだ。

ラ・ルッシュ化粧品の北村沙美といえば、コリーヌ化粧品から引き抜かれた、まだ若いけれどもやり手のPR担当者ということになっている。気前もいい。沙美が担当になってから、新製品は各編集部にふんだんに送られてくるようになった。食事会やカラオケも、しょっちゅう声をかけてくれる。気がきいていて万事にそつがない…こんなところが自分の評判だろうと沙美は冷静に分析する。引き抜きの際、怪文書をまかれ、男性関係が取り沙汰されたけれども、めまぐるしいマスコミ業界にあってそれは次第に遠いものになりつつある。

そういった〝北村沙美〟像というのは、沙美自身が一歩ずつ着実につくり上げたものだ。どんな瑕瑾《かきん》があってもならなかった。

説明会の日、沙美は必死になって挽回《ばんかい》に努めた。美容担当者の説明の後、パンフレットを配り、ティーを勧めながらあれこれ気を配った。

ところが編集者たちはみな申し合わせたように機嫌が悪く、説明に対しても今ひとつのってこない。そうかと思うと急に鋭い質問を連発してきたりする。

「北村さん、このパンフレットによると、フランス本国ではたるみ防止用として発売されたものでしょう。それと〝小顔〟っていうのは、ちょっとこじつけ過ぎじゃないかしら」

「それはですね、たるみ防止と、小顔になるための成分が同じ、っていうことがわが社の研究であきらかになったんですね。ですから日本では、たるみ防止からもう一歩進んだ考え方、小顔っていうことも強調しようっていうことになったんです」

「それはちょっとおかしいわね」

口をはさんだのは、フリーランスの美容ライターである。

「三十過ぎてからのたるみっていうのと、若い人の求める小顔っていうのは、そもそも違うもんじゃないでしょうか。それをいっしょくたにするのは、売らんかな、っていう感じがするわよね」

そのとき、美容技術部長がむずかしい専門用語を駆使して助け船を出してくれたからよかったものの、沙美は完全にやり込められるところであった。

ああ、嫌だ、嫌だと沙美は深いため息を漏《も》らす。編集者というこの上なく我儘《わがまま》で気まぐれな人種。プライドが高く、馬鹿にされたとすぐ腹を立てる人たち。そうした彼らを相手に、これからもずっと自分は機嫌を取り続けていくのだろうか。食事に誘ってはビールを酌ぎ、カラオケでは率先して歌いながら、耳元で、

「今度のうちの商品、どんな記事にしてくれるのかしら」

とささやき続けるのだろうか…。

そして沙美は再び眠りの中に入っていった。どのくらいたっただろうか、目を覚ましたときには、完全に陽は落ちていた。時計を見る。午後の七時になったところだ。昼間はルームサービスのサンドイッチを食べただけだ。空腹の手ごたえだけが、今の沙美にとってただひとつ活力の元という気がする。

沙美はやっとのことで立ち上がり、鏡の前に立った。髪を手で直し、口紅だけをつけた。いかにも気だるげな起きたての顔だが、たっぷり眠っただけあって、肌はしっとりと輝いている。まさかこの格好でダイニングレストランに行けるはずはないが、一階のコーヒーハウスならどうということもないだろう。

沙美は白いノースリーブのワンピースに、カーディガンを羽織ってエレベーターに乗った。一階で降り、フロントの前を横切ろうとしたときだ。

「北村君じゃないか」

振り返らなくても声で誰かわかった。麻混の涼し気なスーツを着た田代がそこに立っていた。が、彼とここで会うのはそう不思議なことではない。各ホテルに不思議な人脈と力を持つ彼は、いつも情事に使っていたホテル以外にもさまざまなところのメンバーになっているはずだからだ。コリーヌ化粧品を辞《や》めた後も、業界のパーティで遠くから彼を見かけたことがある。

「やあ、久しぶりだねえ」

彼の笑顔は何の屈託もなかった。

「本当にご無沙汰しています」

沙美は頭を下げたがまずいときに会ったと思った。普段着のワンピースにサンダルの格好といい、ほとんど化粧をしていない顔といい、沙美が上の階から降りてきたことはすぐにわかったはずだ。

「僕はね、今、お客さんを招待して、三十七階のレストランへ行くところなんだ」

沙美が問いもしないのに、田代は勝手に喋《しゃべ》り始めた。

「北村君も知っていると思うよ。本社の営業部長のグラネルと」

確かに一度ぐらい聞いたことのある名前だ。

「彼のワイフだ。夏のバカンスで日本と中国へ来たんだ。一度ぐらいは飯をご馳走しなければいけないしね。えーと、僕はたぶん、九時半ぐらいには終わると思うよ」

沙美はあっけにとられた。彼ともう二度とプライベートに会うつもりはなかったからである。それなのに田代は、この後沙美と過ごすのをごく当然のことのように思っているかのようだ。

「じゃ、後でフロントから部屋に電話するから」

返事も待たず、早足で行ってしまった。

コーヒーハウスでひどく不味《まず》いシーフードスパゲティとサラダを食べながら、沙美は今起こったことを思い出してみる。何だか煙にまかれたような気分だ。転職を機に、沙美は田代にきっぱりと別れを告げた。意外なことに、彼はまったく未練たらしい様子を見せなかった。

「君がそう考えるなら仕方ないよ。だけど僕に相談にのれることがあったらいつでも言ってくれたまえ」

最後は大人の余裕さえ見せたが、誰がもう相談をするものかと沙美は冷たく聞いていたものだ。そんな自分の心を空恐ろしいと思い、それに対して相手はきっと恨んでいるはずだと思ったのは沙美の自惚《うぬぼ》れだったのであろうか。自分のことを恨んでいるとは言わないまでも、いい印象を残しているはずはないと考えていた。それなのに田代のあの明るさは、いったいどうしたことだ。まるでおととい別れた女に対するように、後で電話すると言ったのだ。

ああ、うっとうしいと沙美はプチトマトをフォークの先でつつく。ホテルの部屋に戻るのが億劫《おっくう》でたまらなくなってきた。いっそのこと、自分のマンションに戻ろうかとふと思ったが、二日間冷房をつけていない場所はさぞかしうだるような暑さになっているはずだ。わざわざタクシーを走らせてそこへ行く気にはなれなかった。沙美はのろのろとコーヒーを飲み、八時半近く部屋の鍵を開けた。しばらくベッドに横たわり、その後、洗面所に立った。思ったとおりひどい髪をしている。誰かの歌にもあった。みじめな格好をしているときに限って、別れた男と会うものだと。沙美はピンを使って髪をゆるいアップにした。気がつくと化粧ポーチを取り出し、ファンデーションを塗っている。たっぷりと寝た肌は、化粧品を吸い込むようだ。薄くアイシャドウを塗り、マスカラをつける。見違えるようになった。せめてこのくらい気をつけてロビーに降りるのだったと沙美は口惜しくなる。

電話が鳴った。ここに居ることを知っているのは、さっき出会ったばかりの男しかいない。

「やあ、お待たせしてごめん、ごめん」

久しぶりに聞く田代の声は、沙美に錯覚をもたらした。まるであのときのようだ。ホテルのバーで、あるいはもう予約されたダブルの部屋で、田代からの電話を待っていたあのときの自分だ。

「今からちょっと一杯飲まないかな。ここのホテル、最上階にいいラウンジがあるからそこで待っているよ」

「あ、ちょっと待ってください」

沙美は言った。

「私、化粧もしていないしひどい格好なんですよ」

それは嘘だ。田代からの電話を待ちながら、いつのまにか念入りに紅をひき、シャドウを塗っていた。

「そんなことないよ。さっきちらっと見たけど、肌が透きとおるようで本当に綺麗だった」

〝本当に綺麗だった〟という言葉は、思わぬほどの効果を沙美にもたらす。何度もリフレインして心の中に響いていく。その隙《すき》を見はからったように田代は、

「じゃー階上《うえ》で待っているから」

と電話を切った。

受話器を持ったまま沙美はぼんやりしている。田代とふたりで酒を飲む。竹崎という恋人がいる身の上で、そんなことが許されるのだろうか。

だけど、沙美の中で小さな声がする。

だけど、竹崎は留守だ。自分が黙っている限りわかりはしない。それにちょっとお酒を飲むぐらいどうということはないだろう。以前の上司と会い、ちょっと昔話をするだけだ。それに、それに、竹崎は自分をこれほど傷つけたのだ。だからほんの少しぐらい罰をうけるべきなのだと沙美は結論を出す。

やや迷った揚句、沙美は今着ているワンピースを着替えないことにし、軽いジャケットを羽織った。その代わりアガタの小さなイヤリングをつけた。

バーはエレベーターを降りて右手にあった。夜景が映えるように、ラウンジはとても薄暗い照明だったので、田代の姿を見つけるのに沙美は長いこと目を凝らさなくてはならなかった。彼はカウンターではなく、窓際のテーブルに座っていた。観葉植物

の陰になっていて目立たない席だ。

「僕はもう始めちゃったけど、君は」

挨拶は抜きでいきなり自分のグラスをつき出したのは、彼独特の照れというものだったかもしれない。何を頼んだかわかっている。ライムを多めに入れたジントニックだ。沙美はトロピカルカクテルを頼んだが、運ばれてくるとその騒々しい色にすっかりげんなりしてしまった。けれどもそれで形だけ乾杯することになった。

「君の活躍、聞くたびに嬉《うれ》しいよ」

「どうもありがとうございます」

ぎこちない会話がしばらく続く。

「うちも本社からの締めつけが厳しくなるばっかりだよ。バブルのころの数字だけはしっかり憶《おぼ》えているから本当に困る」

「そうですよね、もうああいう時代は二度と来ないって、どうしてわかってくれないんでしょうか」

まるでパフェのようなカクテルに口をつけてみると冷たい甘さが案外心地よく、沙美はあっという間に半分ほど飲み干してしまった。

「ねぇ、田代さん、つまらない質問をしていいでしょうか」

「何でも聞いてくれよ」

こちらを見た目が何とも優しかった。

「化粧品があって、それを売り込むためにいろんな編集者やライターの機嫌をとるの、何だか空《むな》しくなりませんか。私の仕事っていったい何だろうって」

「そうだなあ、そう言われれば空しいときもあるかなあ…」

田代は頷《うなず》く。

「でも仕事なんて何をやっても空しさと背中合わせみたいなもんだよ。こっちの調子がよければ、その空しさはくるっとあちら側を向いて、調子が悪いと空しさは目の前にどんとくる。だから出来るだけ調子をよくして、空しさをあちら側に向かせるようにしなきゃいけないんだ」

「そうかもしれませんね…」

空しさというのは何と気まぐれなのだろうかとも思う。ある日突然、ほんのちょっとしたきっかけでやってきて、もうふりはらうことは出来ない。沙美は自分の愚痴をもっと聞いてもらいたい欲求にかられそうになり、それをぐっと押しとどめた。そんなことはとても危険なことだ。

「私、もうそろそろ失礼します」

カクテルも飲み終わった。もういい引き時だろう。

「僕も帰るよ」

田代も立ち上がった。ふたりでエレベーターに乗るとき、さすがに沙美は緊張した。彼が手を伸ばしたらどうしようかと思ったのだ。けれども彼はエレベーターボタンの前に立ち、静かにロビーの階を押した。沙美は手を伸ばし16という自分の階を押す。それを口にすることがはばかられたからだ。

16の数字が光り、エレベーターは小さな音をたてた。そのとき、沙美はぐいっと腕を摑《つか》まれた。熱い男の指は大層力があった。すべてが無言のまま、沙美は廊下に連れ出された。

それほど動揺していない自分に気づいた。奇妙なことに、田代に腕をとられたときから沙美は落ち着きをとり戻している。こうなることはずっと前からわかっていたような気がした。

といっても、当然拒否するつもりでいる。が、廊下で男の手を激しく振りほどくような、みっともない真似はしたくないと思った。自分の部屋で、ゆっくりと田代をはねつけていきたい。その際、長くたまっていた恨みや、ついに口にすることが出来なかった皮肉を相手にぶつけることが出来たら、どれほど気分がよいであろうか…。

などと考えていた自分の甘さを、すぐに沙美は思い知らされることになる。部屋のドアを閉めるなり、沙美はいきなり田代に抱きすくめられた。顔をそむけたから逃れられたものの、彼の唇は沙美の左の頬をかすった。

「ずっと、ずっと会いたかったよ…」

こんな風に低い男の声を、そう遠くない昔によく聞いたと思った。田代はふたりきりになると、ぐっと声のトーンを落としささやくように喋るのである。

「沙美のことをずっと考えていた…本当だよ…」

「ちょっと待ってくださいよ」

両の手に力を入れ、男の体をあちら側に押し出した。田代はすぐに離れる。それは抱くのを諦めたというよりも、一瞬の休止という感じであった。

「私たち、もうとっくに別れたじゃないですか」

「別れた?…」

田代は初めて外国語を聞く子どものような顔をした。

「君と僕がいつ別れたって言うんだい」

「私は会社を辞めるとき、ちゃんとお話ししました。もうこれっきりにしたいって。

田代さん、わかったって言ったじゃありませんか」

「僕はそんなことを言ったつもりはないよ」

田代は図々しく上着を脱ぎ、それをソファの背にかけた。

「ちゃんと上着を着てください」

沙美の言葉に田代はニヤリと笑った。

「暑いんだから仕方ないじゃないか。うるさいフレンチレストランみたいなことを言わないでくれよ」

「とにかく、田代さんと私は、もう何の関係もないんです。さっき下でお会いして、ちょっと懐かしくって一緒にお酒を飲みましたけどそれだけのことです。へんな風に誤解しないでください」

「誤解なんかしてないよ…。ねぇ、それよりも立ったままじゃ疲れるから、ちょっと座らせてもらってもいいかな」

沙美の返事を待たず、田代は腰をおろす。ソファセットのあるデラックスダブルの部屋をとっておいて、本当によかったと沙美は思った。そうみじめでない部屋でバカンスを過ごす、自分の姿を見せることが出来たのだ。情事の際、田代はいつもダブルの部屋を予約したものだが、沙美とても自分ひとりの力で、このくらいの部屋を使うことが出来るのだ。

「ねぇ、本当に暑いんだけれども、冷蔵庫からビールをとって飲んでもいいかな。そのくらいの接待をしてくれてもいいだろ。一応、僕は君の上司だったんだからさ」

沙美は缶ビールを取り出した。二本にしようかと思ったが、やはり一本だけにし田代に渡した。

「このビールを飲んだら、本当に帰ってくださいね」

「そんなおっかない顔されたら、誰だって帰るよ」

田代は笑いながらビールを飲み干す。少しゆるめたネクタイの上に、浅黒い肌の喉《のど》仏《ぼとけ》が見える。それは沙美の幾つかの記憶をつくった場所である。ときどき、沙美は田代の喉を噛んだ。もちろん跡をつけない程度の軽さであるが、田代がそれをするように仕向けたからである。

田代は中年の老獪《ろうかい》さで、沙美にいろんなことをさせようとした。それもすべて無言でだ。自分の体の向きを変えたり、沙美の首筋を動かしたりしながら、男の官能の場所を教えようとした。今そのことは、竹崎とのベッドの上でどれほど役立っているだろうか……。

いつのまにか、田代の喉元をじっと見つめている自分に気づき、沙美は顔を赤らめた。やはりベッドのある密室というのは、人を冷静な気分にさせないものだ。

「そのビール飲んだら、本当に出ていってくださいね」

「もちろん。だけどその前に、君の誤解をちゃんと解きたいな」

「どんな誤解ですか」

「君が別れようって言って、僕がわかったって言ったことについてさ。僕は君が転職したいっていうことについて了解しただけさ。それをふたりの件のことにとられちゃ困るな」

「おかしなこと言わないでください」

怒鳴ったつもりだが、実はそうではなかった。ここまで幼稚な男の狡《ずる》さに、沙美は快感をおぼえているのである。

「ちゃんと別れたはずだわ。だってあれ以来、田代さん、いっぺんだって電話をくれなかったじゃありませんか。未練たらしいことも何もなかったし、誰だってすべて了解したと思うわ」

口に出した後でしまったと思った。これは恋人の不実さをなじる女の繰り言と同じではないだろうか。沙美は自分で吐いた言葉の罠《わな》にはまって、それきり何も言うことが出来ない。

「僕にあのとき、未練なんかなかったよ」

田代は不意に立ち上がり、長椅子の上の沙美に近づいてきた。

「だって僕らは別れられるわけがないと思っていたから。どうせ元どおりになると信じていたんだから、未練なんか起きるわけがないだろう」

顎《あご》を指でつまれ、ひょいと上を向かされた。ビールで濡れた唇が沙美の唇を覆《おお》う。

「やめてください…」

沙美は最後の勇気を振り絞って言った。

「私には、もう好きな人がいるんです」

「知ってるよ。ワインにやたら詳しい本の装丁家だろう。確か竹崎とか言ったな」

「知ってたの…」

「僕は君からずっと目を離さなかった。ちゃんと君のことを見て、君の噂《うわさ》は聞いていたよ。君のような若くて綺麗な女に、すぐに男が出来るのはあたり前だからね。僕は全然嫉妬《しっと》なんかしていないよ」

今度は長いキスをした。沙美の頭の中からいろいろなものが消えていく。それが酔いのせいなのか、それとも田代の口説《くど》きのせいなのか沙美にはもうわからない。ただ体をぐったりさせて、運命と男の力にすべてを任せていく心地よさがあった。

自分で考えず、自分で決めないというのは何て気持ちいいんだろうかと沙美は思った。いつもいつも自分ひとりで考え、自分で決断を下す生活ばかりしてきた。だけど今は何もしなくていい。自堕落で馬鹿な女のふりをして、何かをやりすごせばいい。

「だけどさ、その男に僕の代わりが出来るはずはないじゃないか。僕ぐらい君のことを考えて、君の成長を見守ってきてる男は、もう現れやしないのさ。本当だよ。だって僕は、しんから沙美のことが、いとおしくって可愛くってたまらないのさ」

そんなことはすべて嘘だと思う。けれども今沙美にとって、嘘が大層気持ちよい。嘘だって人間を幸せにしてくれることは多々あるのだ。

私は今、何をしているのだろうか。部屋が急に暗くなった。男があかりを消したからだ。ネクタイを解く絹の音が遠ざかり、そしてまた近づいてくる。長い長いキスが始まる。指の長い田代の手が、ゆっくりと胸をまさぐっていく。それは竹崎ととても違っているような気もするし、まったく同じことのような気もする。

「さあ、沙美」

闇の中で田代がささやいた。

「前みたいに気持ちいいことをしようよ」

ベッドに倒れ込む直前、罪悪感というものがやってくるかと思ったが、それは沙美の前を素通りしどこかへ行ってしまった。

九月になっても竹崎は帰ってこなかった。最初は十日間の予定を、ひとりになったために大幅に延ばしたのだ。その間電話は二回ほどあった。

「どう、元気にやってる」

「とっても元気よ」

他の男と寝たぐらい元気だから、という言葉をぐっと呑《の》み込む。おかげでとても機嫌がよい声になった。

「どう、そっちは暑いのかしら」

「いや、そうでもない。東京は凄い暑さらしいけれど、僕が来てからは、こっちはわりと涼しい日が続いて快適さ」

「よかったわ。じゃ、お仕事の方もうまく進んでるのね」

「ああ、もう一回目の原稿と写真をこちらから送ったけれども、編集者にも好評だ」

「最高じゃないの。おいしいワインがいっぱい飲めて仕事も快適だなんて」

「いや、やっぱりちょっと飲み過ぎたかなあって思うこともある」

「気をつけてね。外国で体調を崩すと、大変なことになるから」

「あの、いや……」

「何よ」

「あの、すっかり前みたいになってくれたんだなと思って。イタリア旅行を中止するとき、沙美はかなりカリカリしていたから、僕はずうっと気になっていたんだ」

「それは悪かったわ。でももう大丈夫」

他の男と寝たから、という次のフレーズが浮かび、沙美はすんでのところでくすっと笑いそうになった。

「沙美、あんまりナーバスにならないでくれよ。僕はイタリアへ来ても、本当に君のことを考えてるんだ」

「そう、嬉しいわ」

「沙美、君のことをちゃんと愛しているからね」

「わかってるわ」

「じゃあ、また電話するよ」

「待っているわ」

受話器を置いたとたん、沙美はうきうきした気分がわき起こってくるのをどうすることも出来ない。ひどく卑怯《ひきょう》なやり方であるが、自分はこうして竹崎よりも優位に立つことが出来たのだ。

田代とのことは一度きりにするつもりである。どちらの男を愛しているかと問われれば、それはもちろん竹崎の方だ。けれども彼はたった一度きりでも自分のことを傷つけたのである。だから沙美は田代との情事で、その報復を果たしたのだ。

沙美の心の中で、さまざまな収支計算が済んだせいか、最近はまた仕事も快調なリズムを取り戻している。沙美にとって非常に幸運なことに、コリーヌ化粧品時代から親しかった編集者の何人かが、有名女性誌のデスクや副編集長クラスに戻ってきたということがある。沙美はさっそく食事会を開き、昔どおりの親しさを復活させた。

「私ね、やっぱり北村さんってさすがだと思った」

その中のひとりは、少々酔ってこんなことを言ったものである。

「私が女性誌の美容担当をしてたときは、それこそいろんなところから、化粧品を送ってきたものだわ。凄い量でダンボール一杯すぐに貯まった。私ね、三年間、化粧品っていうものを買ったことなかったもの。それなのにコミックの編集に移ったとたん、そりゃあつれないもんよ。試供品のミニチュアひとつ送ってくれなかったもん。それなのにさ、北村さんだけはラ・ルッシュに移ってからも、私にちゃんと新製品送ってくれた。あれってさあ、結構じいんとくるもんよねえ」

編集者といえども会社員であるから、社内の異動から逃れることは出来ない。春と秋に行なわれるそれは、会社によってはかなり不定見なもので、女性誌で活躍していた編集者が作家を相手にする文芸担当になったり、男性週刊誌に異動することがある。

化粧品会社のPR担当者たちは、こうした異動に敏感である。新しい実力者たちにはすぐに近づかなくてはならないし、消えていくものの仕分けもしなくてはならない。

各社の美容担当者たちに送る化粧品というのは、それこそ膨大な量になる。いくら化粧品をつくって売っている会社といえども、無尽蔵に地の底から口紅や化粧水が湧《わ》いてくるわけではない。それだから当然、美容担当者のポストを離れた者は、送付リストから消していくわけであるが、ここでは細心の注意をはらわなければならなかった。

それまで化粧品会社から、多くの接待やプレゼントを貰っている編集者たちは、その甘い記憶を長く持っているものである。たとえコミック誌に移ったとしても、化粧品会社からの動きに敏感になっている。そのとき、掌《てのひら》を返したように、自分に口紅一本送ってこなくなった化粧品会社のことをいろいろ考えるのだ。

そして出版社の面白いところは、何年かたつと何人かの編集者を、元の古巣に戻すということである。しかも前よりもいいポストでだ。

そのとき彼ら、彼女らは、自分にむごい仕打ちをした化粧品会社のことをよく憶えているものである。再びちやほやし始め、食事やカラオケに誘ってくるPR担当者と、もう以前のようにつき合わなくなった編集者というのはかなりいるものだ。沙美たちの仕事で大切なことは、この人はもう一度女性誌で美容担当の仕事に就《つ》くかどうか見極める力を持つことである。

沙美はそのことを田代から教わった。

「そうむずかしいことじゃない。君が一緒に仕事をして、出来ると思った編集者は、やっぱりすごい編集者だ。そういう人は編集長が手放さない。二、三年どこかへ貸し出したとしても、ちゃんと自分のところへ戻らせるはずだ」

「でもそういう編集者は、他のところでも大切にされて戻ってこないんじゃないかしら」

「いや、女性誌には向き不向きがある。これは男の編集者だろうと女だろうと同じだ。まず自分もしゃれた格好をしている。それから外部の者たちに受けがよくて、思わぬ人脈を持っている。こういう編集者は、いずれ女性誌の編集長になるわけだから大切にしなきゃいけない」

それから田代は、女性誌に必ずいる古手の副編集長やデスククラスの女性たちの動きをよく見るようにとも言った。彼女たちはもはや主《ぬし》的な存在となり、異動もない。それどころか彼女たちは実は人事権を握っているのだ。だから彼女たちに好かれているかどうかも、戻ってくるかどうかがわかる大切な鍵になるという。

このセオリーを沙美は忠実に守ったわけではないが、自分が今後も仲よくしたい、つき合いたいと思う編集者たちにはずっと化粧品を送り続けた。それが思わぬ成果を見せたというわけである。

沙美は食事の最中、いくつかの企画を提案した。

ねえ、クリスマス、お正月特集で思いきり白い肌をつくる特集ってどうかしら。これは基礎化粧品の特集じゃなくって、メイクも兼ねているの。このところ赤が復活しているでしょう。赤い口紅って一時ちょっと敬遠されていたけれども、実は肌を一番白く綺麗に見せる色なのよね。それとチークの魔術っていうのもどうかしら。このごろの若い人ってチークを嫌がるけれども、あれはいちばん効果があるのにね。ねえ、ぜひやりましょうよ。うちはどんなことでも協力させていただくわ…。

押しつけがましくなく、そういう話を進めていくのはかなりの技術を要する仕事である。沙美はまだ残暑がきつい街からぐったりとして帰ってきた。途中のタクシーの中で、ケイタイの留守電サービスを聞く。最近食事をしている最中は、ケイタイの電源を切ることにしているのだ。よくレストランや飲むところで、ケイタイをぴいぴい鳴らしている女がいる。若い女ならともかく、それなりの年齢のスーツを着た女がケイタイを鳴らすのは大層見苦しいと沙美は思うようになった。

忙しいのが、嬉しくて嬉しくてたまらないさまは、数年前の自分を見ているようだ。ゆっくりと食事をとれないような女が、どれほど重要な仕事を任されているというのだろうか。沙美は編集者たちがケイタイを鳴らすのも実は快く思っていないのであるが、それは口に出したことはない。ただ自分だけは、こうして電源を切っているだけだ。

メッセージに耳を澄ませると、いきなり田代の声がした。

「いやぁ、暑いですね。お元気ですか」

少々の照れを隠したとぼけた声だ。

「ご無沙汰しています。近いうちに食事でもどうでしょうか。代沢にうまいイタリアンを見つけました。久しぶりにゆっくり話をしたいから電話をください」

その後流れてきた声に、沙美は心臓が停まりそうになった。まだイタリアにいると思った竹崎からであった。

「どこかに出かけてるのかな。仕事中かな」

苛立《いらだ》った声だ。

「チケットがとれて、さっき帰ってきました。家にいます。電話をくれるか、それともまっすぐ来てくれないかな……」

運転手に向かって、沙美は叫んだ。

「すいません、ちょっと行く先変えてくれませんか。三宿《みしゅく》にお願いします」

今夜は飲み会があったために、買ったばかりのジャケットを着ている。流行のグレイで軽い一枚仕立てになっている。これに白のパンツを合わせたところ、いかにも初秋にふさわしい格好になった。今日おしゃれをしていて本当によかったと沙美は思った。

もっと早くメッセージを聞いていれば、家に帰ってシャワーを浴びたり着替えたりすることも出来たのだが今はとてもそんな余裕はない。そんなことよりも、一刻も早く竹崎に会いたいと思った。

沙美は、いつのまにか自分が健全な恋人の心を取り戻していることに気づく。

「あの男とあんなことがあったからだ……」

他の男との一夜の情事が、これほどまで竹崎に対してせつない思いを起こさせているのだ。が、沙美はそれほどこのことを不思議なことだと思わない。田代の出現によって、竹崎との崩れかけた関係は、初めてバランスを取ることが出来たのだが、それはなるべくしてなったような気もする。

竹崎のマンションに着いた。インターフォンを押す。なかなか応答がないので沙美は不安になった。どこかへ出かけたのだろうか。やはり電話をしてから来るべきだったのだろうか。

「もし、もし……」

やがて眠そうな竹崎の声がした。

「私だけれど……」

「おう、待ってた」

沙美は男に部屋の合鍵を渡さない主義である。当然、男の部屋の鍵も受け取らない。だからこうして開けてもらうわけであるが、インターフォン越しの声で、機嫌のよし悪しがすぐにわかるようになった。今夜の竹崎はやはりいつもより切実さがある。一ヶ月半の別離が彼をどう変えたのだろうか。

ドアを開けてくれた竹崎はTシャツを着ていた。少し乱れた髪が、さっきまでうたたねしていたことを示していた。

「お帰りなさい」

「うん、ただいま」

竹崎は近寄ってきて軽いキスをする。部屋の真中には開いたままのスーツケースが置かれ、中身がはみ出ていた。整理をしかけて眠ってしまったらしい。

「どうだった、旅行は」

「ああ、とても面白かったよ。でも君が一緒ならもっと楽しかったとずっと思ってた」

「イタリアへ行ってきたら、なんだかすごく口がうまくなったわね」

「そう言わないでくれよ。旅行中、本当に君のことが気になって仕方なかった…」

そこで竹崎はため息をついた。

「この旅から帰ったら、ひょっとしてお終《しま》いになるんじゃないかと心配になった」

「私もそんなことを考えたこともあったけど…」

沙美は後の言葉をどうしようかとしばらく迷った。

「でもね、やっぱり今別れるのはおかしいと思った。だって私たち、まだ別れるほどちゃんとつき合ってもいないし、愛し合ってもいないもの。まだちゃんと食べ切っていない仲だわ」

「食べ切っていないはよかったな」

竹崎は低く笑い、そしてこちらへおいでと手招きした。サイドテーブルの上に、いくつか包装紙につつまれたものがあったが、彼はその中から一番小さなものを手にとった。

「それ、お土産ね」

「そうだよ、もちろん」

包みを開ける前から指輪だとわかった。中からガーネットを細工したものが出てきた。古風であるがシンプルな形で、沙美の着ているものにも合いそうだ。

「フィレンツェに銀細工の有名な店がある。そこで買ったんだ」

「サイズがぴったりだわ。どうしてわかったのかしら」

「店員がお前のシニョリーナはどんな姿かたちだって言うから、背はわりと高くほっそりしている、手と足は信じられないぐらい華奢《きゃしゃ》なんだって言ったら、このサイズにしろって言われた。一番小さなサイズだ」

「嘘つきね」

沙美が軽くぶつ真似をすると、竹崎は腕ごと自分に引き寄せた。今度はさっきよりもはるかに心の込もった本格的な抱擁だ。

「沙美、会いたかったよ」

「私も、すっごく会いたかった」

長いキスが始まり、竹崎の舌は沙美の歯の間を割って入ってくる。これは欲望が昂《たか》まったことを意味していた。

「ねぇ、シャワー浴びてくるわ」

やっと唇を解放された後で、沙美は言った。

「わかった、その代わり五分以内だぞ」

ふたりがじゃれ合いながら立ち上がったとき、沙美のバッグの中で呼び出し音がした。タクシーの中で電源を入れ、そのままにしておいたのだ。

「いったい誰かしら。こんな時間にヤンなっちゃう」

竹崎に言い訳しながらケイタイを取り出す。

「もし、もし」

「あ、僕だよ。もう家に帰ったのかな」

田代の声であった。

第十章　そして最後に

一ヶ月半ぶりの恋人との再会のときを、田代はちゃんと知っていたかのようだ。余裕たっぷりの声は、軽い笑みさえ含んでいる。

「今、代官山の例の店からかけているんだけれども、ちょっと出てこられないかな」

「とても無理ですね」

こういう場合、女が誰でも発するような尖《とが》った硬い声が出た。

「今、ちょっと打ち合わせ中なんですよ。申しわけありませんけれども、明日、またご連絡します」

「打ち合わせ中っていっても、もう十二時近いじゃないか。そんなに遅くまで君をひきまわしている編集者って、いったいどこの誰なのかなあ…」

間違いない。彼は沙美が恋人と会っていることを知っているのだ。

「とにかく今は手が離せませんので、明日にでもご連絡いたします」

一方的に言って電源まで切った。目の前にけげんそうな竹崎の顔がある。もう少しで不快に変わる寸前の表情だ。

「とってもしつこい編集長なのよ」

沙美はわざと大きな舌うちをした。

「今、渋谷で飲んでいるから出て来いですって。失礼しちゃうわ。人のことをホステスとでも思っているのかしら」

「そんなに怒らなくたっていいじゃないか。仕事関係の人なんだろ。それに男っていうのは、酔っぱらうと気になる女に電話をしたくなるものなんだよ」

沙美の見幕に竹崎がとりなす形となった。これは計画どおりだ。

「あんなおじさんに、気にされてたまるもんですか」

沙美はふくれる。

「こういう仕事をしていれば仕方ないさ。そんなことよりさあ、シャワーだ、さあ、急げ、急げ」

竹崎はふざけて沙美の尻をぶつふりをした。沙美は小さな悲鳴を上げてバスルームに逃れる。竹崎が追いかけてきたので、内側から鍵をかけた。

ごく若いときを除いて、沙美は男と一緒にシャワーを浴びたことがない。二十代後半になってからきっぱりと拒否してきた。男とベッドに入る前には、それなりの用意と点検が必要だということを知ったからだ。

竹崎はシャワーキャップなど持っていなかったから、髪を注意深くタオルで包んでから湯を浴びた。石鹼のにおいが強過ぎるのは興醒めだということも知っているから、直接肌にこすりつけたりはしない。掌《てのひら》に泡を立てて使う。

熱い湯が首すじを伝わり、体のあらゆる窪みを通りしたたり落ちていく。あと十分後には好きな男に抱かれるのだ。女にとって最高に幸福なひとときである。沙美はうまくやりおおせたと思った。さっきの田代の電話のことを、竹崎は何も気づいてはいない。それどころか、沙美の仕事について理解ある言葉さえ口にしたのだ。

沙美はタオルで拭《ぬぐ》うために鏡の前に立った。湯気の中に白い裸体が浮かんでいる。自分でも綺麗《きれい》だと思った。最近は忙しさのあまりエクササイズをさぼっているから、ウエストのあたりにかすかに脂肪がついている。が、決して全体のめりはりを崩しているものではない。二十代のころに比べれば、腹のあたりもシャープな線を無くしているが、その代わり胸が丸く大きくなっている。もしカメラマンや画家といったプロの男が、今のこの沙美の体を見たら、成熟とか実るという言葉を使うだろう。

沙美は決して太ってはいないが、それでも三十三歳の女の体は、たわわに実って香っていた。沙美はふと思う。これほど美しい体を持っている自分が、もし罪を犯したとしても決して誰も咎《とが》めることは出来ないだろう。罪――、恋人がいるのに、別の男と寝たという事実は確かに罪かもしれない。けれども自分はまだ結婚しているわけでもなく、充分に若く美しいのだ。これほど価値のある素晴らしい体を持っている自分は、何をしても許されるはずであった…。

沙美は久々に自分の裸体に酔い、うっとりと見つめる。こんなことは本当に久しぶりだ。いつもなら慌ただしくバスを使い、ボディクリームを塗りながら体のあちこちを厳しくチェックすることしかしない。自分に向けるその冷静な視線はあきらかに同性のものだ。けれども今は違う。沙美は男の視線で自分の体を見つめている。そんなことが出来るのも、ドアの向こう側にいる、沙美を待つ男のせいだ。彼は沙美を、沙美の体を渇仰《かつごう》している。それが欲しくて苛立っている。

何て気持ちがいいのだろう。何て楽しいのだろう。

やがてドアの向こうから、コンコンと芝居じみたノックの音が聞こえてきた。

「お嬢さん、もうよろしいですか。五分の約束が随分長いような気がするんですけれども…」

「もうちょっと待ってね。今、髪を乾かしているの」

「やい、小羊ちゃん」

竹崎は怒鳴った。

「ぐずぐずしていると、狼さんはドアを蹴破って入っていくからな」

沙美はドアを開けた。竹崎は欲望のあまり怒りに満ちた目をしている。沙美の体に巻かれたバスタオルはたちまち剥《は》ぎとられ、そのまま抱きすくめられた。

「この男のしたことを、許してやれるだろうか…」

沙美はぼんやりと考える。

「私も罪を犯したのだけれども、この男は私にもっとひどいことをした…」

心を傷つけるのと、他の異性と寝ることとどちらが悪いことだろうか。そんなことはもうどうでもいいと沙美は考える。とにかく再会の情熱に燃えるふりをするのは実に素晴らしかった。そしてふりをしなくても、沙美はたやすくすばやくすっぽりと何もかも竹崎に包まれていく。

秋の新色発表会シーズンが来ようとしていた。毎年どこのメーカーも、この季節は派手なことをするのがならわしであったが、不景気が長びいたため実質的なやり方をとるところが多い。ホテルを借り切ってパーティ形式というのはなりをひそめ、編集者やライター数人を呼んでこぢんまりとした説明会を開くところが多くなった。

こういうとき、どのくらい有力者が来てくれるかというのがPR担当者の腕の見せどころである。ラ・ルッシュ化粧品に移ってから、沙美は密かに彼らのリストをつくっていた。誕生日もしっかりと記されている。同じように化粧品の見本を送るのでも、誕生日のカードをつけるかつけないかでは印象がまるで違う。

「もうじきバースデーですね。お祝いを何かと思いましたが、わが社の美容液が一番喜んでいただけるのではないかと思います。お忙しい日々が続いていらっしゃるでしょうが、これは速効性に自信があります。夜、寝る前にたっぷりとおつけください。いつまでもはつらつと素敵な◯◯さんで、これからもご活躍なさるようお祈りしています」

見えすいた手口と言えば言えるが、これがことのほか喜ばれた。

パソコンに入っているから誰にも見られる心配はないが、沙美は自分の中でVIPと定めた人々に独自のマークをつけていた。これはかつて田代に教えられた嗅覚というものである。各雑誌社の美容担当編集者というのはたいていが女性だ。大学を出たての若い女性から、三十代後半までまちまちであるが、沙美が目をつけているのはデスククラスのそれほど若くない女性たちである。キャリアウーマンの代名詞のように言われる編集者だが、最近は結婚している女性が多く子どもを持っている人も珍しくない。が、この年代はとてもむずかしいことが多く、みんな仕事と家庭との両立に悩んでいる。

沙美もそのあたりは充分に考慮しているつもりなのであるが、タイアップの打ち合わせや説明会が長びくこともある。特にキャラバンと言って、各編集部を訪問する説明会の場合、夕方近くなると露骨に嫌な顔をされることがあった。

「あのね、北村さん、今日はそろそろ子どもを保育園に迎えに行かなきゃいけないのよ」

「今日はね、子どもが熱を出してうちにいるの。だから早く帰らなきゃいけないんだけれど」

苛立った顔を見せる女性が多い中、ゆったりと構えている女性がいる。当然のことながら母親や姑といった強力なサポートがあればこそだろうが、家庭のことはいっさい表に出さない。早く帰りたいときも、優雅な顔で乗り切ってしまう。こういう編集者はみるみるうちに幾つかの企画をあて、そして美容ページのイニシアティブを握っていく。そしてあの編集部に彼女ありと言われる名物編集者になっていくのだ。

沙美は彼女たちの扱いを、他の編集者とははっきりと区別していた。沙美の中でははっきりとだが、他の人たちには知られないようにするのはテクニックを要する。これはコリーヌ化粧品でも教えてくれなかった沙美独得のやり方だ。沙美は説明会の案内状を郵送する前に、こうしたVIPたちひとりひとりに必ず電話をかけた。

「うちの方としては、○○さんに来てもらわないことには始まらないの」

心を込めて言う。

「今度の説明会は、特設のエステサロンもつくりますのでとても混むかもしれないの。あ、返事のおハガキなんかもちろん○○さんの場合は必要ないのよ。今、私が電話でご都合のいい時間をうかがうわ。ねえ、いつがいいのかしら。○○さんを最優先させるから、他の人のところに案内状を送る前におっしゃってください」

説明会の最中、沙美はホテル側に頼んでハイ・ティーのセットを出していたのであるが、冷たいものや果物を食べたいというリクエストがあった。ホテルに頼むとオレンジジュースしかないと言う。沙美は説明会の前に高級スーパーまでタクシーで行き、何種類かの飲み物を買ってくることにした。これを特別の予算を出してもらい揃えておいたバカラのグラスに注ぐ。おいしくてしゃれていると編集者たちに好評であった。

そんな最中にも田代からの電話はかかってくる。が、そう頻繁《ひんぱん》ではない。すっかりあきらめたというわけではないだろうが、もう前のように夜中にどうしても会ってくれなどということはしなくなった。世間話と割り切って、このごろは沙美も相手をすることが多くなっている。

「君はいいときに、この業界に入ってきたよなあ…」

「あら、そうかしら」

「そりゃそうだよ。この一年で化粧品の世界も信じられないぐらい景気が悪くなった。今まで伸びるばかりだった売り上げがある日すとんと落ちるとは、君と出会ったころは考えもしなかったよ」

沙美は頭の中で、最近のコリーヌ化粧品の業績をふと思い出す。確か新しいラインのメイクアップ化粧品の売れ行きが思わしくなく、パリの本社から立て直しの厳命が下ったという噂だ。

「前はね、どこも優秀なPR担当者を引き抜こうと血眼《ちまなこ》で探してたもんだ。金で凄い引き抜き合戦もあった。君が入る少し前までは、銀座のホステスのスカウトみたいなことが日常茶飯事だったのさ」

「銀座のホステスさんと同じだなんて、私たち本当に凄かったのね」

「そう、このあいだまで君みたいな新人も、大金積まれて引き抜かれていったときがあったんだ」

「別に大金なんか積まれていないわ」

沙美の笑いにつけ込んで、田代はいっきに図々しくなる。

「ねえ、ちょっと会えないかな」

「無理よ。このあいだは偶然っていうことがあったけれども、もうそんなこともないと思うわ」

「じゃ、君の力で偶然を起こしてくれよ」

「あら、人の力でどうにもならないのが偶然っていうもんじゃないかしら」

ふたりの間には、一度でも寝た男と女の馴《な》れ合いが生まれている。これはとても危険なことだと思ったが、危険の中に身を浸し、ときどき沈んだふりをするのは決して悪い気分ではない。

「ねえ、北村君、君はまだ気づいていないかもしれないけれども、僕は君にとってとても必要な男なんだ。あのもったいぶった装丁家なんかよりもずっとね」

「彼に会ったの」

沙美は気色《けしき》ばんだ。信じられないほど広く大きな人脈を持つ田代が、竹崎に会っていたとしても決して不思議ではなかった。

「いや、僕はあのとき、ちらっとお見かけしたのと…」

田代は含み笑いをする。以前ホテルの廊下で沙美ともみ合っているのを、エレベーターの中から竹崎に見られたことを言っているのだ。

「後は文章だけかな。このごろ、本のこととワインのことを書いているのをときどき見るけど笑っちゃうよな。昨日今日、ワインを飲み始めた若いのがいったい何を言ってるのかってね」

フランス語を自由に操り、フランス人の知人も多い田代ならではの皮肉というものであった。

「意外だったよ。君があんな風にご高説垂れるだけの男にいかれるとはね」

田代にしては珍しく嫉妬《しっと》をあらわにするが、これも彼独得の策略というものかもしれない。

「でもあの人には少なくとも、誠実さというものがありますから」

沙美は応酬したが、これがはからずも自分をひどく傷つける結果となった。そうだ、あれも竹崎の誠実というものなのだ。

「自分は結婚するつもりはない」

「ふたりは自立して、そして会いたいときに会う関係でよいではないか」

正直といえば正直過ぎる言葉が、思いのほか沙美に衝撃を与えた。そしてそれが田代との一夜に繫《つな》がってしまったのである。

あれ以来、竹崎との関係はうまくいっているといえるが、沙美は自分が言いたいことの半分も言わず、凝視しなくてはいけないものから目をそらしているような気がして仕方ない。こういう思いがたとえ電話だけとはいえ絶ち切れない田代との関係になっているのだということもわかっている。

「君の恋人がとても誠実だということは充分わかっているけれども、僕に会っていろいろな話をすることは、決して君にとって損じゃないはずだよ」

「電話でこうしていっぱい話しているじゃありませんか」

「いや、電話じゃやっぱり言えないこともある」

「たとえば…」

「たとえば君の会社の面白い動きについてだよ」

「え、うちの会社のことですって」

沙美の心臓の動きがいっぺんに速くなった。PR担当者は社内の人事に案外うとく、上司の異動なども遅くなってから知ることが多い。最近の業績不調で、日本支社長が更迭《こうてつ》されるところも幾つか出ているが、ラ・ルッシュはわずかでも伸びを示している。ここ当分は大きな動きはないだろうというのが沙美たちの読みであった。しかしこれは断定は出来ない。フランス人の気まぐれぶりと冷徹さには何度もつらいめにあってきた。パリの本社が考えていることなど、日本のいちPR担当者など見当がつかないというのが正直なところだ。

「いや、そんなに悪い話じゃないから安心したまえ。僕の古くからの友人で、パリの日本大使館に勤めている男が、近々ラ・ルッシュ化粧品が大きな仕掛けをするらしいと教えてくれたんだ」

「私はまだ何も知らないわ」

「パリの本社で聞いてきた話だ。君のところに届くまで時間がかかるだろう」

「その話、もっと詳しく教えて」

「いや、僕が知っているのはこのくらいさ。でも僕はこれで君に貸しをひとつつくったね」

「そんな言い方、田代さんらしくないわ」

「いや、僕は君にいっぱい貸しがある。君がそれに気づいていないだけさ」

唐突に電話が切れた。

田代の情報は正しかった。二日後、沙美は部長と共に社長に呼ばれた。社長といっても彼はまだ四十二歳という若さだ。ソルボンヌなど目ではない、国立行政学院を卒業したエリートということだ。コリーヌの支社長もそうであったが、彼が日本を蔑《さげす》んでいるのは誰の目にもあきらかであった。インテリのフランス人にありがちな、日本の美術や古典芸能に興味を持つこともなく、ひたすらフランス人だけの社交に明け暮れていた。会社が借り上げている広尾の七十坪の豪華マンションでは、しょっちゅうパーティが行なわれているらしいが、日本人スタッフは招かれたことがない。

「我々にとってとてもいい知らせだが、我々は今までの十倍忙しくなるはずだ」

どこで習ったのかわからないが、彼はひどくもったいぶっていて、ひどくへたな英語を使う。彼の話を聞くよりも、本社からのファックスを読んだ方がずっと早いくらいだ。

ラ・ルッシュ化粧品は今年で五十周年を迎える。第二次世界大戦の後、三つの小さなメーカーが国策によって合併したのが始まりである。本社ではこれを記念して六ヶ国から五十人のセレブリティを招待し、大きなパーティを計画しているという。これにはフランス文化庁や航空会社も協力を約束してくれ、この不況の最中、久々に華々しい催しとなりそうだ。

「とても素晴らしい計画じゃないか。場所はルーブルの新館か、あるいはリッツを使うということだが、多分リッツになるんじゃないかと思う。宿泊客もあそこに泊めることが出来るからね」

沙美は頭の中で素早く五十人の顔ぶれを思い描く。セレブリティを招待ということであるが、フランス側は日本の現状をよく理解していない。暮れの忙しいときに、パリまで行ってくれる有名人などというのは限られるし、芸能人の場合、高いギャラを要求されることもある。日本ではセレブリティといったときにはマスコミ人も含まれるのだ。沙美は五十人の半分は、女性誌の編集長、あるいは副編集長クラスにするつもりだ。幾つかの女性誌と交渉し、大きなグラビアを組んでもいい。パリで三百人が集まる大夜会となれば、引き受けてくれるところも多いだろう。どこかひとつを選んでパリの特集を組ませることも可能だ。カメラマンの費用ぐらいはこちらでもたなくてはならないだろうが、パリ郊外のラ・ルッシュ化粧品の研究所の写真を組ませたりすればそう悪い話ではない。

いや、もっと話を拡げて、女優かタレントを使うのもいい。女性誌の旅行グラビアとなれば、比較的安いギャラでも引き受けてくれると聞いた。ラ・ルッシュのイメージに合った二流でない女優となれば、選択範囲はぐっと狭くなるが、探せば誰かいるだろう。彼女にはラ・ルッシュの本場のエステも体験してもらうつもりだ。

そんなことを喋《しゃべ》っているうちに沙美はすっかり興奮してきた。これは沙美にとって初めての大仕事なのだ。いやこれほどのイベントが体験出来るPR担当者は何人もいないに違いなかった。

こんな話を聞いたことがある。バブルまっさかりのころ、ある化粧品会社の香水の発表会がシンガポールいちのホテルで行なわれた。豪勢なもので、有名人、マスコミ関係者など四百人をチャーターした飛行機で運んだのだ。「熱帯夜」と名づけられた香水にちなみ、招かれた人々は思いきりドレスアップし南国の夜を楽しんだ。まるで伝説のように言われる発表会である。が、この化粧品会社のPR担当者たちの苦労は並たいていのものではなく、徹夜と心労で何人かが帰国後倒れたということだ。

「それからサミ、これは本社からの要請だけれども、女優の北見真帆子《きたみまほこ》をどんなことをしても招待して欲しいそうだ」

「北見真帆子、へえー、随分渋いですねえ…」

思わず日本語でつぶやき、渋いという英語はどう言っていいだろうかといささかあわてた。

「マホコ・キタミですか…。とてもコンサバティブな女優ですね」

「何でも彼女が、フランス文化庁の招待でパリに来たことがあるそうだ。そのとき、本社の社長とディナーで隣り合って座り、とても気が合ったそうだ。彼女をどうしても招待して欲しいと言ってきている」

北見真帆子のややとうのたった顔を思い出した。最近テレビではとんとお目にかかれないが、映画の準主役クラスでときどき名前を見ることがある。はっきり言って〝落ちめ〟と形容されてもいいような立場であるが、彼女にとって運がよかったのは、作年出演した地味な映画がカンヌで賞をとったのだ。どうもその映画を持ち、世界中の映画祭をまわっていたらしい。

「至急、彼女の事務所に連絡を取り、招待に応じてもらいなさい」

やれやれと沙美は思った。芸能人の交渉は、出版社の百倍も骨が折れる。どこもまずスケジュールがいっぱいだと断わり、そして次にこう言うのだ。

「うちはよくそういうご依頼をいただくんですけれどもねぇ、全部にお応えするわけにはいきませんしねぇ…」

その後は金の話だ。せめてドラマ一本分はいただきたい。飛行機はファーストクラスにしてくれるんでしょうね。マネージャーは同行させていただきます。それからヘアメイクはどうなっているんでしょうか。スタイリストも連れていきたいので、三人分のチケットは別にいただきたいのですけれどもねぇ…。

ああ、大変なことになったと沙美は生唾《なまつば》を呑《の》み込む。パーティまであと三ヶ月しかない。その間にこうした交渉を何十回としなくてはならないのだ。

沙美は広告代理店から別のリストも手に入れている。これは文字どおりの日本におけるセレブリティリストである。女性誌の巻末グラビアにある「パーティピープル」の紹介の中で必ずといっていいほど顔を出す人々だ。

ピアニスト、女優、歌手、有名な俳優とその妻、タレント、アナウンサー、評論家、富豪の実業家夫人など、おしゃれとパーティ好きで知られる人々だ。大きなパーティがあるときは、彼らに招待状を出してきたが、今度は直に電話をしなくてはならないだろう。ひとりでも多くパーティに参加してもらうのだ。もちろんすべてノーギャラでだ。

「ああ、なんて大変なんだろう」

沙美は小さな悲鳴を上げたが、それは歓喜と紙ひと重のものだ。大きな獲物を前に舌なめずりする気分、それは初めて味わうものであり、今でなかったら手に入れられなかったものである。

ラ・ルッシュ化粧品が開く〝パリの大夜会〟は、マスコミの大きな話題となりつつある。

何しろこの不景気で、どこの化粧品会社も地味な催ししか出来ない。最近は派手なパーティもめっきり少なくなり、某化粧品会社がシンクロナイズドスイミングを使ってみせた香水の発表会が面白がられたぐらいだ。ひっそりとホテルの一室で行なう説明会が主流となりつつある今、五十人をパリまで連れていくという豪勢さは、確かに人々を驚かせた。

「バブルのころを思い出すわ。バンコクのオリエンタルホテルで、日本から何十人もよんで香水の発表会があったのよ。そうそう、シンガポールの大パーティっていうのもあったっけ……」

古参の編集者で懐かしがる者さえいる。そしてその後は例によって噂話だ。

「ねえ、『ルージュ』は編集長も副編集長も招待するって聞いているけど本当なの。うちの方の枠はひとりなのにね」

沙美はまたかとうんざりしながら、適当に答えておく。本社と折衝した結果、日本からの招待客五十人のうち、十五人をマスコミ人とした。ほとんどが編集長、副編集長クラスであるが、中には美容担当のデスクも何人かいる。

十二月の終わりというと、世間では一番忙しいときであるが、出版社というのはどこも年末進行というものがある。印刷所の予定に合わせて早めに原稿を入れてしまうのだ。従って二十二日過ぎというのは比較的暇な時期である。三泊五日という慌ただしさも、いかにも忙し気でしゃれていると思われたらしく、どこの出版社もこのパーティに参加してくれることになった。

問題はセレブリティと呼ばれる有名人たちである。これはもうラ・ルッシュ化粧品PR部だけで対応出来るわけがなく、広告代理店に協力をあおいだ。パーティ招待という名目であるから、誰もがそう高いギャラを要求しなかったが、ファーストクラス、マネージャー同行を口にする。飛行機のクラスの方は航空会社がスポンサーについているためどうにかなるとしても、マネージャーの方はやんわりと断わるのにどれだけ苦労しただろうか。

「私どもも、広告代理店の女性も何人も従《つ》いてお世話しますので、どうぞご心配なく」

と頭を下げなければならなかった。

沙美にはもうひとつ大きな仕事が控えており、それはパーティにからめた、パリとラ・ルッシュ化粧品の取材である。女性誌二誌とタイアップ契約を結び、パリでのラ・ルッシュ化粧品の売り場、エステティックサロンなどを撮影してもらうことになっている。もうひとつの方は女優をキャラクターに使い、彼女のパリ旅行記風に仕立てるつもりであるがこれが思いの他難航した。パリの本社からは、社長がディナーの際に知り合った北見真帆子を使えという指示が来た。しかし女性誌側はいい顔をしない。

「北見真帆子じゃ、ちょっと年を喰い過ぎていてうちの雑誌に合わないよ」

一流女性誌でパリ取材のグラビアとくれば、かなり売れっ子の若い女優も使えるというのだ。そこの女性誌が名前を挙げたのは、ドラマで常に高視聴率をあげる女優である。ファッションリーダーとして、よく女性誌のグラビアを飾っている。彼女は学生時代、この女性誌の読者モデルをしていたということで、今でも編集者たちと親しい。話はとんとん拍子に決まるかと思ったのであるが、突然のキャンセルが入った。女優が来年春からの某国産化粧品メーカーのＣＭに内定したというのだ。このときは沙美も編集者たちも青ざめてしまった。中原亜紀の名前も出て二転三転した結果、スケジュールが空いているということで、歌手の有村絵里《ありむらえり》がパリ取材を引き受けてくれることになった。歌手といっても、最近はテレビドラマに出演することも多く、情報番組の司会もしている。タレントの格から言うと、最初の女優よりもかなり落ちるが、ラ・ルッシュ化粧品のイメージを損なわないほどの人材は何とか確保出来たのだ。

彼女にはラ・ルッシュ化粧品の専属ヘアメイクアーティストが、パリで化粧を施すことになっている。その他にも社長との対談、ラ・ルッシュ化粧品のエステティックサロン体験とかなり目いっぱいのスケジュールが組まれていた。こうなってくると他の招待客のように、マネージャーが従いてこないというわけにはいかない。

「それからスタイリスト、普段の取材用のヘアメイクの航空チケット、宿泊等の手配もお願いします」

という事務所からの電話に沙美はため息をついた。次から次へと難問が押し寄せてくる。いくら五十周年記念パーティといっても予算が無尽蔵にあるわけでもなく、パリの本社は今までさんざん稼がせてもらったこの極東の地にかなり冷淡であった。ジャーナリストたちの飛行機の席は、ビジネスではなくエコノミーにしろなどと言い出し、沙美はどれほど困惑したことだろう。そんなことをしたら誇り高い編集者たちは激怒してしまうに違いない。メールやファックスで何度もやり合った結果、やっとビジネスクラスOKという返事を貰った。もはやこのとき、沙美の疲労は限界に達していたといってもいい。考えてみるとこの一ヶ月というもの、睡眠時間は四時間がやっとだった。やっと眠りについたかと思うと、自宅にとんでもない時間に国際電話がかかってくる。広告代理店のパリ支局からの問い合わせであった。

大きな仕事を任されているという喜びと充実感よりは、しばしば疲れと悩みに押し潰されそうになる。こんなとき沙美は、つい田代に電話してしまうのだ。ライバル会社の人間に、社内の事情を相談するなどというのは、もちろんいけないことに違いない。けれども長く化粧品会社のPR職に就き、パリと東京をしょっちゅう往復している彼は、誰よりもこの世界に精通していた。

「申しわけないけれど、会社じゃなくて自宅に日程表を送ってくれないか。それから招待客のリストも」

初めて田代の自宅の電話番号を聞いた。ふたりがつき合っている最中も、決して知ることのなかった電話番号である。もしファックスに切り替わる前に、田代の妻が電話口に出たりしたらどうしようかと思ったのだがそんなことはなかった。彼は自宅に専用のファックスを持っているようだ。

「君の送ってくれたものを見たよ」

一時間もたたないうちに電話がかかってきた。

「あのスケジュールは、広告代理店の方で出してきたものだね」

「そうよ」

「朝、パリに到着してその夜はレセプション。これはまあ仕方ない。だけどね、次の日、デパートの化粧品売り場見学、エステティックサロン体験、夜のカクテルパーティ…。これはちょっときつ過ぎる。午前中のデパート見学はやめておきたまえ」

「でも本社の方は、どうしてもジャーナリストたちに見て欲しいって…」

「いいかい、こういう招待旅行を成功させるコツは、自由時間をどれだけ多くするかっていうことなんだ。希望者だけどうぞ、っていうことにしてもマスコミの連中は、どうしても、他にひきずられてしまう。そして疲れ切って不満をつのらせるんだよ」

「わかったわ、何とかするわ」

「それから、これは代理店の若い者に頼んでもいいが、出席者のパーティドレスの色をチェックさせるように」

「そんなことまでするの」

沙美は驚いた。当日のレセプションには、男性はタキシード、女性はイブニングドレスという指定をした。男性の方は貸衣装でも何とかなるとしても、女性からの問い合わせが相次いだものだ。ファッションにはうるさい女性編集者たちも、カジュアルな服装に慣れているため、イブニングとなるとどうしていいのかわからない。カクテルドレスでもいいか、フルレングスでなければいけないのか、などの電話がしきりにかかってきた。

「今、招待客のリストを見た。そう大物はいないけれど、まあ押さえるところは押さえているっていう感じだな。この女優の福地香苗《ふくちかなえ》と榊原《さかきばら》えり子は、同じブランドから服の貸し出しを受けているはずだ。このあたりは早めに色を教えて、トラブルを招かないように」

この後、ふっと田代は口調をやわらげた。

「ところで、来週は君の誕生日じゃないか」

「あら、嫌だ、すっかり忘れていた」

沙美は心底驚いた。自分の誕生日を忘れてしまうなどということは初めてのことだ。先月、カレンダーをめくりながら、そろそろ近づいてくるなあという感慨を持ったが、忙しさのあまりそれきりになってしまったのだ。

「ふたりでたまには食事をしないか。松茸がうまいし、河豚《ふぐ》もそろそろいいころだよ」

これが相談の報酬というわけかと、沙美は何やらおかしくなってきた。

「でも駄目だわ。今年のわがバースデーは日曜日でした。家庭を持っている男の人には祝ってもらえない日ですね」

「それであの男と祝うわけか」

受話器の向こう側で、にんまりと笑う田代の顔が目に見えるようだ。

「あのくだらない、ワインのごたくを並べている男とか。まったく君にしちゃ、レベルの低いのをつかまえたね。装丁家といってもたいした仕事をしているわけでもないね。マスコミの半端仕事で食べているような男と君がつき合っていると聞いて、内心僕はがっくりしたよ。男の見方も含めて、君にはいろんなことを教えたつもりだったけどもね」

最後は芝居がかったようになるのがいつもの田代の癖である。沙美はそう悪い気がしない。彼のひとつの手口だとわかってはいるものの、男から嫉妬されるというのは心が確かに高揚する。たぶん無理だと思うわ、と答えながら、やはりこの男は魅力に充ちていると沙美は思うのだった。

同じ夜に竹崎から電話があった。

「やっと君をつかまえたよ」

少々むっとした声だ。

「うちにも会社にもいやしないじゃないか。ケイタイにかけても話し中ばかりだ」

「ごめんなさい。パリのことで今大変なのよ。もう死ぬかと思う忙しさだったのよ。代理店の人と芸能プロダクションまわったり、航空会社の打ち合わせに出ていたり

「……」

「それはそれとして、来週の君の誕生日、いったいどうなっているのかな」

「あら、憶えていてくれたの」

沙美は少なからず動揺した。よりによって同じ日に、ふたりの男から同じことを問われたのだ。

「日曜日だから、いくら何でも休みはとれるんだろう」

「ええ、突発事故さえなければね」

このあいだのような、女優の突然のキャンセルだけはご免だと思った。

「土曜日からどこかへ行かないか。紅葉を見ながら温泉なんていいね。今からでも予約出来るいいところを知っているんだけど」

「一泊は無理だと思うわ。土曜日の夜は、パリから電話が入ってくるかもしれない」

そう言いながら、恋人との一泊温泉旅行にあまり心ときめかない自分に気づいた。

「それだったら、スタンダードにフランス料理といくか。西麻布で『マリオット』にいたシェフが店を出したんだけれどもそこへ行こうか」

「わかった。じゃ予約しといてちょうだい」

電話の最中、沙美は中指のマニキュアが剝がれかけているのを見た。三十過ぎた女は、自分で爪の手入れをするのに限界がある。せめて半月に一度はネイルサロンに行かなくてはいけないと言ったのは、コリーヌ化粧品のトレーニング・マネージャーだった。竹崎と会う前はせめてネイルサロンへ行こう。それが一泊旅行を断わった自分のせめてもの誠意ではないだろうかと沙美は考える。

　新しく出来たフランス料理店は、デザートの種類が豊富であった。ワゴンにさまざまな菓子が載せられて運ばれてくる。栗を使ったタルト、たっぷりと生クリームがはさまったミルフィーユ、ショートケーキ、果物のコンポートなどが彩《いろど》りよく並べられていた。

「この他にもバニラとチョコレートのアイスクリーム、マスカットのシャーベットなどがございます」

　ワゴンを押してきたウエイターが言った。

「私はデザートをパスするわ。申しわけないけど。エスプレッソだけいただくわ」

「僕は後でチーズを貰うから、デザートはいいよ」

　生クリームと栗のにおいを残し、ワゴンが遠ざかった後で竹崎は言った。

「どうした。ダイエットなのかい」

「そうなのよ。ここのところ忙しくてスポーツジムへ行く時間もなかったし、夜も打ち合わせや何だかんだで外食ばっかり。おかげで一・五キロ太ってしまったわね」

「ちっともわかりやしないよ」

竹崎は微笑《ほほえ》む。

「君はもっと太ったっていいぐらいだよ。でも今だってもちろん最高だけどね」

「まあ、素敵なバースデープレゼントありがとう。三十すぎの女にはもったいないような誉め言葉よ」

「君にそんな言い方は似合わないよ」

三つも並んだワイングラスの陰で、竹崎は沙美の手を握った。

「この後、君の部屋で飲もうよ。シャンパンを持ってきたから」

「いいわよ」

久しぶりの休日で、ネイルサロンへ行く前に部屋の掃除をしておいて本当によかったと沙美は思った。

西麻布の交差点でタクシーを拾った。この場所からだと竹崎のマンションの方が近いのだが、このごろ彼は沙美の部屋に行く方を好んだ。仕事場を兼ねている自分の部屋だと、どうも落ち着かないというのだ。

沙美の部屋に着くなり、竹崎はいきなりシャンパンの瓶を冷凍庫の中に放り込んだ。

「乱暴だけどいちばん早く冷えるからね。時間さえちゃんと計っていれば大丈夫」

冷える間、うちにあるワインを開けようとする沙美を、彼は押しとどめる。

「さっきの店で充分飲んだよ。これ以上飲むとシャンパンが不味《まず》くなってしまう。それよりもここへおいで」

ソファに座った竹崎は沙美を手招きする。近づいていくと、いきなり膝の上に抱きすくめられた。

「僕の沙美、誕生日おめでとう。これからもずっと仲よくしてくれよな」

沙美の顎《あご》から首すじにかけて唇を押しつける。あの喧嘩以来、彼はときおりこうした芝居がかった動作をする。が、それは田代のあのわざとらしい物ごしとも違っている。竹崎の場合にはどこか無理をしているような不自然なところがあるから、沙美もついぎこちなくなってくるのだ。

「もちろんよ！　これからもずうっとよろしくね」

右手を伸ばし、後ろから竹崎の首を抱いたが、自分の言葉が上滑りしていることに沙美は気づいた。ふと思う。人間というのは本当に心にそう浮かぶから、その言葉を口にするのだろうか。それとも相手に合わせて、適当に言葉は出てくるものだろうか。

男と女は「愛している」という言葉を、本当に全身全霊を込めて口にしているのだろうか…。

そのときインターフォンが鳴った。時計を見る。夜の十時になろうとしている。宅配便や新聞の勧誘にしてはあまりにも遅い時間だ。

「もし、もし、どなたですか」

「北村さんのお宅ですね。お花をお届けにあがりました」

沙美はあまりのことに声も出ない。インターフォンごしであるが、田代の声だということははっきりわかる。いったいどうしてこんなことをするのだろうか。竹崎がここに居るのを知ってのことなのだろうか。

「どうしたの。花を届けに来てくれたんだろ」

竹崎が、不審気にソファから立ち上がりこちらにやってくる。沙美の手から受話器を取り上げた。

「もし、もし、今開けますから」

ボタンを押した。

「あ、やめて、そんなことしないでよ！」

ふたりは顔を見合わせた。不思議そうな竹崎の顔がやがて確信に変わり、そして怒りに変わるのに時間はかからなかった。もう何も言わない。恐ろしいほどの沈黙の中、ドアのチャイムが高らかに鳴った。

「開けろよ」

竹崎はつぶやく。

「君の恋人が来たんだろ」

「恋人じゃないわ…」

「君が開けないなら、僕が開けるよ」

フローリングの上でも竹崎の荒い足音ははっきりと聞こえた。止めようと思うのだが体が動かない。けれども心の中でいつかこんなことが起こると予感していたもうひとりの沙美がいる。

ドアを開ける音。そして竹崎の声。

「やっぱりあんただったか」

「沙美、誕生日おめでとう！」

この場にまったく不似合いな田代の祝いの声が聞こえてくる。沙美は相変わらず身じろぎも出来ない。そして再び竹崎の足音が近づいてきた。彼は沙美に三歩ほどの距離をおいてこう言った。

「僕はあのとき、君に尋ねた。あの男とは別れることが出来るのかって。そうしたら君は別れるって約束してくれた。だから僕は君のことを信じた。でもそれは間違いだったみたいだな！」

違うの、と沙美は叫ぼうとした。誤解しないでと言おうとした。けれども沙美の口からまったく意外な言葉が飛び出した。

「ごめんなさい」

「もういい。とにかく僕は帰る。彼と一緒にお祝いをすればいいさ」

沙美はようやく顔を上げた。竹崎が脱ぎ捨てた上着を摑み、羽織らずに出ていくのをじっと眺めていた。

「お待たせしましたね」

玄関で竹崎は精いっぱいの皮肉を言っている。

「これからはおたくの番ですからどうぞ」

ああと膝を折りたいような気分だ。もう何もかも終わってしまった。あたり前だ。自分は弁解をしなかったのだから。どうしてだろう、竹崎を失うことがわかっていたのに、どうして自分は嘘もつかず、弁解もしなかったのだろうか。

「案外おとなしく出ていったじゃないか」

田代がいつのまにか目の前に立っていた。手に赤いバラの花束を持っている。まるで悪ふざけのような大きな花束だ。少し酔っているようで顔が赤らんでいた。

「どうして…」

沙美は田代を睨《にら》みつけた。

「どうしてこんなことをするの」

「決まってるじゃないか。君を不幸にしたくなかったからだよ」

田代は沙美に花束を渡す。自分でも驚いたことに沙美はそれを受け取っていた。五十本はあるかもしれない、両手で抱えるのがやっとの大きさだ。

「あの男は本当にくだらない男だよ。今、僕のことを殴るかもしれないと思っていた。殴ったら結構見どころのある奴だと思ったかもしれないが、せいぜいが皮肉を言って逃げるぐらいしか出来なかったな」

「ひどいわ、ひどいわ…」

沙美は繰り返した。まだ頭は混乱しているけれども少しずつクリアになっている部分がある。

「私がラ・ルッシュに移るとき、怪文書をばらまいたの、あれってあなたの仕業《しわざ》でしょう」

「僕はそんなくだらないことしやしないよ。ちょっと工作はしたかもしれないけれどもね、実際に手を下したりはしない」

「何でそんなことばかりするの。私がそんなに憎いの」

「馬鹿だなあ、その反対に決まっているだろ」

田代は沙美の肩を抱いた。バラの棘《とげ》がワイシャツの胸を刺しているはずなのに気にする様子もない。花束はふたりの胸の間で少し潰れた。

「僕は君をずうっと手放したくないんだ。わからないのか、君は僕が必要なんだ。僕はね、これからも君がつまらない男と結ばれるぐらいなら絶対に邪魔をするよ。そんなことは許さないよ」

「やめてよ…」

沙美は田代を押し戻そうと、バラの花束を向こうに押しつけた。少しもみあった結果、花束は床に落ちた。大きな花束なのでどさりと音がした。

「ねえ、どうして君は気づかないのかなあ。君は自分で思っているよりも、ずっと狡《ずる》くてしたたかで、野心的な女なんだよ。僕は何度もそのことをわからせようとしたのに、わざと顔を背《そむ》けたりしたよね。くだらない男と平凡な恋愛をしようとしたりして、君は何てお馬鹿さんなんだ…」

そして沙美は激しく唇を吸われた。抵抗など出来なかった。それよりも沙美は懐かしい気持ちにさえなる。何か魔力のようなものにとらわれたような気分だ。

「さあ、このあいだの続きをしようよ」

田代は言った。

「僕たちはとても似合いのふたりなんだよ。これ以上ないぐらいのベストカップルなんだ」


二ヶ月後、沙美は成田空港の南ウイングに立っている。あと一時間もすれば、パリ旅行に行く人たちがここに集まってくるはずだ。航空会社の担当者も横に立ち、あれこれ指示を求めてくる。何人もの有名人たちが集まってくるのだ。混乱がないよう、すぐに来た人からＶＩＰラウンジに通してくれるよう沙美はあらかじめ頼んでいた。

「わかっていますよね。セキュリティチェックも速やかに終わるようにしてください。それからビジネスクラスの荷物も、早く出てくるようにファーストクラスのタグをお願いします」

昨夜はレセプションの資料づくりで、結局一睡もしなかった。けれども疲れてはいない。体中から熱い力がわき出て、それが体を充たしていくのがわかる。沙美の力で、芸能界やマスコミから五十人の人々が集まろうとしている。そしてパリに行こうとしていた。おそらくパーティは成功するだろう。グラビアも素晴らしい出来映えになるに違いない。沙美にはそれがわかる。すべてわかる。成功というのは実現する前から甘い香りがするものだ。そしてそれを嗅ぎわけられるのはほんのひと握りの人間しかいない。

竹崎とは別れた。田代とはときどきの関係を続けている。それを淋しいとは沙美はなぜか思えなかった。最初からこうなることがわかっていたような気もする。

自分はこうして仕事の成功とひき替えに何かを失っていくだろう。それを後悔する日も来るかもしれないが、まだまだ先のことだ。今、仕事の快感が自分をエクスタシーに誘い込むならそれに身をゆだねようと思う。思いきり仕事に淫《いん》するつもりだった。なぜなら沙美はいずれすべてのものを手に入れる気持ちでいる。まだ自分は若い。仕事以外のさまざまなものを得ることも可能なのだ。田代の裏をかいて、きっときっと幸福になる。そのとき彼がどんな顔をするだろうと考えると、沙美は楽しい気分になる。

「君は自分が考えているよりもずっと狡い女だ」

どこからか田代の声が聞こえてきて、本当にそのとおりだと沙美は頷いた。

（完）

文庫版あとがき

最近私の書いた小説の中で、この「コスメティック」ぐらい話題になったものはない。

といっても業界内の盛り上がりが専らであったが…。

「あの沙美にはモデルがいるの？　いったい誰なの？」

という質問をいったい何回されたことであろうか。

モデルはいないけれども、小説を書くにあたっては当然何人かの方に取材させていただいた。どなたも化粧品業界の第一線で働く女性たちである。決してお世辞でなく、みなさん本当に魅力的な方々であった。英語、フランス語、二ケ国語話すのはあたり前。おしゃれで話が面白い。それよりも何よりも、日本人には珍しいほど、強く深く自分の仕事に誇りを持っていることに私は感動した。

このところにわかに脚光を浴びているプレスという仕事であるが、これは組織よりも本人自身が前に出て、その能力を試されるところがある。編集者たちにいかに人気があるか、どういう人脈を持っているかで、その結果が出てしまうのだ。

そのプレスの人に力があれば、新製品をグラビア二ページで扱ってもらえるかもしれない。反対に力がなければ、単なるベタ記事で終わってしまうかもしれないシビアな仕事だ。あるプレスの人は、マスコミに出る記事の数で、彼女の年間の報酬が決まってしまうと教えてくれた。

「でもうちなんかまだいい方なんですよ。別のところじゃ、外国人のボスが記事の大きさをものさしで計るっていいますからね」

読者の方々はご存知ないかもしれないけれども、しょっちゅう化粧品メーカーはパーティを開いている。マスコミの人たちを呼んで、自社製品をアピールするパーティだ。

つまらないところで開いたりすると、たちまちブーイングが起こる。東京でいちばん新しいスポット、ホテルやレストランを選び出し、趣向を凝らして素敵なパーティにすることに彼女たちは奔走する。ホステスとしてのプレスの美意識やセンスを試されるのだ。

そして大きなパーティともなると、有名人も来てくれなくてはならない。電話一本で来てくれるセレブが何人いるか。プレスの腕の見せどころだ。プレスがいかに魅力的でかつしんどい仕事かがわかっていただけるであろう。

さて一方で、沙美の男性関係にも心を砕いた。最初の男性は、恋の初級者から中級者が選びそうな、難のないエリートである。女の好物をすべて備えているが、仕事をする女にとっては、いちばんいけない相手である。私は世の中でエリートと呼ばれる男を何人も知っている。彼らの配偶者も見た。そして、

「こういう男と結婚し、暮らしていけるのも確かに才能であろう」

と思うのである。

が、それは働く女の才能とは全く別の方向にあるものだ。沙美はこのことを知り、最初の選択をする。

そして次々に男が彼女の前に現われるのであるが、私は彼女にこんな内容の発言をさせている。

仕事のために寝ることと、好きになった男が、たまたま権力を持っていたことと、その境いめはどこにあるのだろう…。

これからこういう考え方をする女性は、もっと増えることだろうと思う。

さて、これほど話題になった「コスメティック」であるが、単行本の売れ行きはイマイチだった。どうしてだろうと、今も不思議である。テレビ化の話は幾つもあったが、実に巧妙にパクられてしまった。今思い出しても、いろいろとついていない小説である。今、文庫化が初出版のような気分だ。

最後に一緒に取材につき合ってくださった、前ドマーニ編集長、花塚久美子さん、現編集長の橋本記一さんに心から感謝します。

林真理子

二〇〇二年八月二九日

解説

倉田真由美

「あのー、私は漫画家の倉田真由美ですが。コスメジャーナリストの倉田真由美さんとお間違いではないですか」

最初ドマーニ(『コスメティック』を連載していた雑誌)の編集長から直々に依頼の電話をいただいた時、私はこう答えた。

あの林真理子先生の小説の解説。しかもタイトルが『コスメティック』とくれば、私じゃなくとも私と同姓同名で有名な美人コスメジャーナリストの倉田真由美さんのお仕事だと思うだろう。なにせこっちは最近ようやく本業だけで食えるようになったばかりのアンチ上品系体当たり漫画家、一方はキャリアも長く泥を被ったこともなさそうな(すみません。イメージだけで判断してます)上品系ジャーナリスト、どう考えても真理子先生の小説のイメージは後者であろう。

「いえいえ、漫画家の倉田真由美さんへの依頼です。引き受けてくださいますか」

とドマーニ編集長。マジかよっ。

「も、もちろんです。謹んでお受けさせていただきますっ」

その電話があった時たまたま傍にいた『週刊スパ！』の担当編集に即報告。

「え、本当ですか。うーん、すぐには信じられないような話ですね。倉田真由美違いじゃないんですか」

やっぱりな。

「いや、確認したもん。どうよどうよ、中村うさぎじゃないよ、林真理子だよ？　ふふ、私もここまできたか…（ちょっと涙目）」

ある意味、私の仕事の歴史の中で最もカタギなこのお仕事。学生時代の友人に会う時は、

「どんな仕事してるかって？　そうね、林真理子の解説とか…」

と、筆頭で言いそうなこの解説。心して臨みたいと思う。

さて、まずは『コスメティック』を読まねば。実は私、ここ2年ほど長編小説はほとんど読んでいない。結婚したり週刊連載が始まったり子供が生まれたり離婚したりあまりにも多忙で余裕がなかったせいである。漫画で食えない時期はお金もやること

もないので毎日図書館に通って一日5冊ずつくらい本を読んでいたのに(ほぼ引きこもり。猟奇殺人ものとか好んで読んでた。我ながらあの時期は本当にやばかったと思う)。

久々なので集中力続くかなと少し心配していたけど、読み出すと一気に読んでしまった。凝ったストーリーのもいいが、キャラクターがはっきりしていてリアルな小説が私は大好きである。『コスメティック』はまさにそんな、人物一人ひとりがくっきりはっきりと浮き出てくる物語だった。主人公の沙美はもちろん、脇を固める田代や竹崎など、読みながら本当に顔や姿がつぶさに見えていた。

だって、リアルなんだもん。こーゆー奴、現実にいるもん。特に嫌なとこ、めっちゃリアル。

「竹崎〜、やっぱりお前はそういう奴かあ〜」

「田代君、キミらしい、実にキミらしい行動だね」

などと登場人物につっこみたくなる。ちなみにだめ男を渡り歩く恋の敗残者な女たちをたくさん見てきた私の経験では、沙美はおそらく恋愛において成功者になれないタイプである。日本人の場合、恋愛以外のことに情熱がありすぎる女はなかなか良縁に巡り会えないか、良縁と気づかず切ってしまうかどちらかの場合が多い。恋愛至上主義で、専業主婦として、奥様として成功を収めるのは直樹と結婚できる女である。私自身そういう女ではないので沙美が直樹と別れた時にはほっとしてしまった。実はちょっとうらやましいのだ、直樹タイプを素直に選べる女が。くそう、今に見てろよ幸せになってやるからな。なっ、沙美。

さてそれから『コスメティック』の醍醐味は、なんといってもコスメ業界の内幕！

「コスメ業界って、こんな風になってたのか」

普通に暮らしてたら絶対見えてこない業界の内側を赤裸々に知ることができて実に面白い。普段何気なく使っている化粧品の裏側にあるめくるめく攻防《ビジネス》が垣間見え、感心したり呆れたり驚いたり、新鮮な感想を持てること請け合い。ちなみに私はまず、

「女性誌のコスメ担当みたいに、接待とか化粧品の貢物とかいい思いをしたいもんだなあ」

とうらやましく思い、次に、

「今度女性誌の編集部に行ったらそこら辺に転がってる化粧品を万引きしてこよう」

と決意した。休みもなく働いてるんだから、化粧品なんて自費で買えるんだけどね。貧乏が長いと考えが貧しくなるということである。全く時々嫌気がさすよ、自分の貧乏臭さに。でもね、こういう草の根の努力が大きなゼニの花を咲かせるんざますっ

（と信じたい）。

さて、ふと我に帰る。やっぱり間違いなんじゃないだろうか。あんなに確認したけど読後またまたそんな気がしてきた。第一肝心の真理子先生は了承済みなのだろうか。ドマーニ編集長と真理子先生の間できちんと意思の疎通は成されているのだろうか。やっぱり倉田真由美違いだってことはないんだろうか。そもそも私は真理子先生と面識もないし…。

今からこの原稿を編集部に送る訳だが、不安である。活字になった後、真理子先生読んでびっくり、読者の皆さんはもっとびっくりってことはないよね。

もし万が一そういうことになっても、悪いのはドマーニ編集長なので。どうか今後も倉田真由美をよろしくお願いします（って、自分の宣伝してどうする）。

（漫画家）

本書のプロフィール

本書は、『Ｄｏｍａｎｉ』一九九七年一月号より一九九八年十二月号まで掲載された作品を、一九九九年四月単行本として刊行、同書を文庫化したものです。

小学館文庫

コスメティック

著者　林《はやし》真《ま》理《り》子《こ》

二〇〇二年十一月一日　初版第一刷発行
二〇二〇年七月八日　第十五刷発行

発行人　清水芳郎
発行所　株式会社　小学館
〒一〇一-八〇〇一
東京都千代田区一ツ橋二-三-一
電話　編集〇三-三二三〇-五五七三
販売〇三-五二八一-三五五五
印刷所――大日本印刷株式会社

造本には十分注意しておりますが、印刷、製本など製造上の不備がございましたら「制作局コールセンター」(フリーダイヤル〇一二〇-三三六-三四〇)にご連絡ください。(電話受付は、土・日・祝休日を除く九時三〇分～一七時三〇分)
本書の無断での複写(コピー)、上演、放送等の二次利用、翻案等は、著作権法上の例外を除き禁じられています。本書の電子データ化などの無断複製は著作権法上の例外を除き禁じられています。代行業者等の第三者による本書の電子的複製も認められておりません。

この文庫の詳しい内容はインターネットで24時間ご覧になれます。
小学館公式ホームページ　https://www.shogakukan.co.jp

©Mariko Hayashi 2002　Printed in Japan
ISBN4-09-408013-9

WEB応募もOK!

大賞賞金 300万円

第3回

警察小説大賞

作品募集

選考委員

相場英雄氏（作家）　長岡弘樹氏（作家）　幾野克哉（「STORY BOX」編集長）

募集要項

募集対象

エンターテインメント性に富んだ、広義の警察小説。警察小説であれば、ホラー、SF、ファンタジーなどの要素を持つ作品も対象に含みます。自作未発表（WEBも含む）、日本語で書かれたものに限ります。

原稿規格

▶ 400字詰め原稿用紙換算で200枚以上500枚以内。

▶ A4サイズの用紙に縦組み、40字×40行、横向きに印字、必ず通し番号を入れてください。

▶ ❶表紙【題名、住所、氏名(筆名)、年齢、性別、職業、略歴、文芸賞応募歴、電話番号、メールアドレス（※あれば）を明記】、❷梗概【800字程度】、❸原稿の順に重ね、郵送の場合、右肩をダブルクリップで綴じてください。

▶ WEBでの応募も、書式などは上記に則り、原稿データ形式はMS Word（doc、docx）、テキスト、PDFでの投稿を推奨します。一太郎データはMS Wordに変換のうえ、投稿してください。

▶ なお手書き原稿の作品は選考対象外となります。

締切

2020年9月30日

（当日消印有効／WEBの場合は当日24時まで）

応募宛先

▼郵送

〒101-8001 東京都千代田区一ツ橋2-3-1

小学館 出版局文芸編集室

「第3回 警察小説大賞」係

▼WEB投稿

小説丸サイト内の警察小説大賞ページのWEB投稿「こちらから応募する」をクリックし、原稿をアップロードしてください。

発表

▼最終候補作

「STORY BOX」2021年3月号誌上、および文芸情報サイト「小説丸」

▼受賞作

「STORY BOX」2021年5月号誌上、および文芸情報サイト「小説丸」

出版権他

受賞作の出版権は小学館に帰属し、出版に際しては規定の印税が支払われます。また、雑誌掲載権、WEB上の掲載権及び二次的利用権（映像化、コミック化、ゲーム化など）も小学館に帰属します。

警察小説大賞　検索

くわしくは文芸情報サイト「小説丸」で

www.shosetsu-maru.com/pr/keisatsu-shosetsu/